생각 읽기가 독해다!

이 책을 쓰신 분들

나태영 국어전문저자	윤구희 효문중학교
김보라 영동일고등학교	윤치명 보성여자고등학교
김보미 고척고등학교	이경호 중동고등학교
박성희 국사봉중학교	이민규 오산고등학교
박석재 중앙대학교 사범대학 부속고등학교	정송희 고려대학교 사범대학 부속중학교
박정준 오산고등학교	채재준 채재준 국어전문학원
서경원 창현고등학교	홍성구 덕원여자고등학교
유한아 국어전문저자	

디딤돌 생각독해 [중등 국어] IV

펴낸날 [초판 1쇄] 2020년 12월 15일
펴낸이 이기열
펴낸곳 (주)디딤돌 교육
주소 (03972) 서울특별시 마포구 월드컵북로 122 청원선와이즈타워
대표전화 02-3142-9000
구입문의 02-322-8451
내용문의 02-325-6800
팩시밀리 02-338-3231
홈페이지 www.didimdol.co.kr
등록번호 제10-718호
구입한 후에는 철회되지 않으며 잘못 인쇄된 책은 바꾸어 드립니다.
이 책에 실린 모든 삽화 및 편집 형태에 대한 저작권은
(주)디딤돌 교육에 있으므로 무단으로 복사 복제할 수 없습니다.

Copyright ⓒ Didimdol Co. [2001840]

※ (주)디딤돌 교육은 이 책에 실린 모든 글의 출처를 찾기 위해
　최선의 노력을 기울였습니다.
　저작권자를 찾지 못해 허락을 받지 못한 글은 저작권자가 확인되는 대로
　통상의 사용료를 지불하겠습니다.

디딤돌 해법

생각 읽기가 독해다!

생각독해

생각독해,
어떻게 해야 할까?

시작

기본

심화

똑같은 장면을 보고 왜 다른 생각을 하는 걸까?

생각독해는 '왜'라는 질문에서 시작해 '무엇을', '어떻게'에 관해 생각해 볼 수 있도록

다양한 영역을 관통하는 '빅 아이디어'를 선정해

단순히 글을 읽는 것을 넘어 생각하는 힘을 기를 수 있도록 도와줍니다.

독해, 이제 생각독해로 제대로 시작해 볼까요?

생각 읽기가 독해다!

생각독해 IV

딤돌

생각 읽기가 독해다!

'독해력'이 곧 '공부력'이라는 말 들어 보셨나요?

세상의 모든 지식은 문자로 되어 있고, 그 문자를 읽고 이해해서 자기 것으로 만드는 일이 바로 '공부'입니다. 모든 학습의 기초가 되는 과목인 '국어'를 잘하면 '공부'도 잘한다는 말이 나온 이유가 바로 여기에 있습니다.

독해력이 부족한 친구들이 부딪히는 부분은 크게 두 가지입니다.

하나는 지문을 끝까지 집중하며 읽어 내지 못하는 것이고, 다른 하나는 글쓴이가 말하고자 하는 바, 다시 말해 글의 초점을 제대로 파악하지 못하는 것입니다.

한 편의 글을 다 읽어도 글쓴이가 말하고자 하는 바를 이해하지 못한다면, 안 읽느니만 못한 결과를 가져오게 되죠. **결국 독해의 승패는 '얼마나 많이 읽었느냐'가 아니라 '글을 얼마나 잘 읽을 수 있느냐'에 달려 있습니다.**

수능은 교과 내용을 알기만 한다고 풀 수 있는 시험이 아니며, 높은 수준의 사고력이 뒷받침되어야 합니다. 제아무리 기술이 좋고, 멘탈이 강한 운동선수도 기본 체력이 따라 주지 않으면 시합에서 좋은 성적을 기대할 수 없는 것처럼 독해력이 뒷받침되지 않으면 우리가 곧 경험하게 될 입시에서도 성공할 수 없습니다.

한 편의 글에는 글쓴이의 고도화되고 정교하게 다듬어진 생각이 담겨 있습니다. 글을 읽을 때 글 속에 담긴 글쓴이의 생각을 따라가다 보면, 그 과정 속에서 글의 구조를 파악하게 되고, 글쓴이가 무엇을 말하고자 하는지도 알아낼 수 있습니다. 그리고 그 과정이 자연스러워질수록 글을 읽는 학습자의 생각은 깊어지고 독해력도 그만큼 높아지게 됩니다.

내신도, 수능도 독해력이 결국 답입니다.

글을 읽으면 핵심어와 중심 내용이 파악되고, 글쓴이가 무엇을 말하고자 하는 글인지가 머리에 들어와야 합니다. **글 안에 담겨 있는 정보를 이해하는 데서 그치는 것이 아니라 글 뒤에 숨어 있는 글쓴이의 생각까지 파악해야 하는 거죠.**

정독이냐, 속독이냐, 다독이냐 … 독해의 속도와 양은 중요하지 않습니다.

이제부터는 왜, 무엇을, 어떻게 제대로 생각하느냐가 중요합니다.

제대로 된 방법만 쓴다면 독해력, 더 나아가 수능 국어영역 점수를 올리는 것은 그다지 어려운 일이 아닙니다. 생각독해는 독해의 제대로 된 방법, '정도(正道)'를 제시합니다.

글쓴이와 맞장 뜰 수 있단 각오로 독해에 임하십시오!

생각독해가 여러분의 자신감에 날개가 되어 줄 것입니다.

글에 담긴 생각 어떻게 읽어야 하지?
생각읽기로 시작하자

생각의 발견은 빅 아이디어에서 시작된다

우리를 둘러싼 수많은 이슈 중에서
중요하고 가치 있는 빅 아이디어를 선정했습니다.
빅 아이디어를 통해 다양한 생각을 발견하고
확장해 나갈 수 있습니다.

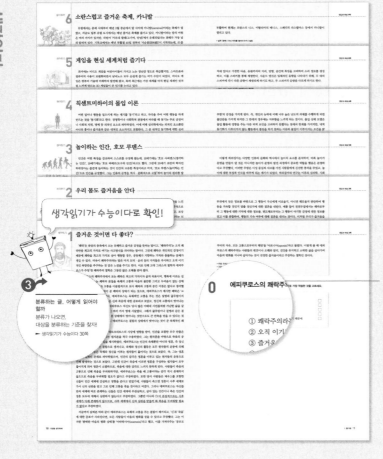

하나의 아이디어로 다양한 생각을 읽다

6개의 생각읽기에서는 빅 아이디어에 대한 다양한 영역의
이야기들이 펼쳐집니다. 같은 아이디어로 인문, 사회, 경제,
역사, 과학, 기술, 미술 등에서 어떤 생각들이 오고 가는지
궁금하지 않나요?

글쓴이의 생각이 궁금해?
0번 문제로 확인하자!

생각읽기 1~6의 0번 문제는 주제와 관련된
글쓴이의 생각을 묻고 있습니다. 글 안의 정보는 물론
글쓴이의 숨은 의도까지 볼 수 있어야 하는
종합적인 문제입니다.

글쓴이의 생각 어떻게 읽어야 하지?
생각읽기가 수능이다로 확인하자!

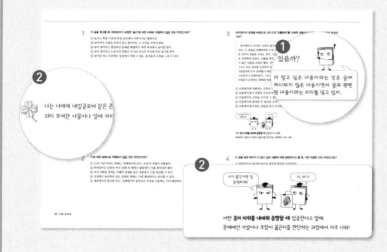

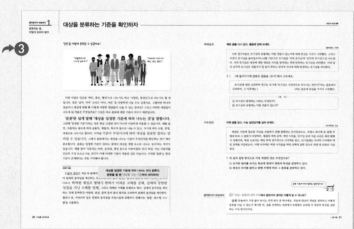

너무 어려워? 내가 도와줄게~
어려운 문제가 나와서 두렵거나, 문제를 풀다가 막히면
내가 하는 말에 힌트가 숨어 있으니깐 잘 봐 줘!

❶ 출제자의 마음이 궁금해?
도움팁으로 확인하자!

문제를 풀다 보면 출제자가 왜 이 문제를 냈을까
궁금하지 않나요? 문제를 풀 때 정말로 도움되는 꿀팁만
출제자의 마음으로 제시하였습니다.

❷ 독해원리가 궁금해?
그림으로 원리를 확인하자!

개념을 안다고 독해 문제가 술술 풀릴까?
문제 속에 숨겨진 독해원리는 그림을 통해 개념은 물론
그 원리까지 익힐 수 있습니다.

❸ 글쓴이의 생각이 궁금해?
문단 구조만 봐도 글쓴이의 생각이 보인다!

글을 읽다가 글쓴이의 생각이 궁금하면,
생각읽기가 수능이다에서 그 궁금증을 해결할 수 있습니다.
배운 글로 독해실전 - 기출로 수능실전

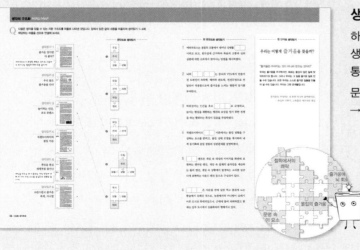

생각의 구조화로 다양한 영역의 생각을 통합하다

하나의 빅 아이디어로 6개의 생각읽기가 끝나면,
생각의 구조화로 빅 아이디어에 대한 다양한 생각을
통합할 수 있습니다.

문단으로 생각읽기 → 한 문장으로 생각읽기
→ 한 단어로 생각읽기

놀이처럼 각 문단에 담긴 생각을 퍼즐로 만드는
훈련을 반복하면, 나도 모르는 사이 한 편의 글
이 머릿속에 퍼즐 형태로 보여!

Contents

01

생각의
발견

즐거움

즐거움을 말하다!

사람들은 모두 즐거움을 추구합니다. 공부하는 것보다 TV, 유튜브 동영상을 보거나 게임을 하는 것이 더 좋은 이유는 즐거운 기분을
쉽게 느낄 수 있기 때문입니다. 이렇듯 우리는 보통 즐거울 때 행복하다고 생각하게 마련입니다. 그렇다면 우리는 왜 즐거움을 느낄
때 행복감을 느끼게 되는 걸까요? 공부하면서도 즐거움을 느낄 수는 없을까요? 즐거움을 추구하는 마음은 우리의 삶에 어떤 영향을
끼칠까요? 즐거움에 관한 철학적 사고와 뇌의 작용, 놀이나 게임을 통한 즐거움 등을 살펴보며 우리가 좋아하고, 추구하는 즐거움에
대해 알아봅시다.

즐거운 것이면 다 좋다?

철학에서의 쾌락

Q 에피쿠로스가 규정한 쾌락의 본질은 무엇인가요?

'쾌락'은 욕망의 충족에서 오는 유쾌하고 즐거운 감정을 뜻하는 말이고, '쾌락주의'는 오직 쾌락만을 최고의 가치로 여기는 사고방식을 의미하는 말이다. 그런데 쾌락은 개인적인 감정이기 때문에 쾌락을 최고의 가치로 삼아 행동할 경우, 공동체가 지향하는 가치와 충돌하는 문제가 생길 수 있다. 더욱이 쾌락주의라는 말은 마치 도덕·윤리 등의 가치들은 무시하고 오직 이기적인 욕망만을 추구하는 것 같은 느낌을 주기도 한다. 이로 인해 고대 그리스의 철학자 에피쿠로스가 주창*한 쾌락주의 철학은 그동안 많은 오해를 받아 왔다.

에피쿠로스의 쾌락주의에서 보는 쾌락은 최고의 가치이자 삶의 목표이며, 행복에 이르는 길이다. 에피쿠로스는 쾌락의 본질을 육체의 고통과 마음의 불안함 그리고 두려움이 없는 상태라고 규정*하고, 쾌락과 고통을 이분법적으로 보아 쾌락과 고통의 중간 지점은 없다고 생각했다. 고통에서 벗어나는 것이 곧 쾌락의 상태가 되는 것으로, 에피쿠로스가 제시한 쾌락은 '고통으로부터의 해방'인 것이다. 에피쿠로스는 육체적인 고통을 주는 것은 질병과 굶주림이지만, 정신적인 고통을 주는 것은 신과 죽음에 대한 공포라고 보았고, 정신적 고통에서 벗어나는 것이 더 중요하다고 여겼다. 에피쿠로스 자신도 당시 많은 아테네 시민들처럼 가난한 삶을 살았고, 평생 만성 위염을 비롯한 여러 가지 병에 시달렸다. 그래서 굶주림이나 질병과 같은 결핍의 상태에 있는 사람은 그러한 상태에서 벗어나는 것만으로도 큰 만족을 얻을 수 있다는 것을 누구보다 잘 알았다. 그래서 에피쿠로스는 결핍의 상태에서 벗어나는 것이 곧 육체적인 쾌락의 상태라고 주장했다.

한편, 에피쿠로스는 스승 데모크리토스의 사상에 영향을 받아, 인간을 포함한 우주 만물은 모두 원자로 이루어져 있다는 원자론을 적극 수용하였다. 그는 원자론을 바탕으로 죽음의 공포에서 벗어날 수 있는 길을 제시하였다. 에피쿠로스는 인간의 육체뿐만 아니라 영혼, 즉 정신도 원자들의 우연적인 결합으로 생겨나고, 육체와 정신의 활동은 모두 원자들의 운동에 의해 이루어지며, 죽음은 육체와 정신을 이루는 원자들이 흩어지는 것으로 보았다. 즉, 그는 영혼 역시 물질적인 존재로 파악하였으며, 인간의 감각은 영혼을 이루고 있는 원자들의 운동으로 인해 발생하는 것으로 보았다. 그런데 인간이 죽음에 이르면 영혼을 구성하는 원자들이 모두 흩어지게 되어 영혼이 소멸하므로, 죽음에 대한 감각도 느끼지 못하게 된다. 사람들이 죽음의 고통으로 인해 죽음을 두려워하지만, 에피쿠로스는 죽을 때 고통이라는 감각 역시 존재하지 않으므로 죽음을 두려워할 필요가 없다고 주장하였다. 또한 당시 사람들은 제우스를 포함한 신들이 인간 세계에 간섭하고 영향을 준다고 믿었기에, 사람들이 죽으면 영혼이 사후 세계로 가서 신의 심판을 받고 그로 인해 고통을 겪을 것이라고 여겼다. 그러나 에피쿠로스는 자신들만의 세계에 따로 존재하는 신들은 인간 세계에 무관심하고, 살아 있는 인간이나 죽은 인간의 영혼 모두에 대해서 심판하지 않는다고 주장하였다. 그뿐만 아니라 ㉠더 본질적으로는 사후 세계가 아예 존재하지 않으므로, 사후 세계에서 신의 심판을 받을까 봐 죽음을 두려워할 필요가 없다고 주장하였다.

지금까지 살펴본 바와 같이 에피쿠로스는 육체적 고통을 주는 결핍이 제거되고, '신'과 '죽음'에 대한 공포가 사라진다면, 모든 사람들이 마음의 평화를 얻을 수 있다고 주장했다. 그는 이러한 '완벽한 마음의 평화 상태'를 '아타락시아(ataraxia)'라고 했고, 이를 가져다주는 '공포로부터의 자유, 모든 고통으로부터의 해방'을 '아포니아(aponia)'라고 불렀다. 이렇게 볼 때 에피쿠로스의 쾌락주의는 사람들의 편견이나 오해와 달리, 건강을 유지하고 소박한 삶을 살아가며 마음의 평화를 지니며 살아가는 것이 진정한 즐거움이라고 주장하는 철학인 것이다.

* 주창: 주의나 사상을 앞장서서 주장함.
* 규정: 내용이나 성격, 의미 따위를 밝혀 정함.

0 에피쿠로스의 쾌락주의 철학이 그동안 오해를 받아 온 이유로 가장 적절한 것을 고르세요.

① 쾌락주의라는 용어가 주는 느낌 때문에 ☐
② 오직 이기적인 욕망만 추구하였기 때문에 ☐
③ 즐거움만 추구하여 진지하지 못하기 때문에 ☐
④ 쾌락과 정의는 동시에 추구해야 하기 때문에 ☐
⑤ 사람들이 쾌락을 추구하는 것은 일반적인 경향이기 때문에 ☐

1 이 글을 통해 알 수 있는 내용으로 가장 적절한 것은 무엇인가요?

① 쾌락주의는 어떤 경우든 사회적 가치에 부합하는 특징이 있다.
② 에피쿠로스는 쾌락을 느끼지 못하는 상태를 고통이라고 보았다.
③ 에피쿠로스는 자신의 개인적 경험과 무관한 이론을 창시하였다.
④ 에피쿠로스는 정신과 달리 육체는 원자로 이루어졌다고 생각했다.
⑤ 에피쿠로스는 만물이 원자로 이루어져 있다는 생각을 최초로 하였다.

2 다음은 이 글을 읽은 학생이 에피쿠로스의 '쾌락주의'에 대해 정리한 독서 기록장의 일부입니다. ⓐ~ⓒ에 대해 이해한 내용으로 적절하지 <u>않은</u> 것은 무엇인가요?

> ⓐ는 육체적 고통의 해결책, ⓑ는 죽음의 고통에 대한 두려움의 해결책, ⓒ는 신의 심판에 대한 두려움의 해결책이라는 점을 염두에 두고 관련 내용을 글에서 찾아봐.

사람들이 쾌락에 이르지 못하는 이유	육체적인 고통	정신적인 고통	
		죽음의 고통에 대한 두려움	신의 심판에 대한 두려움
	↓	↓	↓
에피쿠로스가 제시한 해결책	ⓐ	ⓑ	ⓒ

① ⓐ에는 '질병과 굶주림, 즉 결핍에서 벗어난 상태'를 넣을 수 있다.
② ⓑ에는 '죽을 때에는 영혼이 소멸하므로 고통을 느끼지 못함'을 넣을 수 있다.
③ ⓑ는 우주 만물이 원자로 이루어져 있다는 생각을 전제로 하는 해결책이다.
④ ⓒ에는 '신은 인간 세계에 관여하지 않고, 인간을 심판하지도 않음'을 넣을 수 있다.
⑤ ⓐ, ⓑ, ⓒ를 모두 실현해 가는 과정이 '아타락시아'이고, 이를 통해 '아포니아'의 경지에 이를 수 있다.

3 이 글을 바탕으로 〈보기〉에 대해 보인 반응으로 적절하지 <u>않은</u> 것은 무엇인가요?

─┤ 보 기 ├─

　고대 그리스의 소피스트들은 세속적인 출세와 성공을 통해 얻게 되는 쾌락을 진정한 행복이라고 생각했다. 그들은 행복한 삶을 살기 위해서는 출세하고 성공해서 부와 권력과 명예를 얻어야만 한다고 주장했다. 한편, 키레네학파 역시 쾌락주의 이론을 주장했는데, 이들은 쾌락을 얻는 것이 최고선을 얻은 것이며, 육체적이고 감각적인 쾌락을 최대한 많이, 최대한 빨리 얻는 것이 더 큰 행복에 이르는 것이라 주장했다. 그들은 정신적 쾌락보다는 육체적 쾌락을 우위에 두었고, 육체적 쾌락의 추구는 인간의 본능이라고 주장하였다.

① 에피쿠로스와 마찬가지로 소피스트들도 쾌락이 행복을 가져다준다고 보았군.
② 에피쿠로스와 소피스트들이 생각하는 쾌락을 얻기 위한 조건에는 차이가 있군.
③ 에피쿠로스와 마찬가지로 키레네학파도 쾌락의 가치를 높게 평가하고 있었군.
④ 에피쿠로스와 키레네학파가 각각 더 중시하는 쾌락의 유형에는 차이점이 있군.
⑤ 에피쿠로스는 키레네학파와 달리 쾌락의 양이 행복의 정도에 비례한다고 보았겠군.

에피쿠로스, 고대 그리스의 소피스트, 키레네학파가 각각 주장하는 쾌락의 의미를 구분하고, 이들 주장의 공통점과 차이점을 정리해 봐.

많이 걸을수록 숫자도 많이 늘어나잖아!
'비례'란 한쪽의 양이나 수가 증가하는 만큼 다른 쪽도 증가하는 거야.

4 ㉠의 근거를 추론한 내용으로 가장 적절한 것은 무엇인가요?

① 인간은 사후 세계가 아니라 신의 세계에서 신의 심판을 받기 때문에
② 인간이 죽으면 영혼 역시 사라져 사후 세계가 존재하지 않기 때문에
③ 신은 인간이 태어나 성장하고 죽을 때까지만 영향을 끼치기 때문에
④ 신의 세계뿐만 아니라 사후 세계 역시 별도로 존재하지 않기 때문에
⑤ 사후 세계를 구성하는 원자와 인간을 구성하는 원자는 다르기 때문에

우리 몸도 즐거움을 안다

우리는 배가 고플 때 밥을 먹거나 피곤할 때 잠을 자고 나면 기분이 좋아진다는 것을 느낀다. 그리고 맛있는 음식을 먹거나 재미있는 일을 할 때에도 즐거움을 느끼게 된다. 과학적으로 볼 때 이렇게 즐거움을 느끼는 이유는 우리의 뇌에서 도파민이라는 호르몬이 분비되고, 보상 회로가 작동하기 때문이다. '보상 회로'는 우리가 어떤 행동을 반복하도록 동기를 부여하는 뇌의 시스템을 의미한다.

즐거움에 관한 뇌 회로

Q 뇌의 보상 회로가 하는 역할은 무엇인가요?

보상 회로의 작동을 이해하기 위해서는 먼저 우리 뇌의 구조에 대해 이해해야 한다. 뇌는 크게 대뇌, 뇌간, 소뇌로 나누어진다. 뇌의 대부분을 차지하는 대뇌는 바깥쪽의 주름진 ㉠대뇌피질과 안쪽의 대뇌 변연계로 이루어져 있다. 대뇌피질은 위치에 따라 앞부분을 ㉡전두엽, 뒷부분을 후두엽, 전두엽과 후두엽 사이를 두정엽, 그리고 옆 부분을 측두엽이라고 부른다. ㉢대뇌 변연계는 감정을 담당하는 편도체, 기억을 담당하는 해마 등을 포함하고 있다. 대뇌 변연계보다 더 안쪽 중심부에는 뇌간이 자리잡고 있는데, 뇌간은 호흡 작용, 체온 조절 등 생존에 필수적인 자율신경계를 조절한다. 뇌간은 ㉣중뇌, 교뇌, 연수로 구성되어 있으며, 연수는 척수와 이어져 있다. 뇌간의 뒤쪽에 자리잡은 ㉤소뇌는 신체의 균형 유지 기능을 담당한다.

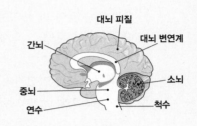

뇌의 구조

보상 회로는 중뇌에 있는 '복측 피개 영역(VTA: Ventral Tegmental Area)'이라는 부분에서부터 작동한다. 우리가 즐거움을 느낄 만한 행위를 하거나 그러한 상황에 놓이게 되면, 우리 뇌는 VTA에서 도파민을 즉시 만들어 낸다. 이때 VTA가 만들어 내는 도파민의 양은 어떤 행동을 하느냐에 따라 다르며, 개인에 따라서도 다르다. 예를 들어, 맛없는 음식을 먹었을 때보다 맛있는 음식을 먹었을 때, 또는 좋아하는 음식을 먹었을 때 도파민이 더 많이 분비되고, 같은 음식을 먹더라도 개인의 선호도에 따라 도파민의 분비량이 다르다. VTA에서 만들어진 도파민은 측좌핵, 해마와 편도체, 전전두엽으로 각각 전달된다. 이렇게 전달된 도파민은 전두엽에 위치한 측좌핵이라는 부위를 활성화시키는데, 측좌핵이 활성화될 때 우리는 즐거움을 느끼게 된다. 흥미로운 사실은 측좌핵은 도파민을 받았을 때뿐만 아니라, 도파민을 받게 될 것이라고 기대하는 상황에서도 활성화된다는 점이다. 또한, 측좌핵이 활성화되어 즐거움을 느끼게 되면, 측좌핵은 VTA에 더 많은 도파민을 보내 달라고 요청한다. 더 많은 도파민이 측좌핵에 도달하면 더 큰 쾌락을 느끼게 되면서, 우리 뇌는 애초에 도파민이 분비되도록 만든 행동에 대한 보상을 받았다고 생각하게 된다. 우리가 즐거움을 느낀 어떤 행동을 다시 하려고 하는 동기가 형성되는 이유가 바로 여기에 있다. 이렇듯 도파민의 양과 어떤 행동에 대한 동기 형성의 강도는 비례한다.

한편, 도파민은 대뇌 변연계에 있는 해마와 편도체로도 전달된다. 측좌핵에서와 마찬가지로 편도체에 도파민이 전달되면 우리는 쾌락의 감정을 가지게 된다. 그리고 해마에서는 편도체의 감정 상태와 그 원인이 되는 행동이나 상황을 함께 기억하게 된다. 전두엽의 가장 앞부분을 '전전두엽'이라고 하는데, 전전두엽은 우리가 어떤 행동을 계속 할 것인지 아니면 그만 둘 것인지를 판단하는 기능을 담당한다. 전전두엽에 도파민이 전달되면, 전전두엽에서는 뇌의 여러 부위에서 얻은 정보를 바탕으로 그 행동이 자신에게 이로울지, 아니면 해로울지 판단하여 행동을 지속할 것인지 멈출 것인지에 대한 결론을 내린다. 예를 들어 전전두엽에서는 해마로부터 그 행동에 대한 기억에 대한 정보를, 편도체로부터는 그 행동이 야기한 감정에 대한 정보를 얻고 이를 종합하여, 행동의 지속 여부에 대해 결론을 내리는 것이다. 이처럼 우리가 즐거움을 느끼고 기억하는 것, 즐거움을 느끼는 행동의 지속 여부를 판단하는 것은 모두 뇌에서 보상 회로라는 시스템이 작동하기 때문이다.

0 이 글이 어떤 질문에 대한 답변이라고 할 때, 그 질문으로 가장 적절한 것을 고르세요.

① 우리에게 즐거움을 주는 것에는 어떤 것이 있는가? ☐
② 우리가 즐거움을 느끼는 과학적 이유는 무엇인가? ☐
③ 적절하지 못한 보상을 받았을 때 왜 기분이 나쁜가? ☐
④ 즐겁지 않은 상황에서 우리 몸은 어떻게 반응하는가? ☐
⑤ 뇌의 구조가 즐거운 감정에 미치는 영향은 무엇인가? ☐

1 이 글의 내용과 일치하는 것은 무엇인가요?

① 보상 회로는 생존에 필수적인 행동을 할 때에는 작동하지 않는다.

② 우리의 뇌에서 호흡 작용을 조절하는 부위는 대뇌 변연계에 있다.

③ 만일 측좌핵이 손상된다면 우리는 쾌락의 감정을 느끼지 못하게 된다.

④ 전전두엽에서는 뇌의 여러 부위의 정보를 종합하여 행위의 지속 여부를 판단한다.

⑤ 즐거운 행동을 하게 될 때 VTA에서 도파민이 생성되는 횟수는 한 번으로 제한된다.

2 이 글을 바탕으로 〈보기〉의 A와 B에 대해 이해한 내용으로 적절하지 <u>않은</u> 것은 무엇인가요?

┤보 기├

다음은 A와 B 두 학생이 좋아하는 음식에 대해 좋아하는 정도를 나타낸 것이다. 이때 좋아하는 정도가 클수록 높은 점수를 부여하도록 하였으며, 1~5점으로 차등을 두어 좋아하는 정도에 대한 의미를 부여하도록 하였다.

음식 응답자	햄버거	피자	초콜릿	짜장면	치킨
A	5	5	3	4	5
B	5	2	5	3	5

① A는 초콜릿을 먹을 때보다 햄버거나 피자를 먹을 때, 측좌핵에 도달하는 도파민의 양이 더 많을 것이다.

② B에게 초콜릿을 먹으라고 주었을 때, 도파민이 없어도 B의 측좌핵이 활성화될 가능성이 클 것이다.

③ A와 B가 함께 피자를 먹을 때, A의 VTA에서는 B의 VTA보다 더 많은 도파민을 생성해 낼 것이다.

④ A와 B 모두 치킨을 먹을 때, 도파민 증가로 인해 느낀 즐거운 감정을 편도체에서 기억하게 될 것이다.

⑤ A와 B 모두 방 청소에 대한 보상으로 짜장면을 받을 때보다 햄버거를 받을 때, 더 큰 동기가 형성될 것이다.

 나는 너에게 네잎클로버 같은 존재가 되고 싶어!
의미 부여란 사물이나 일에 가치나 의미를 붙여 주는 걸 말해!

3 ㉠~㉲ 중 도파민의 생성 및 전달 과정과 관련이 <u>없는</u> 것은 무엇인가요?

① ㉠   ② ㉡   ③ ㉢   ④ ㉣   ⑤ ㉲

4 이 글과 〈보기 1〉을 바탕으로, 〈보기 2〉의 밑줄 친 상황에 대해 보인 반응으로 가장 적절한 것은 무엇인가요?

┤보기 1├

　즐거움을 느끼는 행동이 부적절하다고 판단될 때, 전전두엽에서는 '글루타메이트'라는 호르몬을 분비하여 측좌핵으로 보낸다. 그러면 측좌핵에서는 도파민과 글루타메이트의 힘겨루기가 시작된다. 글루타메이트의 양이 도파민의 양보다 더 많으면 그 행동을 그만 둘 것이고, 그 반대의 경우에는 행동을 계속하게 되는 것이다.

┤보기 2├

　○○ 의대 연구진은 즐거움을 느끼는 행동을 <u>그만두어야 하는</u> 상황에서 전전두엽과 측좌핵이 얼마나 활성화되는지를 실험했다. 실험 결과에 대한 분석은 어린이(7~11세), 청소년(13~17세), 성인(23~29세) 세 집단으로 나누어서 진행했다. 분석 결과, 성인 집단에 비해 어린이 집단과 청소년 집단에서 전전두엽보다 측좌핵이 훨씬 더 많이 활성화되었고, 반대로 성인 집단에서는 전전두엽이 더 많이 활성화되는 것으로 나타났다. 연구진은 이 실험을 바탕으로, 나이가 어릴수록 즐거움을 느끼는 행동을 쉽게 멈추지 못하고 계속하려고 하는 경향을 보이는 이유를 추측했는데, 이는 전전두엽이 뇌의 부위 중 가장 늦게 발달하며, 평균 16세까지 계속 발달하는 특성과 연관되기 때문일 것이라고 보았다.

전전두엽과 측좌핵에 있는 글루타메이트와 도파민이 상반된 관계에 있다는 점을 염두에 두고, 행동을 그만둘 때나 행동을 지속할 때 어느 것이 양이 더 커지는지 정리해 보자.

① 성인 집단에 비해, 청소년 집단 실험 참가자들의 전전두엽에서 분비되는 글루타메이트의 양이 더 적겠군.
② 성인 집단에 비해, 어린이 집단 실험 참가자들의 측좌핵에는 도파민보다 글루타메이트의 양이 더 많겠군.
③ 어린이 집단에 비해, 전전두엽이 더 발달한 성인 집단 실험 참가자들은 즐거운 행위를 지속하려는 경향이 강하겠군.
④ 청소년 집단에 비해, 성인 집단 실험 참가자들의 전전두엽에서 생성되는 도파민의 양이 글루타메이트의 양보다 더 많겠군.
⑤ 청소년 집단에 비해, 성인 집단 실험 참가자들이 행동을 멈추게 될 가능성이 높은 것은 측좌핵에서 생성되어 분비되는 글루타메이트의 영향 때문이겠군.

놀이하는 인간, 호모 루덴스

인간은 어떤 특징을 강조하여 스스로를 규정해 왔는데, 18세기에는 '호모 사피엔스(생각하는 인간)', 19세기에는 '호모 파베르(도구의 인간)'라고도 했다. 그런데 20세기 초반의 학자인 하위징아는 즐겁게 놀이하는 것이 인간의 고유한 특징이라고 여겨, '호모 루덴스(놀이하는 인간)'으로 인간을 규정했다. 그는 인류의 문명을 역사·문화적으로 고찰*하여 놀이의 원리를 발견하였고, 그 결과 인류가 지금까지 펼쳐 온 수많은 생각들과 행위들 속에서 놀이의 원리를 확인하였다. 하위징아는 자신의 저서『호모 루덴스』에서 놀이를 특정 시간과 특정 공간에서 벌어지는 자발적인 행동으로서, 규칙을 엄격하게 따르며, 놀이 그 자체에 목적이 있고, 일상생활과는 다른 긴장감·즐거움을 수반하는 재미있는 활동이라고 정의했다. 이러한 놀이는 '~인 체하기'처럼 무언가를 재현하는 행위이면서, 동시에 어떤 것을 얻기 위해 경쟁하는 행위라는 두 가지 특징이 있다고 보았다.

먼저 하위징아는 놀이가 현실을 재현한다는 특징을 바탕으로 원시 사회의 신성한 의례에서 놀이의 요소를 분석했다. 부족 전체의 풍요와 안녕을 기원하는 원시 사회에서의 성스러운 의례에서는 자연 현상, 생명의 탄생과 죽음 등을 춤과 노래를 통해 재현했다. 이때 춤과 노래를 현실 세계의 모습을 재현하는 행위, 즉 놀이라고 본 것이다. 이러한 원시 사회의 의례는 고대 문명에서는 종교적·국가적 차원으로 발전하였으며, 공연의 형식을 갖추어 현실 세계의 모습을 재현하게 되었다고 분석했다. 예를 들어 고대 그리스의 의례에서 행해지던 연극인 드라마는 원시 사회의 춤과 노래가 발전한 것으로 볼 수 있으며, 놀이의 재현적 특징을 발견할 수 있다고 보았다.

하위징아는 그리스어의 '승리했을 때 보상을 받을 수 있는 경기'라는 의미의 '아곤(agon)'이라는 단어에서 착안하여, 놀이가 가진 경쟁적 요소를 '㉠아곤적 요소'라고 칭하였다. 놀이에는 놀이 참여자 혹은 집단이 있고, 놀이를 구경하는 관중과 결과에 대해 판정을 내리는 심판도 존재한다. 그는 놀이 참여자들 간에서는 승리를 얻기 위해 경쟁하고, 그 경쟁 과정에서 규칙을 준수하지 않으면 처벌을 받게 되고, 경쟁에서 최종적으로 승리한 결과로 보상을 얻게 되는 것에 주목하였고, 이를 놀이의 아곤적 요소라고 했던 것이다. 그리하여 하위징아는 재판, 전쟁, 신화 등에서 아곤적 요소를 발견하고 이를 규명*하였다. 법정에서 펼쳐지는 재판은 시대와 사회에 따라 그 진행 방식과 규칙은 달랐지만, 그 속에는 아곤적 요소들을 포함하고 있다. 피고와 원고는 재판장에게 자신의 주장을 설득력 있게 펼쳐 자신이 원하는 판결을 얻기 위해 경쟁하는 것이다. 전쟁에서도 나름대로 규칙이 존재했으며, 무력을 사용하여 상대국을 이기기 위해 경쟁하는 아곤적 요소를 지니고 있다. 특히 과거에는 전쟁을 정의와 명예를 획득하는 신성한 제도로 인식하기도 하였다. 또한 그는 수수께끼를 내고 답하는 내용을 포함한 신화가 다양한 문명권에서 공통적으로 나타난다는 점을 발견하기도 했다. 신화 속 수수께끼 시합에서는 문제를 낸 신적 존재와 문제를 푸는 사람 사이에서 목숨을 건 지혜의 경쟁이 펼쳐지는데, 바로 이 점이 아곤적 요소와 관련이 되는 것이다.

이렇게 하위징아는 다양한 인류의 문화와 역사에서 놀이의 요소를 분석하여, 비록 놀이가 문명을 만들어 낸 것은 아니지만 놀이가 문명의 발전 과정에서 중요한 역할을 했음은 분명하다고 주장했다. 이러한 주장은 이성 중심적 사고를 가진 사람들에게 신선한 충격을 주었고, 놀이에 대한 부정적 인식을 바꾸게 되는 계기가 되었다. 하위징아의 연구는 이후의 심리학, 사회학, 경제학 등 다양한 분야에 영향을 주었고, 놀이를 할 때의 즐거움이 인간의 삶과 행동에 중요한 역할을 한다는 관점을 형성하게 만들었다.

* 고찰: 어떤 것을 깊이 생각하고 연구함.
* 규명: 어떤 사실을 자세히 따져서 바로 밝힘.

0 하위징아가 인류의 문명과 놀이를 관련지어 연구한 이유로 가장 적절한 것을 고르세요.

① 하위징아는 문명이 발전하게 되면서 놀이가 점점 쇠퇴한다고 생각했기 때문에 ☐
② 하위징아는 인간이 이성적이고 합리적인 사고를 할 수 있다고 생각했기 때문에 ☐
③ 하위징아는 다양한 문명에서 발견되는 공통점이 도구의 사용이라고 생각했기 때문에 ☐
④ 하위징아는 즐겁게 노는 것을 인간의 고유하고 본질적인 특징이라고 생각했기 때문에 ☐
⑤ 하위징아는 노동보다 놀이가 주는 즐거움이 사람들에게 더 큰 영향을 미친다고 생각했기 때문에 ☐

1　이 글을 참고할 때, 하위징아가 규정한 '놀이'에 대한 이해로 적절하지 <u>않은</u> 것은 무엇인가요?

① 놀이는 특정 시간과 특정 공간에서 이루어지는 행위이다.
② 놀이마다 나름의 규칙이 있고 참여자는 그 규칙을 지켜야 한다.
③ 놀이 참여자는 현실적인 문제를 해결하기 위한 목적에서 놀이를 한다.
④ 놀이 참여자는 누군가의 명령이 아니라 자신의 의지에 따라 놀이를 한다.
⑤ 놀이를 하는 도중에는 일상에서 맛볼 수 없는 즐거움과 긴장을 느낄 수 있다.

2　㉠에 대한 설명으로 적절하지 <u>않은</u> 것은 무엇인가요?

① ㉠의 '아곤'이라는 말에는 '경쟁에서의 승리, 보상'의 개념이 포함된다.
② 하위징아는 인류의 역사·문화 속 행위나 활동에서 ㉠을 찾아내려 했다.
③ 여러 신화들 중에는 지혜의 경쟁을 담은 내용에서 ㉠을 발견할 수 있다.
④ 전쟁에서 승리하여 얻는 정의와 명예는 ㉠에 해당한다고 분석할 수 있다.
⑤ 재판에서의 원고와 피고, 전쟁에서의 참전국은 무력을 사용하는 ㉠에 해당한다.

3 하위징아의 관점을 바탕으로 〈보기〉의 '포틀래치'를 이해한 내용으로 적절하지 <u>않은</u> 것은 무엇인가요?

> ─────── | 보 기 |───────
>
> 　북아메리카 북서부 지역의 원주민이었던 콰키우틀 부족에게는 '포틀래치'라는 관습이 있었다. 이 관습을 이해하려면 우선 두 집단이 참여해야 한다. 먼저 한 집단이 상대에게 격식을 갖추어 선물을 보내는 경우, 그들은 자신들의 우월성을 과시하기 위해 엄청난 양의 선물을 상대에게 보낸다. 선물을 받은 집단은 일정 기간 이내에 답례를 해야 했으며, 상대에게 더 많은 선물을 보내야 했다. 만일 이를 지키지 못하면 집단에 속한 사람들의 이름과 명예, 그리고 모든 권리를 인정받지 못하게 되었다. 이때 받은 선물은 그 즉시 소비하거나 집단 구성원들에게 모두 분배했기 때문에 결과적으로 보면 각 집단의 경제적인 부는 상대 집단에서 소비되거나 분배되었다. 그리고 이 경쟁에서 승리한 쪽이 더 뛰어나고 관대한 미덕을 가진 존재로서 존경받는 명예와 영광도 얻게 되었다.

① 포틀래치에 적용되는 규칙은 놀이가 가진 경쟁적인 특징이 아주 잘 반영되어 있다.

② 포틀래치에서 경쟁의 승리자가 얻는 보상은 비물질적이며 정신적인 성격을 지닌다.

③ 포틀래치의 규칙을 어기면 그 집단의 구성원은 정체성을 부정당하는 처벌을 받는다.

④ 포틀래치에 참여한 두 집단은 각각 자신들의 우월성을 입증하기 위해 노력하게 된다.

⑤ 포틀래치에서 받은 선물을 즉시 소비하는 것도 상대방을 이기기 위한 경쟁에 해당한다.

어떤 증거 따위를 내세워 증명할 때 입증한다고 말해.
문제에선 가설이나 주장이 옳은지를 판단하는 과정에서 자주 나와!

4 이 글을 읽은 독자가 더 알고 싶은 내용에 대해 질문한다고 할 때, 가장 적절한 것은 무엇인가요?

① 하위징아가 제시한 놀이의 개념과 특징은 무엇일까?

② 하위징아의 연구는 이후 어떤 분야의 학문적 변화에 영향을 주었을까?

③ 놀이가 인류 문명을 창조했다고 보는 것은 지나치게 주관적인 주장이 아닐까?

④ 경쟁에서 이기기 위해 놀이 참여자가 규칙을 지키지 않는다면 어떻게 될까?

⑤ 중세나 근대 사회의 의례에 수반된 공연에서도 놀이의 재현적 특징을 발견할 수 있을까?

> 더 알고 싶은 내용이라는 것은 글에 제시되지 않은 내용이면서 글과 관련된 내용이라는 의미를 담고 있어.

칙센트미하이의 몰입 이론

어떤 일이나 행동을 일으키게 하는 계기를 '동기'라고 하고, 자극을 주어 어떤 행동을 하게 만드는 것을 '동기화'라고 한다. 경영학이나 사회학적 관점에서 바라볼 때 동기는 주로 금전이나 사회적 지위, 명예 등 외적인 요소로 파악하였다. 이에 비해 심리학에서는 외적인 요소뿐만 아니라 흥미나 즐거움과 같은 내적인 요소까지도 포함한다. 그 중 내적인 동기화에 대한 심리학 연구로 대표적인 이론이 칙센트미하이의 몰입 이론이다.

많은 시간과 노력, 능력이 요구되지만 외적인 보상이 거의 주어지지 않음에도 불구하고 그 과정에서의 재미와 즐거움을 위해 하는 행동을 '자기 목적적인 활동'이라고 한다. 칙센트미하이와 미국 시카고 대학 연구팀은 ㉠'체스 게임 선수, 암벽 등반가, 무용수, 작곡가, 야구 선수, 외과 의사' 집단을 면담 조사하여 연구를 진행하였다. 그 결과 이들 중 외적 보상에 의한 동기가 클 것이라고 예상한 집단에서도 자기 목적적인 활동이 많다는 것을 확인하였다. 면담 대상자들은 일을 하면서 무언가를 새롭게 발견하거나 창조했을 때, 어떤 목표에 도전하여 성공했을 때, 겪고 있는 어려움을 해결했을 때 큰 즐거움을 느끼고, 그 즐거움이 자신의 일을 계속하게 되는 이유라고 답한 비율이 높았다. 그리고 면담 대상자들이 자기 목적적인 활동을 하면서 강한 몰입 경험을 한다고도 답했다. 이를 바탕으로 연구팀은 몰입 경험을 구성하는 요소가 무엇인지를 밝히고, 몰입에 이르도록 영향을 주는 요인을 분석한 모델을 제시하였다.

몰입 경험을 구성하는 요소로는 먼저 ⓐ행동과 인식의 통합을 들 수 있다. 몰입 상태에 있는 사람은 자신이 집중하고 있는 대상 이외의 다른 모든 외부적 자극을 인식하지 못하게 된다. '의식 좁히기'라고 부르기도 하는 ⓑ행동과 의식의 통합도 몰입 경험의 구성 요소 중 하나인데, 몰입 상태에 있는 사람은 오로지 자신이 하는 현재 행동만 생각할 뿐 다른 모든 것들은 의식하지 않는다. 그리고 이렇게 몰입하고 있는 사람은 자아를 망각한 상태에서 황홀함을 느끼게 되며, 시간이 무척 빨리 흐른다고 느끼게 된다. 이러한 ⓒ자의식의 상실 역시 몰입 경험을 구성하는 요소이다. 또한 ⓓ자신의 행동과 환경 조절도 몰입 경험을 구성하는 요소로, 몰입 상태에 있는 사람은 자신의 행동을 적절하게 조절하고 제어하는 동시에 주위 환경도 스스로 조절한다고 느낀다. 그뿐만 아니라 몰입하고 있는 행동 이외의 다른 어떤 외적 보상이나 목표를 가지지 않는 ⓔ자기 목적성도 몰입 경험을 구성하는 요소이다. 이러한 몰입 경험의 요소들은 복합적으로 작용하여 몰입하는 사람에게는 즐거움과 재미를 느끼게 하고 스스로 보상을 받는다고 생각하게 만든다.

몰입 이론에서는 내적인 동기가 없더라도 몰입 활동이 가능하다는 점을 고려하여, 몰입 활동의 구조를 보여 주는 ㉯몰입 상태 모델을 제시하였다. 사람들은 어떤 것에 도전할 때 자기 능력에 맞는다고 여기면 그것에 몰입하게 된다. 이때 도전하는 과제의 난도(또는 행동 기회)와 과제 수행자의 능력의 상관관계에 따라 몰입을 할 수도 있고, 그렇지 못할 수도 있다. 〈그림〉처럼 도전 과제의 난도(또는 행동 기회)와 개인의 능력이 적절하게 균형을 이룰 때에는 몰입을 하게 되지만, 두 요인이 불균형할 때에는 몰입하지 못하고 그 대신에 '불안감, 근심, 지

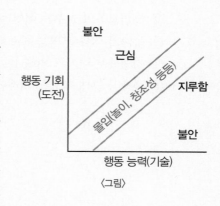

〈그림〉

루함'의 감정을 가지게 된다. 즉, 개인의 능력에 비해 너무 높은 난도의 과제를 수행하게 되면 불안감을 가지게 되지만 그 반대의 경우에는 지루함을 느끼게 되는 것이다. 몰입 상태 모델은 몰입 활동에 영향을 주는 다른 외적 요인을 고려하지 못했다는 점에서 한계를 가지지만, 내적 동기화가 이루어지지 않는 활동에서 몰입을 하지 못하는 이유와 몰입이 이루어지는 조건을 밝혔다는 점에서 그 의의가 있다.

0 이 글을 바탕으로 할 때, 칙센트미하이와 그의 연구팀이 ㉠을 면담 조사의 대상으로 정한 이유로 적절한 것을 고르세요.

① 미국에서 가장 많은 사람들이 종사하고 있는 대표적인 직업군에 해당하므로 ☐

② 일을 하는 동기의 유형이 다를 것이라 예상하고 이를 비교하고 확인하기 위해서 ☐

③ 사람들이 일반적으로 재미있다고 생각하는 일을 직업으로 가진 집단들이기 때문에 ☐

④ 일을 하는 과정에서 심리적인 변화의 폭이 가장 클 것이라고 예상되는 집단이므로 ☐

⑤ 여러 사람과 함께 하는 직업보다 혼자 일을 하는 직업에서 동기가 더 잘 드러나므로 ☐

1 이 글에 대한 설명으로 적절하지 <u>않은</u> 것은 무엇인가요?

① 시각 자료를 활용하여 대상에 대한 독자의 이해를 돕고 있다.
② 대상을 이루는 요소를 나열하고 각각을 상세하게 설명하고 있다.
③ 용어를 정의하여 글을 이해하는 데 필요한 지식을 제공하고 있다.
④ 특정 대상에 대한 구체적인 사례를 들어 효과적으로 설명하고 있다.
⑤ 특정 이론의 연구 과정을 언급하여 글에 대한 신뢰도를 높이고 있다.

2 〈보기〉는 칙센트미하이와 그의 연구팀이 조사한 면담 자료입니다. 〈보기〉의 ㄱ～ㅁ을 ⓐ～ⓔ의 몰입 경험 요소와 연결한 것으로 적절하지 <u>않은</u> 것은 무엇인가요?

┤보 기├

ㄱ. "춤을 출 때 스스로에게 자신감을 느낍니다. 나의 문제들을 잊어버리기 위한 노력인지도 모르죠. 지금 내게 어떤 문제가 있다고 하더라도 연습실 문을 여는 순간 모든 문제는 문 밖에 남겨 두게 됩니다."
　　　　　　　　　　　　　　　　　　　　　　　　　　　　　－ 무용수

ㄴ. "게임은 투쟁이고 집중은 숨쉬는 것과 같아요. 숨쉬는 것을 생각하는 사람은 없을 테지요. 만일 게임 도중 지붕이 무너지더라도 그 지붕에 제가 깔리지 않은 한, 저는 그 사실을 모를 거예요."
　　　　　　　　　　　　　　　　　　　　　　　　　　　　－ 체스 게임 선수

ㄷ. "등산을 하는 도중에는 이 암벽이 무한대로 커져서 영원히 계속 오를 수 있기를 바라는 마음이 생깁니다. 암벽을 오르는 이유는 산꼭대기에 오르고 싶어서가 아니라, 그저 몰입하기 위해서이니까요."
　　　　　　　　　　　　　　　　　　　　　　　　　　　　－ 암벽 등반가

ㄹ. "작곡을 할 때 어떤 순간에는 제 자신이 존재하지 않는 것 같은 느낌을 가집니다. 그런 상태에서 제 손은 제 머리의 통제에서 벗어나 스스로 움직이는 것 같아요. 그저 경이롭고 놀라울 따름이죠."
　　　　　　　　　　　　　　　　　　　　　　　　　　　　　－ 작곡가

ㅁ. "어떨 때는 경기장에 들어서서도 여자 친구와 싸운 일을 생각하게 되지만, 일단 경기가 시작되면 오직 어떻게 플레이할지만 생각할 뿐 여자 친구와 싸운 건 잊어버려요. 그 어떤 골치 아픈 일도 경기장에서는 존재하지 않아요.
　　　　　　　　　　　　　　　　　　　　　　　　　　　　　－ 야구 선수

① ㄱ － ⓑ　　② ㄴ － ⓐ　　③ ㄷ － ⓔ　　④ ㄹ － ⓒ　　⑤ ㅁ － ⓓ

3 칙센트미하이의 몰입 이론에 대한 설명으로 적절하지 <u>않은</u> 것은 무엇인가요?

① 자기 목적적인 활동을 통해 몰입 경험이 이루어진다고 본다.
② 창조적 활동은 자기 목적적인 행위의 동기가 된다고 판단한다.
③ 몰입 활동은 내적인 동기가 없으면 이루어질 수 없다고 가정한다.
④ 사회적 지위나 명예뿐 아니라 흥미나 즐거움도 몰입의 동기로 본다.
⑤ 몰입 경험을 구성하는 요소가 단일하게 작용하는 것은 아니라고 파악한다.

4 〈보기〉는 ㉮를 수정한 모델입니다. ㉮와의 공통점과 차이점을 중심으로 〈보기〉를 분석한 내용으로 적절하지 <u>않은</u> 것은 무엇인가요?

┤보 기├

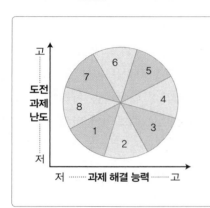

번호	상태	도전 과제 난도	과제 해결 능력
1	무관심	낮음	낮음
2	느긋함	낮음	중간
3	지루함	낮음	높음
4	지배감	보통	높음
5	몰입	높음	높음
6	각성	높음	보통
7	불안	높음	낮음
8	걱정	보통	낮음

① 몰입 활동에 영향을 주는 다른 외적 요인을 고려하지 못했다는 기존의 한계는 여전히 극복하지 못했군.
② 도전 과제의 난도가 낮은 경우 과제를 해결하는 능력의 차이에 주목하여 심리 상태를 추가 및 삭제하였군.
③ 도전 과제의 난도와 과제 해결 능력이 모두 낮은 경우에도 과제에 몰입하는 것으로 해석되는 기존 모델의 문제점을 보완했군.
④ 도전 과제의 난도와 과제 해결 능력 사이의 불균형이 발생했을 때 부정적 심리를 가지게 된다는 점은 그대로 유지되었군.
⑤ 보통 수준의 도전 과제 난도에 대해 과제 해결 능력이 높은 경우 '지배감'의 심리 상태를 추가하여 몰입이 이루어지는 조건을 밝혔군.

㉮와 〈보기〉의 모델에 사용된 용어들이 어떻게 다른지 살펴서 공통점과 차이점을 정리해 봐.

게임을 현실 세계처럼 즐기다

게임 엔진

Q 게임 엔진의 구성 요소인 세 가지 엔진에는 무엇이 있나요?

과거에는 비디오 게임을 어린아이들이 가지고 노는 장난감 정도로 취급했지만, 스마트폰과 컴퓨터의 사용이 보편화되면서 남녀노소 모두 손쉽게 즐기는 여가 수단이 되었다. 비디오 게임은 컴퓨터 기술에 비례하여 발전해 왔고, 특히 최근에는 가상 세계를 마치 현실 세계인 것처럼 느끼게 만드는 3D 게임들이 큰 인기를 누리고 있다.

특별한 컴퓨터용 언어를 사용하여 여러 가지 조건에 따른 명령어들을 순서대로 짜 놓은 것을 프로그램이라고 하고, 프로그램의 내용 자체를 '소스 코드', 프로그램을 만드는 것을 '프로그래밍한다' 또는 '코딩한다'라고 한다. 게임도 프로그램의 일종이므로 게임 속 상황에서 펼쳐질 수 있는 모든 상황을 프로그래밍해 둔 것인데, 게임을 만들 때 필요한 기본적이고 공통적인 소스 코드들을 묶어 놓은 것이 곧 게임 엔진이다. 즉, 게임 엔진은 게임 세계에서 일어날 수 있는 수많은 상황들을 미리 짜 놓은 다양한 프로그램들로 이루어진, 크기가 큰 프로그램인 것이다. 게임 엔진은 '렌더링 엔진', '물리 엔진', '사운드 엔진' 등으로 구성되어 있다.

㉠렌더링 엔진은 게임 속 캐릭터를 비롯한 모든 대상의 모습을 화면에 표현하는 프로그램으로, '그래픽 엔진'이라고도 한다. 최근 렌더링 엔진들은 3차원 그래픽 기술을 사용하여 마치 실제 세계나 영화를 보는 것 같은 느낌이 들게 한다. 이러한 사실적 영상을 표현하기 위해서는 엄청난 양의 정보를 처리해야 하므로, 그래픽 연산* 작업만 전담해서 처리하고 그 결과를 모니터로 보내는 장치인 '그래픽 카드'를 사용하여 보다 사실적인 영상을 표현한다. CPU*에서 물체에 대한 데이터를 그래픽 카드로 전송하면 렌더링 엔진은 자연스러운 입체감과 현실감을 표현하기 위해 빛과 물체의 위치에 따른 색상, 명암 등을 고려하여 데이터를 처리한다. 또한 화면 속 모든 물체의 자세한 모습을 정확하게 계산하여 한 화면으로 나타내기 위해 많은 양의 그래픽 정보를 동시에 계산한다.

㉡물리 엔진은 게임 속 물체의 움직임이 현실에서의 움직임과 같아지도록 물리 법칙을 고려하여 물체의 움직임을 계산하는 프로그램이다. 물리 엔진은 물체의 종류에 따라 사용되는 규칙이 다르다. 딱딱한 재질로 형태가 변하기 어려운 고체를 강체, 강체와 상반된 성질을 지닌 고체를 연체, 그리고 액체와 기체를 유체라고 한다. 강체의 움직임을 계산하는 '강체 동역학'은 마찰력, 관성, 중력 등의 물리 법칙을 고려하여 물체의 움직임을 계산한다. 젤리나 옷, 머리카락 같은 연체의 움직임을 자연스럽게 표현하기 위해서는 '질량 – 용수철 시스템'을 사용한다. '질량 – 용수철 시스템'은 물체의 표면을 용수철로 연결된 질점*들이 격자* 형태로 되어 있다고 가정한 다음, 각 질점의 움직임을 탄성*, 관성* 등의 물리 법칙을 고려하여 계산한다. 이때 질점의 수가 많을수록 더 자세한 움직임을 표현할 수 있지만, 이에 따라 계산해야 하는 데이터의 양이 늘어난다. 물이나 연기 등은 '유체 시뮬레이션'을 사용하는데, 유체의 움직임에 대한 계산은 훨씬 더 복잡하므로 계산해야 하는 데이터의 양이 엄청나 고성능 CPU가 필요하다.

사운드 엔진은 게임 속 가상 상황에서 발생하는 소리를 실감 나게 표현하는 프로그램을 말한다. 사운드 엔진은 현실 세계에 있는 게임 이용자가 게임 속 가상 세계의 특정 위

분류하는 글, 어떻게 읽어야 할까
분류가 나오면,
대상을 분류하는 기준을 찾자!
▶ 생각읽기가 수능이다 30쪽

치에 있다고 가정한 다음, 음원까지의 거리, 방향, 공간적 특징을 고려하여 소리 정보를 생성하고, 이를 스피커를 통해 재생한다. 사운드 엔진은 입체적인 음향을 나타내기 위해, 두 대의 스피커에 각기 다른 음향이 재생되게 하기도 하고, 두 스피커의 음량을 다르게 하기도 한다.

* 연산: 식이 나타낸 일정한 규칙에 따라 계산함.
* CPU : 컴퓨터 시스템 전체의 작동을 통제하고 프로그램의 모든 연산을 수행하는 가장 핵심적인 장치.
* 질점 : 질량을 가진 작은 점
* 격자: 바둑판처럼 가로세로를 일정한 간격으로 직각이 되게 짠 구조나 물건. 또는 그런 형식.
* 탄성: 물체에 외부에서 힘을 가하면 부피와 모양이 바뀌었다가, 그 힘을 제거하면 본디의 모양으로 되돌아가려고 하는 성질.
* 관성: 물체가 밖의 힘을 받지 않는 한 정지 또는 등속도 운동의 상태를 지속하려는 성질.

0 이 글에서 게임 개발자들이 게임 엔진을 사용하는 이유로 적절한 것을 고르세요.

① 게임 엔진을 사용하여 만든 3D 게임들이 큰 인기가 있어서 ☐
② 소스 코드를 종류별로 묶어 두어 필요한 것을 쉽게 찾아 쓸 수 있어서 ☐
③ 게임 개발자들이 다양한 상황을 프로그래밍할 때 참고할 수 있는 자료가 되어서 ☐
④ 게임 프로그램을 만드는 과정에서 사용하는 컴퓨터용 언어를 익히기 쉬워서 ☐
⑤ 게임 개발에 필요한 기본적인 소스 코드를 그대로 활용할 수 있어서 시간을 절약할 수 있으므로 ☐

1 이 글을 통해 알 수 있는 내용으로 적절하지 <u>않은</u> 무엇인가요?

① 최근 비디오 게임의 수준 향상은 컴퓨터 기술의 발전을 통해 이루어졌다.

② 게임 엔진은 게임을 만들 때 필요한 여러 프로그램들의 집합체라고 할 수 있다.

③ 실감 나는 게임에 사용된 게임 엔진에는 시각 정보를 처리하는 프로그램만 있다.

④ 좌우에 있는 스피커 중 어느 한쪽으로 소리를 재생하느냐에 따라 방향감이 달라질 수 있다.

⑤ 부드러운 재질로 된 고체의 움직임을 더 자세히 표현하려면 물리 엔진의 연산량이 많아진다.

2 ㉠과 ㉡에 대한 설명으로 가장 적절한 것은 무엇인가요?

① ㉠은 ㉡의 계산 결과를 기준으로 건물 등의 배경을 표현한다.

② ㉡은 ㉠을 통해 표현한 영상을 보다 더 단순화하여 표현한다.

③ ㉠과 달리 ㉡은 다양한 물리 원리를 활용하여 물체의 색상과 명암을 표현한다.

④ ㉡과 달리 ㉠은 사실적인 이미지와 영상을 구현하는 것을 목표로 한다.

⑤ ㉠과 ㉡을 함께 사용하여 물체의 모습과 움직임을 보다 현실감 있게 나타낸다.

3 이 글을 바탕으로 〈보기〉를 이해한 내용으로 적절하지 <u>않은</u> 것은 무엇인가요?

---| 보 기 |---

　　○○은 지금 1인칭 슈팅 게임을 하고 있다. 어느 집으로 들어간 ○○은 2층으로 올라갔고, 커튼 뒤에 숨어 있던 적을 발견하고 총을 쏘았다. 그러나 적을 맞히지는 못했다. 그 사이 적은 창문으로 뛰어내려 도망쳤고, 구멍 난 커튼만 펄럭이고 있는데 밖에서 '퐁덩' 하는 소리가 났다. 적이 있던 자리로 가 창문 밖을 내려다보니 아래에는 강물이 흐르고 있었다.

① 발사한 총알이 어떤 궤적으로 날아갈지는 '강체 동역학'으로 연산한다.
② 총성과 '퐁덩' 소리는 서로 다른 거리감과 공간감을 느낄 수 있게 표현한다.
③ 총알이 커튼을 관통하는 순간의 움직임을 계산할 때 물리 법칙이 적용된다.
④ 강물의 흐름은 연체를 여러 개의 질점으로 나누고 복잡한 연산을 통해 표현된다.
⑤ 커튼의 움직임을 자연스럽게 표현하기 위해서 '질량—용수철 시스템'을 사용한다.

4 이 글을 읽은 학생이 〈보기〉에 대해 보일 반응으로 적절하지 <u>않은</u> 것은 무엇인가요?

---| 보 기 |---

　　컴퓨터에서 연산을 담당하는 장치는 CPU(중앙 처리 장치)이다. CPU의 성능은 클럭(동작 속도) 수치, 코어(핵심 회로)의 수, 캐시 메모리(임시 저장소)의 용량으로 판단한다. 클럭 수치가 높으면 단일 연산 작업을 빨리 처리할 수 있고, 코어의 수가 많으면 여러 작업을 동시에 처리하는 능력이 높으며, 캐시 메모리가 많으면 용량이 큰 프로그램을 처리하거나 반복 작업을 처리할 때 효율성이 높다. 그래픽 처리 장치인 GPU는 그래픽 카드에 들어 있는 연산 처리 장치인데, GPU의 성능 역시 CPU와 마찬가지 방식으로 알 수 있다. 성능 가속 처리 장치인 APU는 CPU와 GPU를 통합한 처리 장치로, APU를 사용하면 그래픽 카드를 굳이 사용할 필요가 없어져 컴퓨터의 소형화가 가능해진다.

> 〈보기〉의 내용을 클럭 수치, 코어의 수, 캐시 메모리, GPU, APU에 관한 것으로 구분하고, 각각의 장점을 정리해 봐!

① CPU의 캐시 메모리가 크면 게임 엔진을 사용할 때 불편함이 적겠군.
② GPU의 코어 수치가 높으면 렌더링 엔진의 여러 작업을 한번에 할 수 있겠군.
③ 여러 물리 엔진이 동시에 작동할 때는 CPU의 클럭 수치가 높을수록 좋겠군.
④ 유체 시뮬레이션을 사용하기 위해서는 고성능의 CPU나 APU가 필요하겠군.
⑤ 스마트폰에서 3D 게임을 하기 위해서는 APU를 사용하는 것이 효율적이겠군.

들인 노력에 비해 얻는 대가가 크잖아~ 이런 게 효율이지!

대상을 분류하는 기준을 확인하자 ─────

'인간'을 어떻게 분류할 수 있을까요?

"생물학적으로
나누면 남과 여?"

"피부색이 다르니까
백인, 흑인, 황인?"

어떤 사람은 인간을 '백인, 흑인, 황인'으로 나누기도 하고 '서양인, 동양인'으로 나누기도 할 것입니다. 혹은 '남자, 여자' 그리고 '아이, 어른' 등 다양하게 나눌 수도 있겠지요. 그렇다면 하나의 질문이나 대상에 대해 왜 이렇게 다양한 대답들이 나올 수 있는 걸까요? 그리고 이러한 대답들이 나오게 된 까닭은 무엇일까요? 그것은 바로 분류에 대한 기준이 다르기 때문입니다.

'분류'란 쉽게 말해 '대상을 일정한 기준에 따라 나누는 것'을 말합니다. 그런데 '일정한 기준'이라는 것은 항상 고정된 것이 아니라 다양하게 적용될 수 있습니다. 예를 들면, 자동차는 용도에 따라 승용차, 화물차, 특수차 등으로 나눌 수 있고, 크기에 따라 소형, 중형, 대형으로 나누기도 합니다. 이처럼 **기준이 무엇이냐에 따라 대상을 분류한 결과는 달라질 수 있습니다.** 그래서 분류에서는 대상을 나누는 기준이 무엇인지를 확인하는 것이 매우 중요합니다. 분류는 일정한 기준이 있다는 점에서 대상을 개별 요소로 나누는 '분석'과는 차이가 있습니다. 예를 들어 '자동차는 바퀴, 운전대, 엔진 등으로 이루어졌다.'라고 하면, 이는 자동차를 단순히 구성 요소로 나눈 것이지 이에 어떠한 기준이 적용된 것은 아닙니다. 이처럼 '분류'는 항상 기준이 존재한다는 것을 기억해야 합니다.

─────

26쪽 지문

ⓛ물리 엔진은 게임 속 물체의 ~~~~~~~~~

> 대상을 일정한 기준에 따라 나누는 것이 분류다.
> **분류를 할 땐** 대상을 나눈 기준**부터 파악하자!**

여 물체의 움직임을 계산하는 프로그~~~~~. 물~ 엔~~ ~~~~ ~~~~ ~~~ ~~~~ ~~~~ 다르다. **딱딱한 재질로 형태가 변하기 어려운 고체를 강체, 강체와 상반된 성질을 지닌 고체를 연체,** 그리고 액체와 기체를 유체라고 한다. 강체의 움직임을 계산하는 '강체 동역학'은 마찰력, 관성, 중력 등의 물리 법칙을 고려하여 물체의 움직임을 계산한다. 젤리나 옷, 머리카락 같은 연체의 움직임을 자연스럽게 표현하기 위해서는 '질량 – 용수철 시스템'을 사용한다.

독해실전

배운 글을 다시 읽고, 물음에 답해 보세요.

생각독해 Ⅰ 10쪽

> 이후 연구자들은 호기심의 유형에는 어떤 것들이 있는지에 대해 관심을 가지기 시작했다. 그리고 무엇이 호기심을 불러일으키느냐를 기준으로 호기심을 '지적 호기심'과 '감각적 호기심'으로 나누었다. 지적 호기심은 대상에 대한 새로운 지식을 알아내는 데에 만족하는 호기심을 의미한다. 이와 달리 감각적 호기심은 새롭거나 잘 알지 못하는 감각적 자극에 의해 발생하는 호기심을 의미한다.

1 ( )에 들어가기에 알맞은 질문을 〈보기〉에서 고르세요.

> 호기심에 대한 심리학적 연구는 초기에 '호기심은 선천적으로 타고나는 것인가?'라는 물음에서 시작하여, 그 이후에는 ( )라는 물음에 관심을 가지기 시작했다.

┤보 기├

① 호기심이 발생하는 이유는 무엇인가?
② 호기심의 유형에는 어떤 것들이 있는가?

수능실전

아래 글을 읽고, 수능 실전감각을 길러 보세요.

2011학년도 수능

> 채권은 사업에 필요한 자금을 조달하기 위해 발행하는 유가증권으로, 국채나 회사채 등 발행 주체에 따라 그 종류가 다양하다. 채권의 액면 금액, 액면 이자율, 만기일 등의 지급 조건은 채권 발행 시 정해지며, 채권 소유자는 매입 후에 정기적으로 이자액을 받고, 만기일에는 마지막 이자액과 액면 금액을 지급받는다. 이때 이자액은 액면 이자율을 액면 금액에 곱한 것으로 대개 연 단위로 지급된다.

1 위 글의 설명 방식으로 가장 적절한 것은 무엇인가요?

① 유사한 원리를 보이는 현상에 빗대어 채권의 특성을 설명하고 있다.
② 채권의 의미를 밝히고 발행 주체에 따라 그 종류를 분류하고 있다.

> 분류 기준에 따라 결과는 달라진다고!

생각읽기가 수능이다!   🧠 **[대상-분류]의 생각 구조에서 글쓴이의 생각은 어떻게 알 수 있나요?**

실제 수능에서 가장 많이 보이는 전개 방식 중 하나예요. 처음에 대상의 개념을 정의하고 어떻게 종류를 나눌 수 있는지 제시한 뒤, 글을 전개하는 과정에서 유형별로 분류된 각 대상의 특징을 설명하는 구성 방식인거죠.

6

Q 카니발은 어떤 풍습에서 유래하였나요?

소란스럽고 즐거운 축제, 카니발

유럽에서는 중세 시대부터 매년 2월 중순에서 말 사이에 카니발(carnival)이라는 축제가 열렸고, 지금도 일부 유럽 도시에서는 매년 즐거운 축제를 즐기고 있다. 카니발이라는 말의 어원은 여러 가지가 있지만, 라틴어 '카르네 발레(고기여, 안녕)'에서 유래되었다는 견해가 가장 널리 알려져 있다. 기독교에서는 매년 부활절 40일 전부터 '사순절(四旬節)'이 시작되는데, ⓐ중세 시대 기독교인들은 이 기간 동안 그리스도가 황야에서 단식한 것을 생각하며 고기와 기름진 음식을 먹지 않았다고 한다. 카니발은 이 사순절이 시작되기 전에 실컷 먹고 즐겁게 노는 풍습에서 비롯되었다고 보는 것이다.

카니발은 시대와 지역에 따라 다르지만, 카니발이 열리면 모든 사람들이 며칠 동안 일을 하지 않고 즐겁게 노는 축제를 즐겼다. ㉠농촌에서 열린 카니발은 봄을 맞아 풍작과 복을 기원하고, 악령을 놀라게 해서 내쫓고자 하는 의미를 지니고 있었다. 농촌의 카니발 행렬은 짚으로 만든 커다란 '카니발의 왕'을 형상화한 마차를 중심으로, 동물 형상의 가면을 쓰고 투박한 변장을 한 이들이 뒤를 따랐다. 행진이 끝나면 마을 사람들은 모두 광장에 모여 술과 음식을 먹고 춤을 추며 ㉮이리저리 뒤섞여 시끄럽고 떠들썩하게 축제를 즐겼다.

12세기 이후에는 카니발이 도시 지역으로 퍼져 나갔는데, ㉡도시에서 열린 카니발은 공동체의 일체감과 화합을 성취하고자 하는 목적을 가졌다. 농촌보다 부유했던 도시에서는 세련된 가면을 쓰고 옷을 잘 차려 입은 도시 권력자들이 화려하고 거대한 마차를 타고 행진하였으며 마차 주위로는 각양각색의 복장을 하고 가면을 쓴 사람들이 행진했다. 마을의 모든 미혼 청년들이 참여하는 청년회가 카니발을 주도했던 농촌과 달리, 도시에서는 평신도로 구성된 청년 신도회가 평소에는 구역별·직업별·신분별로 따로 조직되어 있었다가 축제 때 함께 모여 행사를 진행했다. 그들은 아침 일찍 광장에 모여 교회로 행진하는 것으로 카니발을 시작하여, 교회에서 미사를 본 후 시청, 시장, 부자들의 저택 등으로 향하였다. 이곳에서는 행렬이 멈추고 둥글게 선 다음, ⓑ구경하고 있던 군중들과 다 함께 즐겁게 춤을 추었다. 오후에는 도시의 각 구역별 축제장에서 연극 공연과 경기 등을, 저녁에는 연회와 무도회를 즐겼다.

카니발은 화려하고 다양한 볼거리를 제공하고, 즐겁게 춤추며 먹고 마시면서 일상에서 억눌린 욕망을 분출시키고 공동체의 화합을 이끌어 내는 기능을 했다. 또한 기존 질서나 관습, 권력자들의 권위를 실추*시켜 즐거움을 선사하였는데, 행렬 중 성직자나 권력자를 떠올리게 하는 사람이 우스꽝스러운 의상을 입고 엉뚱한 행동으로 구경꾼들을 즐겁게 했다. 또 후드가 달린 빨강, 노랑, 초록색의 옷을 입은 ⓒ광대는 방울을 요란하게 흔들며 춤을 추어 축제의 흥을 돋우었다. 광대는 당나귀를 타고 행진하면서 우스꽝스러운 행동을 하기도 하고, 풍자적인 이야기를 익살스럽게 떠들어 대기도 했다.

이렇게 소란스럽고 세속적이며 감각적인 즐거움을 주는 축제였던 카니발은 근대에 접어들면서 쇠퇴하기 시작했다. ⓓ종교 개혁 이후 개신교와 가톨릭교회의 지도자들은 모두 카니발을 방탕하고 타락한 행사로 취급하여 금지하려 하였다. ⓔ18세기 계몽주의 사상가들 역시 카니발이 비이성적일 뿐만 아니라 경제적 비합리성을 보여 주는 관행이라고 비판하였다. 여기에다가 정치권력이 카니발을 비롯한 전통적인 축제들을 축소하고 통제하게 되면서 카니발은 더욱 쇠퇴하게 되었다. 그러나 19세기 후반 이후 일부 도시를 중심으로 카니발을 상품화하면서 부활하여 현재는 프랑스의 니스, 이탈리아의 베니스, 스페인의 라스팔마스 등에서 카니발이 열리고 있다.

* 실추: 명예나 위신 따위를 떨어뜨리거나 잃음.

0 이 글과 〈보기〉를 참고할 때, '카니발'을 '사육제'라고 번역한 이유를 파악한 것으로 가장 적절한 것은 무엇인가요?

> ┤보 기├
>
> '카니발'을 우리말로 번역하면 사육제라고 한다. '사육제(謝肉祭)'에서 각 한 자의 의미는 다음과 같다.
>
> **사(謝)**: 보답하다, 양보하다, 그만두다, 물리치다, 잘못을 빌다.
> **육(肉)**: 고기
> **제(祭)**: 축제, 의례, 제사

① 카니발의 기원을 고려할 때, '고기를 먹게 해 준 신에게 보답하는 의례'라는 의미를 표현하려고 한 것이다.

② 카니발이 열린 시기를 고려할 때, '고기를 다른 사람에게 양보하는 축제'라는 의미를 표현하려고 한 것이다.

③ 카니발의 어원을 고려할 때, '고기를 먹는 것을 그만두기 전에 열린 축제'라는 의미를 표현하려고 한 것이다.

④ 카니발이 열린 지역을 고려할 때, '맹수를 물리치고 얻은 고기로 여는 축제'라는 의미를 표현하려고 한 것이다.

⑤ 카니발의 종교적 성격을 고려할 때, '고기를 먹은 것에 대해 신에게 잘못을 비는 의례'라는 의미를 표현하려고 한 것이다.

1 ㉠과 ㉡의 공통점과 차이점을 분석한 내용으로 적절하지 **않은** 것은 무엇인가요?

① ㉠과 ㉡ 모두 커다란 마차를 중심으로 행진을 했다.
② ㉠과 ㉡ 모두 카니발 행렬 속 사람들은 가면을 쓰거나 분장을 하였다.
③ ㉠과 ㉡ 모두 평소 권력자들이 사용하던 공간에서 축제를 즐겼다.
④ ㉠과 ㉡은 카니발을 여는 목적과 의미가 달랐다.
⑤ ㉠과 ㉡은 카니발을 주도하고 진행하는 주체에 차이가 있었다.

2 ⓐ~ⓔ의 사람들이 카니발에 대해 했을 법한 말로 적절하지 **않은** 것을 고르세요.

① ⓐ : 카니발을 통해 그리스도가 단식한 것을 기리며 고기를 먹지 말아야 해.　☐
② ⓑ : 우리 도시의 사람들이 다 같이 모여 놀 수 있어서 정말 즐겁고 좋아.　☐
③ ⓒ : 구경하는 사람들이 모두 축제를 신나게 즐길 수 있도록 만들어야겠어.　☐
④ ⓓ : 세속적인 즐거움을 추구하는 것은 정신을 병들게 하니 금지해야 해.　☐
⑤ ⓔ : 며칠 동안 놀게 되면 도시의 생산 활동이 멈춰 큰 손실을 초래해.　☐

3 이 글을 읽은 학생이 〈보기〉의 (가), (나)를 읽고 보인 반응으로 적절하지 <u>않은</u> 것은 무엇인가요?

──────────┤ 보 기 ├──────────

(가) 프랑스 니스의 카니발은 1873년 관광객 유치를 목적으로 부활한 이후 세계적 축제로 자리 잡았다. 니스 카니발은 해마다 정해진 테마에 따라 제작되는 거대한 카니발의 왕을 따라 웅장하고 화려한 마차와 다양한 행렬이 사람들의 눈길을 사로잡는다. 관람객들은 관람료를 지불하고 퍼레이드를 펼치는 행진로에서 떨어진 관람석에 앉아서 화려한 퍼레이드를 즐긴다. 그런데 정작 니스 시민들은 비싼 관람료 때문에 퍼레이드를 구경조차 하지 못하게 되었다.

(나) 리우 카니발은 브라질 리우데자네이루에서 열리는 세계 최대의 카니발 축제이다. 리우 카니발의 퍼레이드는 크고 화려한 마차들과 함께 4천여 명이나 되는 행렬이 거리를 누빈다. 퍼레이드가 시작되면 퍼레이드 행렬과 구경꾼들이 뒤섞여 거리 전체가 축제장으로 바뀌게 되고, 며칠 동안 거리에서는 먹고 마시며 춤추는 축제가 계속된다. 또한 행렬 중에는 슈퍼맨이 원더우먼 치마를 입고 삼바 춤을 추기도 하며, 가톨릭 사제가 우스꽝스러운 복장으로 거리를 활보하기도 한다.

① 니스 카니발은 다시 열리게 되었지만 지나치게 상업화되었다는 비판을 받을 수 있겠군.
② 니스 카니발은 화려하고 다양한 볼거리를 제공하면서 도시 공동체의 화합을 끌어내고 있군.
③ 리우 카니발은 기존의 질서나 권력자의 권위를 실추시키는 요소가 활용되고 있군.
④ 리우 카니발에서는 일상에서 억눌린 욕망을 분출시키는 카니발의 기능이 유지되고 있군.
⑤ 니스 카니발과 리우 카니발 모두 중세 도시에서 행해진 퍼레이드의 특징을 수용하고 있군.

들어와 들어와~ 다 받아줄게~
수용이란 받아들이는 거야!

4 문맥상 ㉮와 바꿔 쓸 수 있는 말로 가장 적절한 것은 무엇인가요?

① 난리(亂離) 나게
② 혼미(昏迷)하게
③ 혼동(混同)되게
④ 혼란(混亂)되게
⑤ 소란(騷亂)스럽게

Q 다음은 생각을 읽을 수 있는 지문 구조도를 퍼즐로 나타낸 것입니다. 앞에서 읽은 글의 내용을 떠올리며 생각읽기 1~6에 해당하는 퍼즐을 선으로 연결해 보세요.

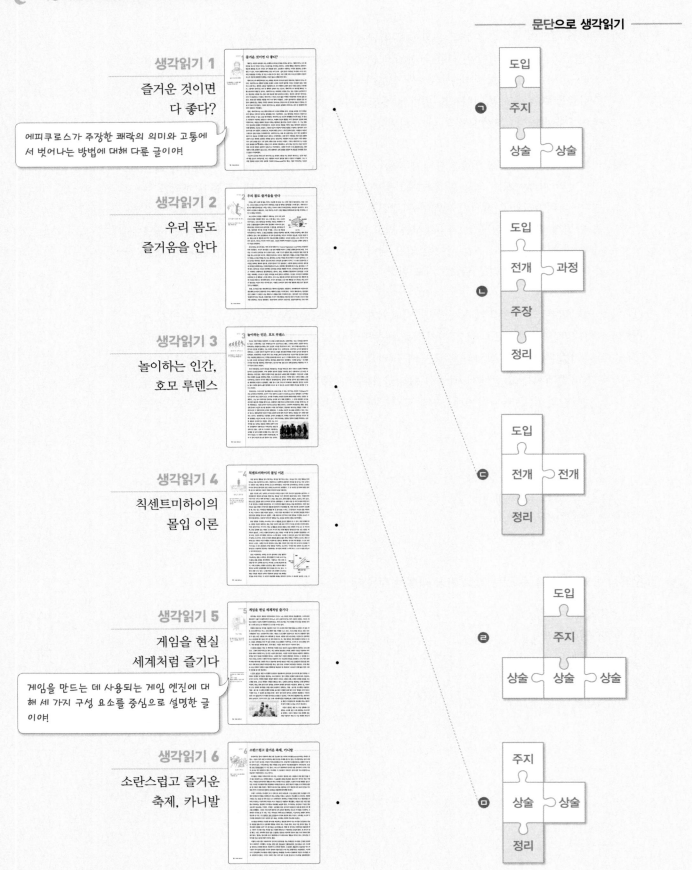

문단**으로 생각읽기**

생각읽기 1

즐거운 것이면
다 좋다?

에피쿠로스가 주장한 쾌락의 의미와 고통에서 벗어나는 방법에 대해 다룬 글이야!

생각읽기 2

우리 몸도
즐거움을 안다

생각읽기 3

놀이하는 인간,
호모 루덴스

생각읽기 4

칙센트미하이의
몰입 이론

생각읽기 5

게임을 현실
세계처럼 즐기다

게임을 만드는 데 사용되는 게임 엔진에 대해 세 가지 구성 요소를 중심으로 설명한 글이야!

생각읽기 6

소란스럽고 즐거운
축제, 카니발

ㄱ
도입
주지
상술 상술

ㄴ
도입
전개 과정
주장
정리

ㄷ
도입
전개 전개
정리

ㄹ
도입
주지
상술 상술 상술

ㅁ
주지
상술 상술
정리

1 에피쿠로스는 결핍의 고통에서 벗어난 상태를 ☐☐ 이라고 보고, 원자설에 근거하여 죽음의 고통과 신의 심판에 대한 공포에서 벗어나는 방법을 제시하였다.

2 뇌의 ☐☐☐☐ 는 중뇌의 VTA에서 만들어 진 도파민이 측좌핵, 해마와 편도체, 전전두엽으로 전 달되어 작용함으로써 즐거움을 느끼는 행동의 동기를 부여한다.

3 하위징아는 인간을 호모 ☐☐☐ 로 규정하고, 놀이는 현실을 재현하는 행위와 보상을 얻기 위한 경쟁 을 하는 행위라는 특징이 있음을 주장하였다.

4 칙센트미하이의 ☐☐ 이론에서는 몰입 경험을 구 성하는 요소를 밝히고, 몰입 상태 모델을 제시하여 내 적 동기화와 몰입 경험의 상관관계를 설명하였다.

5 ☐☐ 엔진은 게임 속 대상의 이미지를 화면에 표 현하는 렌더링 엔진, 게임 속 물체의 움직임을 계산하 는 물리 엔진, 게임 속 상황에서 발생하는 소리를 실감 나게 표현하는 사운드 엔진 등으로 구성되어 있다.

6 ☐☐☐ 은 사순절 전에 실컷 먹고 즐겁게 노는 풍습에서 유래된 것으로, 농촌에서의 카니발이 12세기 이후 도시로 확대되었으나, 근대에 들어 쇠퇴하였고 현 재는 일부 도시에서 상품화되어 행해지고 있다.

우리는 어떻게 즐거움을 찾을까?

"즐거움은 주어지는 것이 아니라 만드는 것이다"

우리는 즐거움을 추구하지만, 때로는 즐겁지 않은 일에 맞 닥뜨리기도 합니다. 그러나 우리는 그 일을 즐거운 일로 만 들 수도 있습니다. 또한 우리는 스스로 즐거운 일들을 만들 어 낼 수도 있습니다. 우리는 그런 존재들입니다.

> 즐거움을 기대하는 것 또한 하나의 즐거움이다.
> – 독일의 극작가, 고트홀트 에프라임 레싱

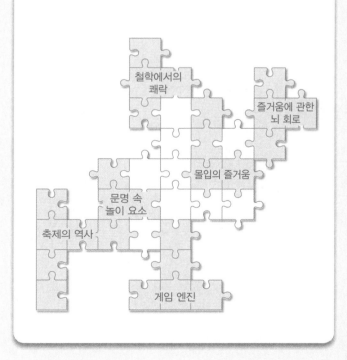

02 위기

생각의 발견

위기를 말하다!

위험한 고비나 시기를 '위기'라고 합니다. 생명이 위태로운 상황이나 평온했던 삶이 불행의 나락으로 떨어질 수도 있는 상황을 위기라고 하겠지요. 이런 위기는 뜻하지 않게 찾아옵니다. 그래서 발생할지도 모르는 위기에 대비하는 것은 현명한 삶의 자세라고 할 수 있습니다. 그런데 고도로 발달된 문명사회에서 안전하게 살고 있다고 생각하는 우리에게 일어날 수 있는 위기에는 어떤 것들이 있을까요? 그리고 위기를 대비하기 위한 방법으로는 어떤 것들이 있을지 지금부터 그 해답을 찾아가 볼까요?

현대의 위기에 대한
견해

Q 현대 사회에 대한 벡과 바우만의 공통된 견해는 무엇인가요?

벡과 바우만이 본 현대 사회

산업화에 따라 사회가 복잡해지고 개인이 공동체적 관계에서 벗어나게 되는 현상을 '개체화'라고 한다. 울리히 벡과 지그문트 바우만은 현대의 개체화 현상 을 사회적 위험 문제와 연관시켜 진단한 대표적인 학자들이다.

사실 사회 분화*와 개체화는 자본주의적 산업화 이래로 지속된 현상이다. 그런데 20세기 중반 이후부터는 세계화를 계기로 개체화 현상이 과거와는 질적으로 달라진 양상을 보여 주고 있다. 교통과 통신 수단의 발달에 따라 국경을 넘나드는 자본과 노동의 이동이 가속화되었고, 개인에 대한 국가의 통제력도 현저하게 약화되고 있다. 또한 전 세계적으로 노동 시장이 유연해짐에 따라 노동자들이 정규직과 비정규직, 생산직과 사무직 등 다양하고 가변적인 형태로 나뉘어져 이제는 계급적 연대를 공유하지 못하게 되었다. 핵가족화 추세에 더하여 일인 가구가 급속도로 늘어나는 등 가족의 해체 현상도 많이 나타나고 있다. 벡과 바우만은 개체화의 이러한 가속화 추세에 대해서 인식의 차이를 보이지 않는다.

그런데 현대의 위기와 관련해서 그들이 개체화를 바라보는 시선은 사뭇 다르다. 먼저 벡은 과학 기술의 의도하지 않은 결과로 나타난 현대의 위기가 개체화와는 별개로 진행된 현상이라고 본다. 벡은 핵무기와 원전 방사능 누출 사고, 환경 재난 등 예측 불가능한 위험이 현실화될 가능성이 있는데도 삶의 편의와 풍요를 위해 이를 ⓐ방치(放置)함으로써 위험이 체계적이고도 항시적으로 존재하게 된 현대 사회를 ㉠'위험 사회'라고 규정한 바 있다. 현대의 위험은 과거와 달리 국가와 계급을 가리지 않고 파괴적으로 영향을 미친다는 것이 벡의 관점이다. 그런데 벡은 현대인들이 개체화되어 있다는 바로 그 조건 때문에 오히려 전 지구적 위험에 의한 불안에 대응하기 위해 초계급적, 초국가적으로 ⓑ연대(連帶)할 가능성이 있다고 보았다. 특히 벡은 그들이 과학 기술의 발전뿐만 아니라 파괴적 결과까지 인식하여 대안을 모색하는 '성찰적 근대화'를 실천하는 주체로서 일상생활에서의 요구를 모아 정치적으로 ⓒ표출(表出)하는 등 행동에 나서야 한다고 주장한다.

한편 바우만은 개체화된 개인들이 삶의 불확실성 속에서 생존을 모색하게 된 현대를 ㉡'액체 시대'로 정의하였다. 현대인의 삶과 사회 전체가, 형체는 가변적이고 흐르는 방향은 유동적인 액체와 같아졌다고 보았던 것이다. 그런데 그는 액체 시대라는 개념을 통해 핵 확산이나 환경 재앙 등 예측 불가능한 전 지구적 위험 요인만이 아니라 삶의 조건을 불확실하게 만드는 개체화 현상 자체를 위험 요인으로 본다는 점에서 벡과 달랐다. 바우만은 우선 세계화의 흐름 속에서 소수의 특권 계급을 제외한 대다수의 사람들이 무한 경쟁에 내몰리고 빈부 격차에 따라 생존 자체를 위협받는 등 잉여* 인간으로 ⓓ전락(轉落)하고 있다고 본다. 그러나 그가 더 치명적으로 본 것은 협력의 고리를 찾지 못하게 된 현대인들이 개인 수준에서 위기에 대처해야 하는 상황에 빠져 버렸다는 점이다. 더구나 그는 위험에 대한 공포가 내면화되면 사람들은 극복 의지도 잃고 공포로부터 도피하거나 소극적 자기 방어 행동에 ⓔ몰두(沒頭)하게 된다고 보았다. 그렇기 때문에 바우만은 일상생활에서의 정치적 요구를 담은 실천 행위도 개체화의 흐름에 놓여 있기 때문에 현대의 위기에 대한 해결책이 될 수 없다고 판단하고 있다.

* 분화: 단순하거나 등질인 것에서 복잡하거나 이질적인 것으로 변함.
* 잉여: 쓰고 난 후 남은 것.

0 현대의 개체화 현상 에 대해 추론한 내용으로 적절하지 <u>않은</u> 것을 고르세요.

① 노동자들이 계급적 동질성을 갖지 못하게 한다. ☐
② 국가의 통제력 강화를 통해 개인의 자율을 약화시킨다. ☐
③ 개인의 거주 공간이 가족 공동의 거주 공간에서 분리되는 추세를 포함한다. ☐
④ 벡의 관점에서는 현대인들로 하여금 새로운 방식의 유대를 모색하게 하는 조건이다. ☐
⑤ 바우만의 관점에서는 현대인들로 하여금 서로 연대하기 어렵게 하는 위험 요인이다. ☐

어디에서 바라보느냐에 따라 숫자의 모양이 다르지?
관점을 적용할 때도 마찬가지야!

1 이 글의 전개 방식으로 가장 적절한 것은 무엇인가요?

① 개체화 현상의 다양한 양상들을 하나의 기준에 따라 분류하였다.
② 개체화 현상에 대한 통념을 비판하며 그 개념을 새롭게 규정하였다.
③ 개체화 현상에 대한 서로 다른 두 견해의 공통점과 차이점을 설명하였다.
④ 개체화 현상의 역사적 기원에 대한 다양한 가설들의 한계와 의의를 평가하였다.
⑤ 개체화 현상에 대한 정의를 바탕으로 이와 유사한 사회적 개념들을 비교하였다.

여러 대상을 분류할 때에도 반드시 **하나의 기준에 따라 나누어** 설명해야 해!
기준이 없다면, 분류 자체가 불가능하니까!

2 ㉠과 ㉡에 대한 이해로 적절하지 <u>않은</u> 것은 무엇인가요?

① ㉠은 위험 요소의 성격이 과거와 달라진 현대 사회의 특성을 드러내기 위한 개념이다.
② ㉡은 현대 사회의 불확실성을 강조하기 위해 물체의 속성에서 유추하여 사회에 적용한 개념이다.
③ ㉠과 ㉡은 모두 유연한 인간관계의 확장 가능성을 비관적으로 보는 개념이다.
④ ㉠과 ㉡은 모두 재난의 현실화 가능성이 일상화되어 있다는 점을 전제로 하는 개념이다.
⑤ ㉠과 ㉡은 모두 위험의 공간적 범위가 전 지구적으로 확장되어 있음을 내포하는 개념이다.

정보들을 비교하는 문제는 선지에 각각의 개념 외에 정보들의 공통점과 차이점을 제시해. 이런 문제는 둘을 구별하기 위한 것이므로 결국 공통점과 차이점을 제시할 가능성이 높아.

3 ⓐ~ⓔ의 사전적 의미로 적절하지 <u>않은</u> 것은 무엇인가요?

① ⓐ: 쫓아내거나 몰아냄.

② ⓑ: 여럿이 함께 무슨 일을 하거나 함께 책임을 짐.

③ ⓒ: 겉으로 나타냄.

④ ⓓ: 나쁜 상태나 타락한 상태에 빠짐.

⑤ ⓔ: 어떤 일에 온 정신을 다 기울여 열중함.

초인적 능력은 영화에서만 나온다?

목숨을 위협받는 심각한 위기 상황에 처한 사람은 평소에는 절대로 할 수 없었던 초인적 능력이 발휘되어 마치 초능력자가 된 것 같은 경험을 하게 된다고 한다. 그런데 과연 이 말은 사실일까? 이를 확인하기 위해서는 실제로 적군과의 전투 상황을 경험한 사람들의 경험담을 들어 볼 필요가 있다. 그들의 경험담을 들어 보면, 평소에는 경험하지 못하는 특별한 일들이 전투 중에는 종종 일어난다고 한다.

감각 기관을 통하여 대상을 인식하는 정신 작용을 '지각(知覺)'이라고 하는데, 전투 중에는 평소와는 달리 지각의 왜곡* 현상을 경험한다고 한다. 지각의 왜곡 현상은 사람마다 다르게 경험하며, 반드시 겪는 것은 아니다. ㉠시각적인 지각의 왜곡 현상으로는 '터널 시야 현상', '시각적 선명도 향상 현상', '슬로우 모션 현상', '해리 현상'이 있다. '터널 시야 현상'은 마치 두루마리 휴지의 가운데 구멍으로 세상을 바라보는 것처럼, 전체 시야 중 일부분에만 초점이 맞추어져 시야가 좁아지는 현상을 말한다. '시각적 선명도 향상 현상'은 아주 먼 거리에 있거나, 크기가 작은 물체들이 또렷하고 선명하게 보여 평소에는 볼 수 없었던 것들을 정확하게 볼 수 있게 되는 것을 의미한다. 그리고 '슬로우 모션 현상'은 말 그대로 실제로는 빠른 속도를 가진 물체가 매우 느리게 움직이는 것처럼 보이는 현상을 말한다. 실제로 전투를 경험한 병사들 중에는 총알이 매우 느린 속도로 날아가는 것을 똑똑히 목격했다는 증언을 하는 경우가 많다. 또한 '해리 현상'은 자신의 의식이 몸에서 분리되는 유체 이탈*을 경험하면서 마치 자신의 몸 밖의 어떤 시점에서 모든 상황을 지각하는 것을 말한다.

이 중에서 특히 '시각적 선명도 향상 현상', '슬로우 모션 현상'은 아드레날린이라는 호르몬의 작용 결과로 나타난다. 우리 몸은 극단적인 위기 상황을 감지하면 좌우의 콩팥 위에 있는 부신이라는 내분비샘에서 아드레날린 호르몬을 분비하게 되는데, 아드레날린은 신체에 저장되어 있던 에너지를 방출하도록 유도할 뿐만 아니라, 뇌와 안구 및 시신경으로 가는 혈류량을 증가시켜 시각 능력의 급격한 상승과 순간적인 집중력 향상을 가져온다. 이로 인해 '시각적 선명도 향상 현상'과 '슬로우 모션 현상'이 발생하는 것이다. 아드레날린의 작용으로 인한 특별한 능력은 이뿐만이 아니다. 아드레날린은 근육으로 가는 혈류량도 증가시켜 평소보다 뛰어난 신체 활동이 가능하게 만들기도 한다. 또한 아드레날린은 혈관을 수축시킴으로써 지혈 작용을 하여 상처가 나더라도 큰 출혈을 방지하는 기능을 한다. 그리고 아드레날린은 진통 작용도 하는데, 이때에는 정서적인 안정감을 주는 호르몬인 엔도르핀도 함께 분비된다.

시각뿐만 아니라 ㉡청각적인 지각의 왜곡 현상도 발생하는데, 여기에는 '청각적 터널 시야 현상'과 '청각적 눈 깜박임 현상'이 있다. '청각적 터널 시야' 현상은 전투 중에 자신이 주목한 특정한 소리만 들리고 그 외의 다른 소리는 듣지 못하는 현상을 의미한다. '청각적 눈 깜박임' 현상은 경험자가 무의식적으로 특정 소리만 듣거나, 특정 소리만 듣지 못하게 되는 현상을 의미한다. 과학자들은 이러한 청각적인 지각의 왜곡 현상이 청각 기관의 작용과 무관하게 뇌에서 특정한 감각만 걸러 내어 인식하는 작용으로 인해 발생한다고 분석한다. 우리의 뇌는 극단적인 상황에서 감각의 여과 과정을 통해 생존에 필요한 감각만 지각한다는 사실이 밝혀졌기 때문이다.

한편, 전투 중에는 지각의 왜곡뿐만 아니라, '기억의 상실과 왜곡'도 발생한다. 전투를 경험한 병사들은 실제 전투 중에 일어났던 일 중 일부를 전혀 기억하지 못하기도 하고, 일어나지 않은 일이 일어났다고 기억하는 사람들이 꽤 있다. 그리고 자신이 총을 쏜 횟수를 기억하지 못하거나, 실제보다 훨씬 적게 쏘았다고 기억하는 경우도 많다. 이렇게 목숨을 위협받는 심각한 위기 상황에 대응하는 우리 몸의 반응은, 사실 우리가 모르는 사이에 생명을 유지하기 위한 본능이 발동된 결과로, 평소와는 다른 특별한 능력이 나타난 것이다.

* 왜곡: 사실과 다르게 해석하거나 그릇되게 함.
* 유체 이탈: 영혼이 육체에서 벗어나 분리되는 일.

0 이 글을 통해 극단적인 위기 상황에서 특별한 신체 능력이 발휘되는 이유를 바르게 파악한 것은 무엇인가요?

① 생존 본능으로 인한 신체적 변화가 일어나기 때문에 ☐
② 위기 상황을 맞이했을 때에만 작동하는 유전자 때문에 ☐
③ 평소 알고도 사용하지 않던 초능력이 발휘되기 때문에 ☐
④ 뇌가 의식적으로 상황에 맞는 변화를 몸에 명령하기 때문에 ☐
⑤ 위급한 상황에 대한 대처 방법을 이미 경험해 보았기 때문에 ☐

문제가 발생했을 땐, **어떻게 문제를 수습할지**
그 대처 방법까지 생각해야 해!

1 이 글을 읽고 대답할 수 <u>없는</u> 질문이 무엇인지 고르세요.

- 지각의 왜곡 현상에는 어떤 것들이 있을까? ···································· ① ☐
- 기억 상실 및 왜곡을 일으키는 호르몬은 무엇인가? ····················· ② ☐
- 아드레날린은 어디에서 분비되고 어떤 작용을 하는가? ················· ③ ☐
- 위기 시 나타나는 초인적 능력에는 어떤 것들이 있는가? ············· ④ ☐
- '터널 시야 현상'과 '청각적 터널 시야 현상'은 어떻게 다를까? ·········· ⑤ ☐

2 이 글을 바탕으로 〈보기〉의 자료를 읽고 보인 반응으로 가장 적절한 것은 무엇인가요?

┤보 기├

　스포츠 선수들은 경기 전에 도핑 테스트라고 하는 약물 검사를 받는다. 경기에서 좋은 성적을 얻기 위해 약물을 사용하는 것은 경쟁의 공정성 자체를 뒤흔들기 때문이다. 예를 들어 '암페타민'이라는 약물은 아드레날린과 거의 같은 작용을 하는 노르에피네프린과 엔도르핀 분비를 촉진시켜, 이를 복용한 사람은 일시적으로 신체적 각성이 일어나고 집중력이 향상된다. 그래서 '암페타민'과 같은 약물을 사용한 것이 적발되면, 경기의 결과는 무효가 되고 약물 복용을 한 선수는 선수 자격 정지와 같은 큰 징계를 받게 된다.

① 만일 어떤 선수가 '암페타민'을 복용했다면, 그는 경기 결과가 어떻게 되었는지에 대해 기억하지 못할 수도 있겠군.

② 만일 어떤 선수가 '암페타민'을 복용했다면, 그는 엔도르핀의 분비량이 증가하여 불안정한 심리 상태를 보일 수 있겠군.

③ 만일 어떤 선수가 '암페타민'을 복용했다면, 그는 복용하지 않은 선수들에 비해 체내에 아드레날린 분비량이 더 높게 측정되겠군.

④ 만일 어떤 선수가 '암페타민'을 복용했다면, 그는 일시적으로 평소와는 다른 신체 반응이 생겨 경기 상황에 제대로 집중하지 못하겠군.

⑤ 만일 어떤 선수가 '암페타민'을 복용했다면, 그는 인위적으로 위기 시에 일어나는 신체 반응이 자신의 몸에 나타나도록 유도하려고 한 것이군.

3 ㉠과 ㉡의 차이점으로 가장 적절한 것은 무엇인가요?

① ㉠은 대상을 인식하지 못하지만, ㉡은 인식한다.
② ㉠과 달리 ㉡은 감각의 여과 과정과는 관련이 없다.
③ ㉡과 달리 ㉠은 감각 기관의 작용과 연관되기도 한다.
④ ㉠에 비해 ㉡은 지각의 왜곡 현상이 더 많이 발생한다.
⑤ ㉡에 비해 ㉠은 전투에서 더 강한 몰입감을 느끼게 한다.

4 이 글을 바탕으로 〈보기〉의 'A'와 'B'의 경험을 이해한 내용이 적절하지 <u>않은</u> 것은 무엇인가요?

┤보 기├

ㄱ. 차가 도로 아래 언덕으로 굴러떨어지는 사고를 당한 A는 다행히 큰 부상을 입지는 않았다. 이후 교통사고 조사 과정에서 그는 사고가 왜 일어났는지는 설명하지 못했지만, 차가 굴러떨어질 때 자신의 시야에 들어온 모든 물체들은 마치 우주선에 떠다니는 물건들처럼 아주 천천히 움직였다고 말했다.

ㄴ. 참전 군인인 B는 적군과의 총격전이 시작되었을 때, 자신이 쏜 총성은 들리지 않고 옆 동료의 총성과 장전 소리, 고함 소리들만 들렸다고 했다. 전투 도중 그는 측면에서 동료에게 접근하는 적을 먼저 발견하고 적과 교전을 벌이는 과정에서 총상을 입었지만, 전투가 끝날 때까지 그 사실을 전혀 인지하지 못했다. 전투가 끝나고 한참 뒤에야 그는 총상을 입은 부위에 통증을 느꼈고, 부상 사실을 알게 되었다고 말했다.

① 사고 당시 차 안에 있던 A에게 '슬로우 모션 현상'이 발생하였다.
② 사고 이후에 A는 부분적인 '기억의 상실'을 겪고 있다고 판단할 수 있다.
③ 총격전이 시작되었을 때 B는 '청각적 눈 깜박임 현상'을 경험하였다.
④ 총격전 중 B가 적을 발견할 수 있었던 것은 '터널 시야 현상' 때문이다.
⑤ B가 뒤늦게 자신의 부상을 안 것은 아드레날린 분비가 줄었기 때문이다.

사회 보험이 왜 필요할까

모든 사람들은 불가피하게 위험에 빠질 가능성을 안고 살아간다. 그래서 개인들은 스스로 위험에 대비하려 하며, 시장은 이를 포착하여 알맞은 상품을 제공한다. 생명 보험, 암 보험 등의 각종 보험 상품이 바로 그것이다. 그러나 개인의 자발적 선택에 의해 가입하는 민간 보험 상품만으로 개인들이 위험에 완전히 대처했다고 할 수는 없다.

개인들은 자신의 소득을 현재의 욕구를 위한 소비와 미래의 욕구를 위한 저축으로 적절히 배분해야 한다. 그러나 인간은 미래의 욕구보다는 현재의 욕구를 과대평가하는 본능적 성향을 가지고 있다. 또 행운의 확률을 과대평가하고 불행의 확률을 과소평가하는 불합리한 존재이다. 그래서 위험에 대비하기 위해 저축을 하기보다는 현재의 욕구를 위해 소득의 대부분을 지출해 버리는 개인이 나타나게 된다. 이들은 위험에 ㉠직면하게 되면 대비책이 없어 무너지게 되고 이는 곧 사회적 문제가 된다. 그래서 국가가 사람들에게 전형적으로 나타나는 사회적 위험에 대비하도록 강제하는 것이다. 그 제도가 바로 사회 보험이다. 이것은 개인의 선택에 관계없이 의무적으로 가입해야 하는 강제 보험으로, 국민 건강 보험, 국민연금, 고용 보험, 산업 재해 보험 등이 여기에 해당한다.

그런데 이 '강제'에 대해 문제를 제기하는 사람들도 있다. 그 이유 중의 하나가 자신이 상대적으로 보험료를 많이 낸다고 생각하기 때문이다. 사회 보험은 본인의 총액 소득에 일정한 비율을 곱해서 보험료를 정하기 때문에 소득이 많을수록 보험료가 높게 책정된다. 그렇다고 해서 연금 지급액이 납입액과 동일한 비율로 상승하지는 않는다. 그래서 고소득자에게는 사회 보험이 민간 보험보다 수익률이 낮을 수 있다. 또 모두가 같은 혜택을 받는 국민 건강 보험료도 고소득자가 저소득자에 비해 보험료를 더 많이 내야 한다. 이처럼 사회 보험에서 고소득자는 상대적 손실을 입게 되고 저소득자는 혜택을 더 보게 된다. 언뜻 공평하지 않아 보일 수 있지만 오히려 이러한 점에서 공동체 구성원 사이의 사회적 연대라는 사회 보험의 성격이 잘 드러나고 강제성이 정당화될 수 있다.

사회 보험은 보험 시장에 대한 국가의 부당한 개입이라고 주장하는 사람들도 있다. 그런데 이 주장을 고용 보험에 적용해 보면 타당성이 없다는 것을 분명히 알 수 있다. 일반적으로 민간의 보험 상품이 공급되기 위해서는 보험금 지급 대상의 위험이 질병이나 교통사고와 같이 상호 독립적이어야 한다. 그러나 실업은 외환 위기* 때 경험한 것처럼 다른 사람의 실업이 증가할수록 나의 실업 확률도 커지는 상호 의존적 성격이 강하기 때문에 민간 보험 회사들은 고용 보험 상품을 제공하려 하지 않는다. 또 국민연금이나 국민 건강 보험 역시 국가가 추구하는 공익성을 우선시해야 하기 때문에 상업적 이익을 추구하는 민간 보험사에 맡길 수는 없다. 그러므로 사회 보험은 국가가 주도할 수밖에 없는 것이다.

국가는 개인들이 위험에 대처할 수 있는 안전망을 마련해야 한다. 국가는 그 장치로서 사회 보험 제도를 도입하였고, 이는 어느 정도의 강제성을 가질 수밖에 없는 것이다.

---

* 외환 위기: 국제 거래의 적자로 인하여 외환 보유고가 크게 줄고 단기 투기성 외화 자본이 급격하게 유출되어, 국제 거래에 필요한 외환을 확보하지 못하고 외환 시장에서 환율이 급등하는 현상. 우리나라의 경우 1997년에 외환 위기를 겪었다.

0 **이 글을 읽은 학생이 〈보기〉의 뉴스를 보고 보인 반응으로 적절하지 <u>않은</u> 것은 무엇인가요?**

┤보 기├

　국민연금 상습 체납자 명단을 공개하는 법 개정이 추진됩니다. □□당 △△△ 의원은 국민연금 보험료를 고의로 미납하는 고액·상습 체납자의 명단을 공개하도록 하는 내용의 국민연금법 개정안을 국회에 제출했습니다. 고액·상습 체납자의 기준은 6개월 이상 체납 금액이 사업장의 경우 1억 원, 지역 가입자는 천만 원 이상으로 정했습니다.　　　　　　　　－○○○ 뉴스－

① 새로운 법이 적용될 대상자는 저소득자들은 아니군.
② 국가가 체납자들에게 가입자로서의 의무 이행을 강제하려 하는군.
③ 국가가 민간 보험에 가입한 고소득자를 사회 보험으로 유도하고 있군.
④ 상습 체납자는 공동체 구성원 사이의 사회적 연대 의식이 부족하겠군.
⑤ 상습 체납자는 사회 보험 제도에 동의하거나 협조하지 않고 있는 셈이군.

1 이 글의 내용과 일치하지 <u>않는</u> 것은 무엇인가요?

① 민간 보험은 개인의 선택에 의해 가입이 성립된다.

② 사회 보험은 국민들에게 균등한 금전적 이익을 주는 보험이다.

③ 사람들이 불행의 확률을 과소평가하면 위험에 빠질 가능성이 있다.

④ 국가는 위험으로부터 국민들을 보호하기 위해 안전망을 마련하고 있다.

⑤ 사람들은 노후 생활 자금 부족, 질병, 실업, 산업 재해 등의 위험에 빠질 가능성을 가지고 살아간다.

2 이 글과 관련지어 〈보기〉에 대해 설명한 내용으로 적절하지 <u>않은</u> 것은 무엇인가요?

┤보 기├

다른 회사들이 연쇄적으로 부도가 나는 바람에 10년 동안 다니던 A의 회사도 역시 부도가 났다. 이후 일용직 근로자가 되어 과도한 육체적 노동에 시달리던 A는 결국 병이 나고 말았다. 그래서 국가가 운영하는 무료 병원에서 치료를 받았으나 몸이 완치되지는 않았다. 그러나 A는 국가에서 지원하는 생계비를 받았기 때문에 살아갈 수 있었다.

〈보기〉에서 A가 감당하는 사회적 위험이 무엇이며 국가로부터부터 혜택을 받는 것이 무엇인지를 파악한 뒤, 이를 사회 보험과 관련지어 봐.

① A의 실직은 사람들에게 일어날 수 있는 전형적인 사회적 위험이라고 볼 수 있다.

② A가 국가에서 운영하는 병원에서 치료받은 것은 사회 보험의 일종이라 할 수 있다.

③ A와 같은 실직자를 위해서 민간 보험 회사는 고용 보험 상품을 제공하려고 할 것이다.

④ A의 실업은 상호 독립적이라기보다는 상호 의존적 성격에서 비롯되었다고 볼 수 있다.

⑤ A가 병원 치료 이후 생활할 수 있었던 것은 국가가 마련한 사회 안전망 때문이라고 할 수 있다

3 ㉠과 바꾸어 쓸 수 있는 말로 가장 적절한 것은 무엇인가요?

① 겪게
② 치르게
③ 당하게
④ 부딪히게
⑤ 마주하게

안전을 지키는 가스 센서

위험 가스로 인한 사고

Q 저항형 센서의 성능을 평가하는 세 가지 요소에는 무엇이 있나요?

우리는 생활에서 각종 유해 가스에 노출될 수 있다. 인간은 후각이나 호흡 기관을 통해 위험 가스의 존재를 인지할 수는 있으나, 그 종류를 감각으로 ⓐ판별하기는 어려우며, 미세한 농도의 감지는 더욱 불가능하다. 따라서 가스의 종류나 농도 등을 감지할 수 있는 고성능 가스 센서를 사용하는 것이 위험 가스로 인한 사고를 미연에 방지할 수 있는 길이다.

가스 센서란 특정 가스를 감지하여 그것을 적당한 전기 신호로 변환하는 장치의 총칭이다. 각종 가스 센서 가운데 산화물* 반도체 물질을 이용한 저항형 센서는 감지 속도가 빠르고 안정성이 높으며 휴대용 장치에 적용할 수 있도록 소형화가 ⓑ용이하기 때문에 널리 사용되고 있다. 센서 장치에서 ㉠안정성이 높다는 것은 시간이 지남에 따라 반복 측정하여도 같은 조건에서는 센서의 측정 결괏값이 거의 일정하다는 뜻이다.

저항형 가스 센서는 두께가 수백 나노미터(nm, 10^{-9}m)에서 수 마이크로미터(μm, 10^{-6}m)인 산화물 반도체 물질이 두 전극 사이를 연결하는 방식으로 되어 있다. 가스가 센서에 다다르면 시간이 지남에 따라 산화물 반도체 물질에 흡착되는 가스의 양이 늘어나다가 ⓒ흡착된 가스의 양이 일정하게 유지되는 정상 상태(定常狀態)에 도달하여 일정한 저항값을 나타내게 된다. 정상 상태에 도달하는 동안 이산화 질소와 같은 산화 가스는 산화물 반도체로부터 전자를 받으면서 흡착하여 산화물 반도체의 저항값을 증가시킨다. 반면에 일산화 탄소와 같은 환원 가스는 산화물 반도체 물질에 전자를 내주면서 흡착하여 산화물 반도체의 저항값을 감소시킨다. 이러한 저항값 변화로부터 가스를 감지하고 농도를 ⓓ산출하는 것이 센서의 작동 원리이다.

저항형 가스 센서의 성능을 평가하는 주된 요소는 응답 감도, 응답 시간, 회복 시간이다. 응답 감도는 특정 가스가 존재할 때 가스 센서의 저항이 얼마나 민감하게 변하는가에 대한 정도이며, 일정하게 유지되는 정상 상태 저항값(R_s)과 특정 가스 없이 공기 중에서 측정된 저항값(R_air)으로부터 ⓔ도출된다. 이는 R_s와 R_air의 차이를 R_air로 나누어 백분율로 나타낸 것으로, 이 값이 클수록 가스 센서는 감도가 좋다고 할 수 있다. 또한 가스 센서가 특정 가스를 얼마나 **빨리** 감지하고 반응하느냐의 척도인 응답 시간은 응답 감도 값의 50% 혹은 90% 값에 도달하는 데 걸리는 시간으로 정의된다. 한편, 센서는 반복적으로 사용해야 하기 때문에 산화물 반도체 물질에 정상 상태로 흡착돼 있는 가스를 가능한 한 빠른 시간 내에 탈착*시켜 처음 상태로 되돌려야 한다. 따라서 흡착된 가스가 공기 중에서 탈착되는 데 필요한 시간인 회복 시간 역시 가스 센서의 성능을 평가하는 중요한 요소로 꼽힌다.

휴대용 가스 센서

분석의 글, 어떻게 읽어야 할까
분석이 나오면
구성 요소나 원리가 뒤따를 거야!

► 생각읽기가 수능이다 56쪽

---

* 산화물: 산소와 다른 원소와의 화합물을 통틀어 이르는 말.
* 탈착: 흡착된 물질이 고체 표면으로부터 떨어지는 현상.

0 **이 글의 내용과 일치하는 것을 고르세요.**

① 산화물 반도체 물질은 가스 흡착 시 전자를 주거나 받을 수 있다. ☐

② 인간은 후각을 이용하여 유해 가스 농도를 수치로 나타낼 수 있다. ☐

③ 회복 시간이 길어야 산화물 반도체 가스 센서를 오래 사용할 수 있다. ☐

④ 산화물 반도체 물질에 흡착되는 가스의 양은 시간이 지남에 따라 계
속 늘어난다. ☐

⑤ 저항형 가스 센서는 가스의 탈착 전후에 변화한 저항값으로부터 가스
를 감지한다. ☐

1 산화물 반도체 물질인 A와 B를 각각 이용한 두 센서를 가지고 같은 조건에서 실험하여 〈보기〉와 같은 그래프를 얻었습니다. 이에 대한 해석으로 적절하지 <u>않은</u> 것은 무엇인가요?

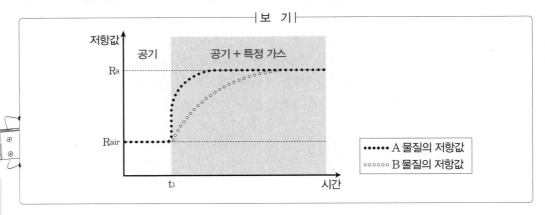

그래프의 변화를 파악하기 전에 값을 나타내는 기호를 살펴보아야 해. R_{air}, R_s가 어떤 상태를 의미하는지, 특정 가스가 흡착된 지점이 어디부터인지 파악해야 답을 찾을 수 있어!

① 실험에 사용된 가스는 모두 산화 가스이다.

② 응답 감도는 A를 이용한 센서와 B를 이용한 센서가 같다.

③ 응답 시간은 A를 이용한 센서와 B를 이용한 센서가 같다.

④ 특정 가스가 흡착하기 전에는 공기 중에서 A와 B의 저항값이 같다.

⑤ t_1 직후부터 정상 상태에 도달하기 직전까지는 A의 저항값이 B의 저항값보다 크다.

"똑같이 구웠는데 왜 다른 거지?"

'같은 조건'이었지만 애초에 다른 변수가 하나 있어서야!

2 문맥상 ㉠과 비슷한 상황으로 가장 적절한 것은 무엇인가요?

① 어제 잠자리에 들기 전 음악을 듣고 마음의 안정을 찾았다.

② 체육 시간에 안정적인 자세로 물구나무를 서서 박수를 받았다.

③ 모형 항공기가 처음에는 맞바람에 요동쳤으나 곧 안정되어 활강하였다.

④ 자세를 여러 가지로 바꾸어 가며 공을 던졌으나 50m 이상 날아가지 않았다.

⑤ 매일 아침 운동장을 열 바퀴 걸은 직후 맥박을 재어 보니 항상 분당 128~130회였다.

3 ⓐ~ⓔ를 활용하여 만든 문장으로 적절하지 <u>않은</u> 것은 무엇인가요?

① ⓐ: 열차의 좌석을 흡연석과 금연석으로 <u>판별</u>해 놓았다.

② ⓑ: 이 선풍기는 조립이 <u>용이</u>한 것이 장점이다.

③ ⓒ: 염색약이 옷감에 <u>흡착</u>되었다.

④ ⓓ: 작년보다 쌀과 보리의 생산량이 늘어난 것으로 <u>산출</u>되었다.

⑤ ⓔ: 주어진 자료로부터 결론을 <u>도출</u>하는 과정이 타당해야 한다.

분석의 핵심은 '나누기(÷)'에 있다

정신 분석학자 프로이트는 인간의 마음을 어떻게 나누어 분석하고 있는지 살펴볼까요?

프로이트는 인간의 마음을 '의식, 전의식, 무의식'으로 나누고, 이를 빙산에 비유해서 설명했는데, 수면 위로 드러난 빙산의 일부가 '의식'이고, 수면 바로 아래에 있는 부분이 '전의식'이며, 그보다 더 아래에 있는 빙산의 대부분을 '무의식'이라고 설명했다. '의식'은 깨어 있는 상태에서 무언가를 인식하는 마음의 작용이며, 논리적이고 이성적인 생각을 의미한다. '전의식'은 평소에는 전혀 생각하고 있지 않지만, 조금만 노력하면 떠오르는 지식과 기억을 의미한다. '무의식'은 억압된 생각과 기억, 욕망 등을 의미하는데, 깨어 있을 때에는 여간해서는 드러나지 않지만 꿈속에서는 자유롭게 드러난다.

독서 지문에서 분석의 방법으로 글이 전개되는 경우, 해당 지문을 읽을 때에는 무엇을, 어떻게 나누어 설명하고 있는지에 주목해야 합니다. 특히 기술 지문에서 어떤 장치의 구성 원리를 요소별로 분석하여 각각의 역할을 설명할 때, 이렇게 세부적으로 설명한 부분은 반드시 문제화되는 경우가 많습니다. 출제자의 입장에서 분석이나 과정이 드러난 글은 지문의 핵심 정보인데다가 정보량도 많아 문제 낼 거리도 풍부하기 때문에 그냥 지나칠 이유가 없기 때문이죠.

따라서 대상의 구성 요소를 이해할 때에는 각각의 역할도 중요하지만, **구성 요소 간의 상관관계와 구성 요소들이 작동할 때 그 인과 관계를 파악하는 데 집중해야 합니다.** 만약 지문에서 구성 요소 간의 관계를 직접 언급하지 않았다면 지문에 비어 있는 부분까지 추론하려는 노력도 필요합니다. 변별력 있는 문제일수록 글에서 장치를 구성하는 요소 간의 관계를 비어 놓더라도 주어진 정보만으로 추론할 수 있는 내용을 문제로 혹은 선지로 구성하기 마련입니다. 그러므로 드러난 정보 이해는 물론 추론까지 동원해서 글과 그림을 샅샅이 이해해야겠죠?

52쪽 지문

저항형 가스 센서의 성능을 평가하는 주된 요소는 응답 감도, 응답 시간, 회복 시간이다. 응답 감도는 특정 가스가 존재할 때 가스 센서의 저항이 얼마나 민감하게 변하는가에 ～～～～～～～～～～～～～ 특정 가스 없이 공기 중에서 측정된 ～～ 대상을 구성하는 요소를 분석해 각 요소를 설명하는 ～～로 나누어 백분율로 나타낸 것으로, ～～ 부분은 무조건 문제화된다! ～～ 가스 센서가 특정 가스를 얼마나 빨리 감지하고 반응하느냐의 척도인 응답 시간은 응답 감도 값의 50% 혹은 90% 값에 도달하는 데 걸리는 시간으로 정의된다.

독해실전　　　**배운 글을 다시 읽고, 물음에 답해 보세요.**

생각독해 Ⅱ 112쪽

> 　보통 유압 장치는 동력원, [　　　　　], 액추에이터, 배관으로 구성되어 있다. 동력원은 기름을 저장하는 오일 탱크, 기름을 배관으로 보내는 오일펌프와 오일펌프에 전력을 공급하는 엔진으로 구성된다. 동력원에서 배관을 통해 올라온 유체는 제어부에서 압력·양·방향을 조절하게 된다. 제어부는 압력 제어 밸브, 유량 제어 밸브, 방향 제어 밸브로 구성된다. 제어부의 각 밸브에 의해 조정된 기름은 액추에이터로 들어가게 되고, 액추에이터에서 강한 물리적인 힘으로 전환되어 외부에 작용하게 된다.

1　위 글을 읽고, 빈칸에 유압 장치의 구성 요소에 들어갈 부분을 찾아 써 보세요.

수능실전　　　**아래 글을 읽고, 수능 실전감각을 길러 보세요.**

2011학년도 수능

> 　어머니가 세탁기 버튼을 눌러 놓고는 텔레비전 드라마를 보고 있다. 우리가 이러한 모습을 볼 수 있는 이유는 바로 전자동 세탁기의 등장 때문이다. 전자동 세탁기는 세탁조 안에 탈수조가 있으며 탈수조 바닥에는 물과 빨랫감을 회전시키는 세탁판이 있다. 그리고 세탁조 밑에 클러치가 있는데, 클러치는 모터와 연결되어 있어서 모터의 힘을 세탁판이나 탈수조에 전달한다. 마이크로컴퓨터는 이 장치들을 제어하여 빨래를 하게 한다.

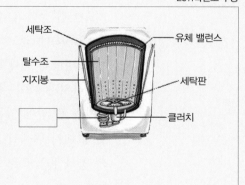

1　위 글을 읽고, 빈칸에 들어갈 알맞은 대상의 구성 요소를 찾아 써 보세요.

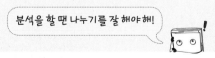

분석을 할 땐 나누기를 잘 해야해!

생각읽기가 수능이다!　　　　🧠 **[대상─분석]의 생각 구조**에서 글쓴이의 생각은 어떻게 알 수 있나요?

　실제 시험에서 대상을 분석하는 글은 상위 개념과 하위 개념에 대한 이해, 그리고 하위 개념에 속하는 각각의 구성 요소에 대해 세밀하게 묻는 경우가 많아. 그러니깐 분석의 방법이 나오면, '무엇을' 분석하는지, 그 무엇을 '어떻게' 분석하는지 알아 둬야겠지?

배의 흔들림은 어떻게 해결될까

위험 방지 기술

Q 배의 흔들림 방지를 위해 쓰이는 장치에는 무엇이 있나요?

배를 탈 때 가장 어려운 점이 무엇이냐고 물으면 대부분의 사람들은 뱃멀미라고 대답할 것이다. 뱃멀미는 물에 떠 있는 배의 특성상 흔들림에 취약하기 때문에 생기는 증상이다. 이 밖에도 배가 심하게 흔들리면 배의 운항과 선착 등에 많은 어려움을 겪게 된다. 그래서 배의 흔들림을 해결하기 위한 기술이 개발되어 왔는데 현재 배의 흔들림 방지를 위해 많이 쓰이고 있는 장치로 '빌지킬', '안티롤링 탱크', '핀 안정기' 등이 있다.

'빌지킬'은 흔들림을 줄이기 위해 가장 많이 쓰이는 장치로 군함뿐만 아니라 많은 배들이 사용하고 있다. 빌지킬은 물에 잠기는 배의 측면에 붙이는 얇은 판을 가리킨다. 빌지킬을 갖춘 배는 얇은 판이 배 양쪽에 하나씩 두 개가 설치되어 있다. 빌지킬이 있으면 배가 왼쪽으로 기울기 시작할 때 왼쪽에 있는 빌지킬로 인해 물과 접촉해서 생기는 마찰 저항이 증가하게 되고, 그로 인해 배가 원위치로 되돌아가게 되므로 배의 흔들림이 줄어들게 된다.

빌지킬

빌지킬이 배의 크기와 관계없이 두루 사용되는 장치라면 '안티롤링 탱크'는 큰 배들이 주로 사용하는 장치이다. 안티롤링(anti-rolling) 탱크는 커다란 U자형 관을 배 안쪽에 설치하고 그 안에 물을 채워 둠으로써 흔들림을 줄여 주는 장치이다. 일반적으로 배가 왼쪽으로 기울면 U자형 관 안에 있는 물도 왼쪽으로 이동하기 시작한다. 하지만 U자형 관을 통해 물이 이동하는 데는 시간이 걸리기 때문에 배의 기울어진 방향과 U자형 관 안의 물의 위치가 항상 일치하진 않는다. 배가 왼쪽으로 기울면 물은 오른쪽에 있고, 배가 오른쪽으로 기울면 물이 왼쪽에 있게 된다. 이렇게 되면 배가 기울어지는 방향과 반대쪽에 있는 물의 무게가 배를 눌러 줌으로써 원위치로 돌리는 역할을 수행한다. 하지만 물이 이동하는 시간 차이를 이용하는 것은 한계가 있어서 배가 기울어지는 방향과 U자형 관 안에 있는 물이 같은 방향에 있게 되면 오히려 배가 뒤집어질 수도 있다. 이런 문제를 없애기 위해서 최근에 설치되는 안티롤링 탱크는 펌프를 이용하여 U자형 관 안에 있는 물의 양과 움직임을 인위적으로 ㉠맞추어 배가 흔들리는 것을 줄이고 있다.

안티롤링 탱크

빌지킬과 안티롤링 탱크가 오랫동안 사용되어 온 장치라면 최근에 개발된 장치인 '핀 안정기'는 배 양쪽에 비행기 날개 모양으로 달려 있다. 물체가 움직일 때 압력이 높은 곳에서 낮은 곳으로 수직으로 작용하는 힘을 양력이라 부르는데, 핀 안정기는 날개의 움직임에 의해 발생하는 양력을 이용한다. 핀 안정기의 앞쪽은 배에 고정되어 있지만 뒤쪽은 위아래로 움직일 수 있다. 배의 앞쪽에서 바라볼 때 배가 왼쪽으로 기울면 왼쪽 핀 안정기의 뒤쪽은 아래로 움직이고, 오른쪽 핀 안정기의 뒤쪽은 위로 움직인다. 그러면 왼쪽 핀 안정기 아래쪽의 물의 흐름은 느려지고 위쪽은 빨라지면서 핀 안정기 아래쪽의 압력이 위쪽보다 높아진다. 이 압력차로 인해 왼쪽 핀 안정기에서는 위로 양력이 작용하고, 반대로 오른쪽

핀 안정기

핀 안정기에서는 양력이 아래쪽으로 작용하여 배의 흔들림을 줄일 수 있다.

0 **이 글의 내용과 일치하지 <u>않는</u> 것을 고르세요.**

① 빌지킬은 양력을, 핀 안정기는 마찰 저항을 이용한다. ☐
② 빌지킬은 가장 많이 사용되는 흔들림 방지 장치이다. ☐
③ 안티롤링 탱크는 규모가 큰 배들이 사용하는 장치이다. ☐
④ 흔들림 방지 장치 중에 핀 안정기는 최근에 개발된 것이다. ☐
⑤ 안티롤링 탱크는 U자형 관 안의 물이 이동하는 시간을 이용한다. ☐

1 이 글을 읽은 학생이 〈보기〉에 대해 보인 반응으로 가장 적절한 것은 무엇인가요?

─────────────────────┤ 보 기 ├─────────────────────

　　파도의 움직임에 따라 배의 흔들림이 시작되자 선장은 선원을 모두 갑판 위로 모이도록 했다. 선장은 선원들에게 배가 오른쪽으로 기울기 시작하면 모두 왼쪽으로 이동하고, 왼쪽으로 기울기 시작하면 오른쪽으로 이동하도록 지시했다.

> 선원들의 움직임이 빌지킬, 안티롤링 탱크, 핀 안정기 중 어떤 것과 연관이 있는지 생각해 봐.

① 빌지킬이 있었다면 선원들의 움직임은 아무런 효과가 없었겠군.
② 선원들의 움직임이 양력을 발생시켜 배의 흔들림이 줄어들었겠군.
③ 핀 안정기의 역할을 했던 선원들로 인해 배의 속도가 빨라졌겠군.
④ 선원들을 양쪽으로 동시에 고르게 분산시켰다면 배가 뒤집어질 수 있었겠군.
⑤ 선원들이 U자형 관 안의 물과 같은 역할을 하기 때문에 배의 흔들림이 줄어들었겠군.

2 문맥상 ㉠과 바꿔 쓸 수 있는 것은 무엇인가요?

① 조절(調節)하여
② 조성(造成)하여
③ 조율(調律)하여
④ 조종(操縱)하여
⑤ 조치(措置)하여

3 〈보기〉의 ⓐ와 ⓑ는 배의 앞쪽에서 바라본 핀 안정기입니다. 배가 (가) 방향으로 기울 때 배를 원위치로 되돌리기 위한 핀 안정기의 움직임으로 가장 적절한 것은 무엇인가요?

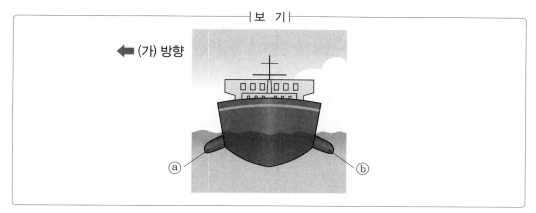

① ⓐ와 ⓑ의 뒤쪽은 모두 위로 움직인다.

② ⓐ와 ⓑ의 뒤쪽은 모두 아래로 움직인다.

③ ⓐ의 뒤쪽은 아래로 움직이고, ⓑ의 뒤쪽은 위로 움직인다.

④ ⓐ의 뒤쪽은 위로 움직이고, ⓑ의 뒤쪽은 아래로 움직인다.

⑤ ⓐ의 뒤쪽은 위와 아래로 계속 움직이고, ⓑ의 뒤쪽은 움직이지 않는다.

불확실한 미래에 대처하는 옵션

'옵션(option)'이라면 금융 상품을 떠올리기 쉽지만, 알고 보면 우리 주위에는 옵션의 성격을 갖는 현상이 참 많다. 옵션의 특성을 잘 이해하면 위험과 관련된 경제 현상을 이해하는 데 큰 도움이 된다. 옵션은 '미래의 일정한 시기(행사* 시기)에 미리 정해진 가격(행사 가격)으로 어떤 상품(기초 자산)을 사거나 팔 수 있는 권리'로 정의된다.

역사에 등장하는 최초의 옵션은 고대 그리스 시대로 거슬러 올라간다. 기하학의 아버지로 우리에게 친숙한 탈레스는 올리브유 압착기에 대한 옵션을 개발했다고 전해진다. 당시 사람들은 올리브에서 기름을 얻기 위해서 돈을 주고 압착기를 빌려야 했다. 탈레스는 파종기*에 미리 조금의 돈을 주고 수확기에 일정한 임대료로 압착기를 빌릴 수 있는 권리를 사 두었다. 만약 올리브가 풍작이면 압착기를 빌리려는 사람이 많아져서 임대료가 상승할 것이다. 이렇게 되면 탈레스는 파종기에 계약한 임대료로 압착기를 빌려서, 수확기에 새로 형성된 임대료로 사람들에게 빌려줌으로써 큰 이윤을 남길 수 있다. 하지만 ㉠흉작이면 압착기를 빌릴 권리를 포기하면 된다. 탈레스가 파종기에 계약을 통해 사 둔 권리는 그 성격상 '살 권리'라는 옵션임을 알 수 있다.

[A]
　　옵션 가운데 주식을 기초 자산으로 하는 주식 옵션의 사례를 살펴보면 옵션의 성격을 이해하기가 한층 더 쉽다. 가령, 2년 후에 어떤 회사의 주식을 한 주당 1만 원에 살 수 있는 권리를 지금 1천 원에 샀다고 하자. 2년 후에 그 회사의 주식 가격이 1만 원을 넘으면 이 옵션을 가진 사람으로서는 옵션을 행사하는 것이 유리하다. 만약 1만 5천 원이라면 1만 원에 사서 5천 원의 차익을 얻게 되므로 옵션 구입 가격 1천 원을 제하면 수익은 주당 4천 원이 된다. 하지만 1만 원에 못 미칠 경우에는 옵션을 포기하면 되므로 손실은 1천 원에 그친다.
여기서 주식 옵션을 가진 사람의 수익은 기초 자산인 주식의 가격 변화에 의존하는 것을 확인할 수 있다. ㉡회사가 경영자에게 주식 옵션을 유인책으로 지급하는 것은 바로 이 때문이다.

옵션은 상황에 따라 유리하면 행사하고 불리하면 포기할 수 있는 선택권이라는 성격 때문에 수익의 비대칭성을 낳는다. 즉, 미래에 기초 자산의 가격이 유리한 방향으로 변화하면 옵션을 구입한 사람의 수익이 늘어나게 해 주지만, 불리한 방향으로 변화해도 그의 손실이 일정한 수준을 넘지 않도록 보장해 주는 것이다. 따라서 이 권리를 사기 위해 지급하는 돈, 즉 '옵션 프리미엄'은 이러한 보장을 제공 받기 위해 치르는 비용인 것이다. 수익의 비대칭성으로 인해 옵션은 적은 돈으로 기초 자산의 가격 변동에 대응할 수 있게 해 준다. 이 때문에 옵션은 미래의 불확실성에 대처하게 해 주는 위험 관리 수단이 될 수 있다. 하지만 옵션 보유자가 기초 자산의 가격에 영향을 미칠 수 있는 경우, 옵션은 보유자로 하여금 더 큰 위험을 선택하도록 부추기는 측면도 있다. 예컨대 주식을 살 권리를 가진 경영자의 경우에는 기초 자산의 가격을 많이 올릴 가능성이 큰 사업을 선택할 유인*이 크지만, 그런 사업일수록 가격을 많이 하락시킬 확률도 높기 때문이다. 옵션의 이러한 특성을 이해하는 것은 주주와 경영자의 행동을 비롯하여 다양한 경제 현상을 이해하는 데 무척 중요하다.

* 행사: 어떤 일을 시행함. 또는 그 일.
* 파종기: 씨를 뿌리는 시기.
* 유인: 어떤 일 또는 현상을 일으키는 원인.

0 ㉠의 이유로 가장 적절한 것을 고르세요.

① 압착기의 기능이 떨어지기 때문에

② 압착기를 빌리기 힘들어지기 때문에

③ 압착기에 대한 수요가 늘어나기 때문에

④ 압착기 임대 계약금을 돌려받기 쉬워지기 때문에

⑤ 압착기의 임대료가 계약한 수준보다 낮아지기 때문에

풍작일 때는 큰 이윤을 남길 수 있다고 했지? 이를 고려하여 흉작일 때의 상황을 대입해 봐.

1 이 글을 통해 알 수 있는 내용으로 적절한 것은 무엇인가요?

① 한번 사 둔 주식 옵션은 매매될 수 없다.
② 옵션은 반드시 행사해야 하는 권리는 아니다.
③ 옵션의 행사 가격은 행사 시기에 가서 정해진다.
④ 주식 이외의 자산을 기초 자산으로 하는 옵션은 없다.
⑤ 옵션 프리미엄은 옵션을 행사한 후에 얻게 되는 이득이다.

2 [A]에서 2년 후의 상황을 〈보기〉의 그래프로 설명할 때, 적절하지 <u>않은</u> 것은 무엇인가요?

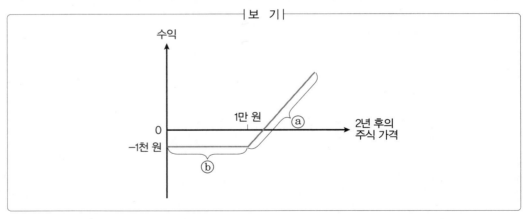

① ⓐ는 주식 가격이 1만 원을 넘으면 옵션을 행사하는 것이 유리함을 보여 준다.
② ⓑ는 주식 가격이 아무리 낮아져도 손실은 일정하다는 것을 보여 준다.
③ ⓑ의 모양이 수평인 것은 구입한 주식 옵션을 행사하였기 때문이다.
④ ⓑ가 세로축의 0보다 아래에 위치하는 것은 옵션 프리미엄이 있음을 나타내는 것이다.
⑤ ⓐ와 ⓑ의 모양이 다른 것은 수익의 비대칭성을 보여 주는 것이다.

3 ㉡의 목적으로 가장 적절한 것은 무엇인가요?

① 경영자가 노동자들의 복지 증진을 추구하도록
② 경영자가 주식 가격의 상승을 추구하도록
③ 경영자가 덜 위험한 사업을 선택하도록
④ 경영자가 사업의 다각화를 추구하도록
⑤ 경영자가 사회 공익을 추구하도록

 '목적'은 '이유'라고 할 수 있어. 회사가 경영자에게 주식 옵션을 지급한 이유를 찾으면 되겠지? 이때 기업은 수익 증대를 목표로 한다는 점을 명심해!

 목적 = 이유 = 의도

Q 다음은 생각을 읽을 수 있는 지문 구조도를 퍼즐로 나타낸 것입니다. 앞에서 읽은 글의 내용을 떠올리며 생각읽기 1~6에 해당하는 퍼즐을 선으로 연결해 보세요.

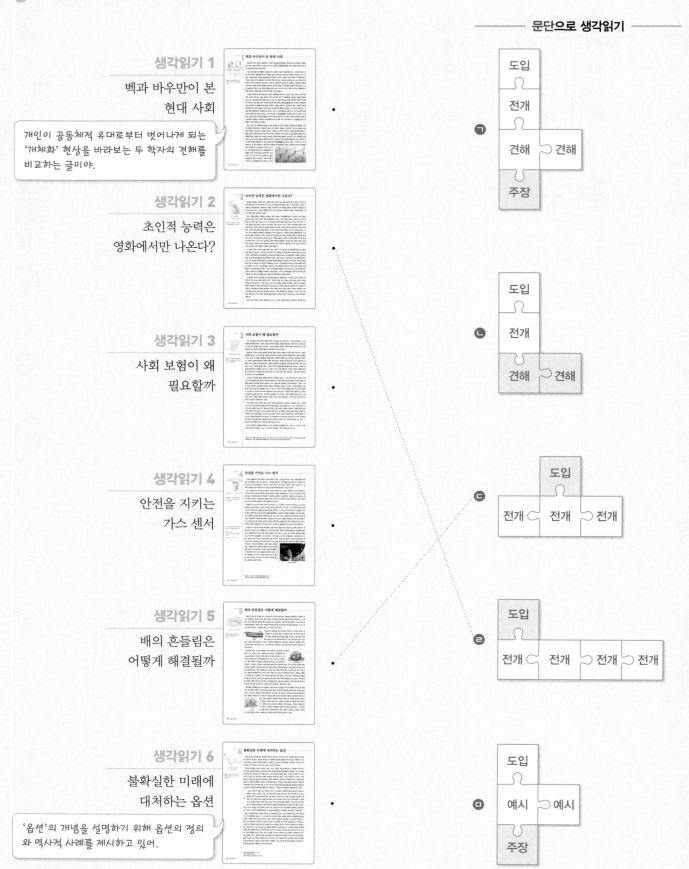

문단으로 생각읽기

생각읽기 1

벡과 바우만이 본
현대 사회

개인이 공동체적 유대로부터 벗어나게 되는 '개체화' 현상을 바라보는 두 학자의 견해를 비교하는 글이야.

ㄱ
도입
전개
견해 — 견해
주장

생각읽기 2

초인적 능력은
영화에서만 나온다?

ㄴ
도입
전개
견해 — 견해

생각읽기 3

사회 보험이 왜
필요할까

생각읽기 4

안전을 지키는
가스 센서

ㄷ
도입
전개 — 전개 — 전개

생각읽기 5

배의 흔들림은
어떻게 해결될까

ㄹ
도입
전개 — 전개 — 전개 — 전개

생각읽기 6

불확실한 미래에
대처하는 옵션

'옵션'의 개념을 설명하기 위해 옵션의 정의와 역사적 사례를 제시하고 있어.

ㅁ
도입
예시 — 예시
주장

1 현대의 ☐☐☐ 현상에 대해 벡과 바우만은 예측 불가능한 재난이 언제든지 일어날 수 있는 가능성에 주목하여 현대를 각각 '위험 사회'와 '액체 시대'로 규정하였다.

2 위기 상황에서 우리 몸은 ☐☐☐과 뇌의 작용 등으로 인하여 본능적으로 특별한 능력이 나타난다.

3 국가가 국민의 안전을 목적으로 사전에 대비하는 보험 제도를 ☐☐☐☐이라고 하는데, 가입이 의무적이라는 점에서 민간 보험과는 그 성격이 다르다.

4 저항형 센서는 가스가 산화물 반도체 물질에 흡착해 ☐☐☐을 변화시키는 원리를 이용하여 미세한 농도의 위험 가스도 감지할 수 있다.

5 배가 흔들릴 때 흔들림을 줄여 주기 위해 쓰이는 장치로, '☐☐☐', '안티롤링 탱크', '핀 안정기'의 세 가지가 있다.

6 ☐☐은 반드시 행사하는 권리가 아니라 유리하면 행사하고 불리하면 포기해 버릴 수 있는 권리라는 점에서 불확실한 미래의 위험에 대비하는 수단이 된다.

우리는 어떻게 **위기**를 극복할까?

"위기는 위험한 기회이다"

'호랑이에게 잡혀가도 정신만 차리면 된다.'라는 속담이 있듯이, 위기 속에서도 침착하게 이성적으로 판단하면 그 위기를 잘 헤쳐 나갈 수 있습니다. 그리고 위기를 극복했을 때 우리는 지혜와 용기, 그리고 새로운 길로 나아가는 기회를 잡을 수 있습니다. 위기는 분명히 우리가 살아가면서 피하고 싶은 순간이기도 하지만, 동시에 우리의 삶에 변화를 이끌어 낼 수 있는 순간이기도 합니다.

> 낙관주의자는 위기 속에서 기회를 보고,
> 비관주의자는 기회 속에서 위기를 본다.
> — 영국의 정치가, 윈스턴 처칠

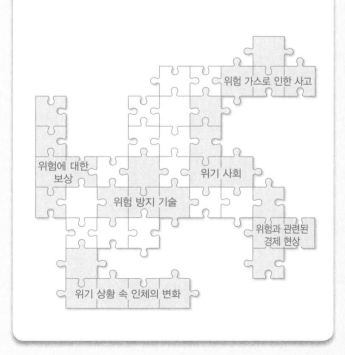

생각의 발견 03 선택

선택을 말하다!

'엄마가 좋아? 아빠가 좋아?' 여러분들도 어렸을 때 이런 질문을 받아 보지 않았나요? 대답하기 참 곤란했을 겁니다. 이처럼 어느 한쪽도 선택하기 힘든 상황을 딜레마라고 하는데, 딜레마와 같이 특수한 상황에서도 우리는 선택을 해야 할 때가 있습니다. 모든 선택에는 일정한 목적과 기준이 있으며, 선택의 결과에 대해 책임지는 자세가 필요합니다. 비록 예상하지 못한 결과가 발생하더라도 말이지요. 이것은 개인뿐만 아니라 사회적 차원에서의 선택도 마찬가지입니다. 여기서는 선택의 기준과 목적, 딜레마 상황에서의 선택, 의도치 않은 선택의 결과 등에 대해 살펴보면서, '선택'에 대해 더욱 깊이 있게 생각해 볼까요?

어떤 선택이 도덕적으로 정당할까

㉠도덕적 선택의 순간에 직면하였을 때 상대방에게 개인적 선호를 드러내는 행동이 과연 도덕적으로 정당할까? 도덕 철학자들은 이 물음에 대해 대부분 부정적 반응을 보이며 도덕적 정당화의 조건으로 공평성을 제시한다. 공평주의자들의 관점에서 볼 때 특권을 가진 사람은 아무도 없다. 사람들은 인종, 성별, 연령에 관계없이 모두 신체와 생명, 복지와 행복에 있어서 동일한 가치를 지닌다. 따라서 어떤 개인에 대해 행위자의 선호를 표현하는 도덕적 선택은 결코 정당화될 수 없다. 공평주의자들은 사람들 간의 차별을 인정하지 않기 때문에 개인이 처해 있는 상황이 어떠한가에 따라 행동의 방향을 결정해야 한다고 말한다.

그런데 우리 모두는 특정 개인과 특별한 친분 관계를 유지하면서 살아간다. 상대가 가족인 경우는 개인적 인간관계의 친밀성과 중요성이 매우 강하다. 그러면 가족 관계라 하여 상대에게 특별한 개인적 선호를 표현하는 행동이 과연 도덕적으로 정당화될 수 있을까? 만약 허용된다면 어느 선까지 가능할까? 다음 두 경우를 생각해 보자.

첫 번째 경우로, 철수는 근무 중 본부로부터 긴급한 연락을 받았다. 동해안 어떤 항구에서 혐의자 한 명이 일본으로 밀항*을 기도*한다는 첩보가 있으니 그를 체포하라는 것이었다. 철수가 잠복 끝에 혐의자를 체포하였더니, 그는 철수의 하나밖에 없는 친형이었다. 철수는 고민 끝에 친형을 놓아주고 본부에는 혐의자를 놓쳤다고 보고하였다. 두 번째 경우로, 민수는 두 사람에게 각각 오천만 원의 빚을 지고 있었다. 한 명은 삼촌이고 다른 한 명은 사업상 알게 된 영수였다. 공교롭게도 이 두 사람이 동시에 어려운 상황에 처해서 오천만 원이 급히 필요하게 되었고, 그보다 적은 돈은 그들에게 도움이 될 수 없는 상황이었다. 이를 알게 된 민수는 노력한 끝에 오천만 원을 마련하였고, 둘 중 한 명에게 빚을 갚을 수 있게 되었다. 결국 민수는 삼촌의 빚을 갚았다.

철수의 행동은 도덕적으로 정당화될 수 있는가? 혐의자가 자신의 친형임을 알고 놓아주었으므로 그의 행동은 친형에 대한 개인적 선호를 표현한 것이다. 따라서 그는 모든 사람의 복지와 행복을 동일하게 간주해야 하는 공평성의 기준을 지키지 않았다. ㉡그의 행동은 도덕적으로 정당화되기 어려워 보인다. 그렇다면 민수의 행동은 정당화될 수 있는가? 그는 분명히 삼촌에 대한 개인적 선호를 표현하였다. 민수가 공평주의자라면 삼촌과 영수의 행복이 동일하기 때문에 오직 상황을 기준으로 판단해야 한다. 만약 영수가 더 어려운 상황에 처해 있고 삼촌이 어려운 상황이 아니었다면, 선택의 여지없이 영수의 빚을 갚아야 한다. ㉢그러나 삼촌과 영수가 처한 상황이 정확하게 동일하기 때문에 민수에게는 개인적 선호가 허용된다.

강경*한 공평주의자들은 위와 같은 순간에도 주사위를 던져서 누구의 빚을 갚을지 결정해야 한다고 주장한다. 이는 개인적 선호를 완전히 배제하기 위해서이다. 반면 온건*한 공평주의자들은 이러한 주장이 개인에 대한 우리의 자연스러운 선호를 반영하지 못하기 때문에 그것을 고려할 여지를 만들어 놓을 필요가 있다고 생각한다. 이러한 여지가 개인적 선호의 허용 범위라는 것이다. 그들은 상황적 조건이 동일한 경우에 한정하여서는 개인적 선호를 허용할 수도 있다고 주장한다.

* 밀항: 법적인 정식 절차를 밟지 않거나 운임을 내지 않고 배나 비행기로 몰래 외국에 나감.
* 기도: 어떤 일을 이루려고 꾀함.
* 강경: 굳세게 버티어 굽히지 않음.
* 온건: 생각이나 행동 따위가 사리에 맞고 건실함.

0 **이 글에 제목을 붙일 때, 가장 적절한 것을 고르세요.**

① 도덕적 선택이 개인의 행위를 결정하는 과정

② 도덕적 선택의 다양한 유형과 공평성의 요건

③ 도덕적 선택에서 개인적 선호를 배제하는 방법

④ 도덕적 선택에서 개인적 선호에 대한 정당화 문제

⑤ 도덕적 선택에 따라 달라지는 개인적 선호의 허용 범위

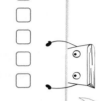

글의 중심 화제를 파악한 뒤, 글에서 중점적으로 다루고 있는 중심 내용을 압축적으로 나타내는 제목을 붙여야 해.

여기까지야! 더는 넘어오지마!
이런 게 허용 범위야.

1 '공평주의자'의 입장에서 ⊙에 대한 대답으로 가장 적절한 것은 무엇인가요?

① 상대에게 이익이 되는 것이면 얼마든지 정당화가 가능하다.
② 누군가에게 특권이나 차별이 될 수 있으므로 정당화되기 어렵다.
③ 사람의 생명과 관련된 경우에는 연령별로 차이를 두어 정당화를 해야 한다.
④ 복지를 위해 꼭 필요한 선택이라면 재산 정도를 고려해 정당화를 해야 한다.
⑤ 남녀 문제라면 남녀의 신체적 특징이 다르므로 이를 고려한 정당화는 가능하다.

정당화란 정당성이 없거나 **의문이 있는 것을 무엇으로 둘러대어**
올바르고 마땅한 것처럼 만드는 거야.

2 ⓒ의 이유로 가장 적절한 것을 고르세요.

① 밀항의 혐의가 분명함에도 친형이라는 이유로 놓아주었으므로
② 밀항의 혐의가 분명하지 않은 데도 체포하려는 시도를 했으므로
③ 친형을 체포하는 데 정당하지 못한 방법을 사용하고자 했으므로
④ 근무 중임에도 불구하고 본부에 연락도 없이 함부로 이동했으므로
⑤ 잠복 끝에 친형을 체포했음에도 밀항 혐의를 제대로 밝히지 못했으므로

3 '강경한 공평주의자'의 입장에서 ⓒ에 대해 반박할 때, 가장 적절한 것은 무엇인가요?

① 삼촌은 친척이기에 민수의 상황을 이해할 수 있으므로 영수의 돈부터 갚아야 하지 않을까?

② 영수는 사업을 하다가 알게 된 사이이므로 신의를 위해 먼저 그의 돈을 갚아야 하지 않을까?

③ 동일한 금액의 빚이라도 상황에 따라 다를 수 있으니 친한 사람부터 갚아야 하지 않을까?

④ 영수와 삼촌 모두 도움이 필요한 상황이었으므로 적은 돈이라도 나누어 갚아야 하지 않을까?

⑤ 삼촌과 영수 중 누구의 돈을 갚을지에 관한 결정을 할 때, 개인적 선호를 완전히 배제해야 하지 않을까?

4 〈보기〉의 '훈이'가 '온건한 공평주의자'라고 할 때, 이 글을 바탕으로 '훈이'가 취할 행동과 그 이유를 이해한 것으로 적절한 것은 무엇인가요?

┤보 기├

훈이는 오늘 A 마을과 B 마을 중 한 곳에 봉사 활동을 가기로 하였다. A 마을에는 일손이 많이 부족하지만 B 마을에는 그래도 일손이 좀 있는 편이라는 것 이외에 두 마을이 처한 상황 조건은 동일하다. 학교 입학 때부터 A 마을로 봉사를 자주 다녔던 훈이는 사실 B 마을 사람보다는 A 마을 사람들과 더 친한 편이다.

① 두 마을 모두 소중하므로 누구를 도와도 상관없다.

② A 마을 사람들과 더 친하므로 A 마을 사람들을 돕는다.

③ A 마을로 봉사를 자주 다녔으므로 A 마을 사람들을 돕는다.

④ A 마을에는 일손이 많이 부족하므로 A 마을 사람들을 돕는다.

⑤ B 마을에는 봉사를 자주 다니지 않았으므로 B 마을 사람들을 돕는다.

합리적 개인 vs 비합리적 사회

죄수의 딜레마

Q 개인의 합리적 선택이 사회 전체적으로 비합리적인 결과를 초래하는 경우를 설명한 이론은 무엇인가요?

반론이 제기된 글, 어떻게 읽어야 할까
지피지기면 백전백승
제대로 반박하려면, 상대방 주장의 허점부터 찾아야 해!
► 생각읽기가 수능이다 78쪽

개인의 합리성*과 사회의 합리성은 병행할 수 있을까? 이 문제와 관련하여 ㉠고전 경제학에서는, 각 개인이 합리적으로 행동하면 사회 전체적으로도 합리적인 결과를 얻을 수 있다고 말한다. 물론 여기에서 '합리성'이란 여러 가지 가능한 대안 가운데 효용의 극대화를 추구하는 방향으로 선택을 한다는 의미의 경제적 합리성을 의미한다. 따라서 각 개인이 최대한 자신의 이익에 충실하면 모든 자원이 효율적으로 분배되어 사회적으로도 이익이 극대화된다는 것이 고전 경제학의 주장이다.

그러나 개인의 합리적 선택이 반드시 사회적인 합리성으로 연결되지 못한다는 주장도 만만치 않다. 이른바 '죄수의 딜레마' 이론에서는, 서로 의사소통을 할 수 없도록 격리된 두 용의자가 각각 개인 수준에서 가장 합리적으로 내린 선택이 오히려 집합적인 결과에서는 두 사람 모두에게 비합리적인 결과를 초래할 수 있다고 설명하고 있다. 즉 ㉡다른 사람을 고려하지 않고 자신의 이익만을 추구하는 개인적 차원의 합리성만을 강조하면, 오히려 사회 전체적으로는 비합리적인 결과를 초래할 수 있다는 것이다. ⓐ죄수의 딜레마 이론을 지지하는 쪽에서는 심각한 환경 오염 등 우리 사회에 광범위하고 보편적으로 존재하는 문제의 대부분을 이 이론으로 설명하고 있다.

ⓑ일부 경제학자들은 이러한 주장에 대하여 강하게 반발한다. 그들은 죄수의 딜레마 현상이 보편적이고 광범위한 현상이라면, 우리 주위에서 흔히 발견할 수 있는 협동은 어떻게 설명할 수 있느냐고 반문한다. 사실 우리 주위를 돌아보면, 사람들은 의외로 약간의 손해를 감수하더라도 협동을 하는 모습을 곧잘 보여 주곤 한다. 그들은 이런 행동들도 합리성을 들어 설명한다. 안면이 있는 사이에서는 오히려 상대방과 협조를 하는 행동이 장기적으로는 이익이 된다는 것을 알기 때문에 협동을 한다는 것이다. 즉 협동도 크게 보아 개인적 차원의 합리적 선택이 집합적으로 나타난 결과로 보는 것이다.

그러나 이런 해명에도 불구하고 우리 주변에서는 각종 난개발*이 도처에서 진행되고 있으며, 환경 오염은 이제 전 지구적으로 만연해 있는 것이 엄연한 현실이다. 자기 집 부근에 도로나 공원이 생기기를 원하면서도 정작 그 비용은 부담하려고 하지 않는다든지, 남에게 해를 끼치는 일인 줄 뻔히 알면서도 쓰레기를 무단 투기하는 등의 행위를 서슴지 않고 하는 행위가 그 예이다. 결국 '합리적인 개인'이 '비합리적인 사회'를 초래하고 있는 것이다.

그렇다면 죄수의 딜레마와 같은 현상을 극복하고 사회적인 합리성을 확보할 수 있는 방안은 무엇인가? 그것은 개인적으로는 도덕심을 고취*하고, 사회적으로는 의사소통 과정을 원활하게 하는 것이라고 할 수 있다. 각 개인들이 자신의 욕망을 적절하게 통제하고 남을 배려하는 태도를 지니면 죄수의 딜레마와 같은 현상에 빠지지 않고도 개인의 합리성을 추구할 수 있을 것이다. 아울러 서로 간의 원활한 의사소통을 통해 공감의 폭을 넓히고 신뢰감을 형성하며, 적절한 의사 수렴 과정을 거친다면 개인의 합리성이 보다 쉽게 사회적 합리성으로 이어지는 길이 열릴 것이다.

---

* 합리성: 이론이나 이치에 합당한 성질.
* 난개발: 도시, 삼림 따위를 어지럽고 무분별하게 개발하는 일.
* 고취: 의견이나 사상 따위를 열렬히 주장하여 불어넣음.

0 다음은 이 글을 읽고 접한 자료입니다. 자료에 제시된 문제의 해결 방안을 제목으로 나타낸다고 할 때, 밑줄 친 부분에 들어갈 말을 이 글에서 찾아 차례대로 쓰세요.

서로 간에 _____ 하는 태도와
원활한 _____ 을 통해 군비 경쟁을 막아야

1948년에 설립된 미국의 랜드 연구소는 '게임 이론'의 산실 노릇을 했다. 여기서 개발된 게임 이론 가운데 가장 유명한 것이 '죄수의 딜레마'이다. 죄수의 딜레마는 범죄 혐의를 받는 두 사람이 각각 다른 방에서 심문을 받는 상황을 가정한다. 두 사람이 모두 범죄를 부인하면 둘 다 최소 형량을 받게 되지만, 둘 다 자백하면 최대 형량을 나눠서 지게 된다. 이런 상황에서 각각의 죄수는 상대방이 어떤 선택을 할지 알 수 없기 때문에, 가장 합리적이라고 판단한 '자백'을 선택한다.

이 '죄수의 딜레마'는 국제 정치에서 '안보 딜레마' 상황을 설명하는 데 유력하게 쓰인다. 자기 나라의 안보를 염려해 군비를 증강할 경우, 상대방도 군비 증강에 나섬으로써 결국에는 군비 증강에 나서기 전보다 두 나라의 안보가 더 불안해지는 것이 안보 딜레마이다. 그러나 안보 딜레마는 둘의 형량을 합치면 최대가 되어 전체로 보면 최악의 선택을 하게 되는 죄수의 딜레마처럼, 경쟁에 나선 국가들에게는 경제, 안보 등에서 모두 막대한 손해를 끼치게 된다. 그렇다면 이러한 딜레마를 피하기 위해서는 어떤 노력을 해야 할까?

> 제시된 참고 자료를 읽고 제목을 완성해 보는 문제네? 특히 문제 상황에 대한 해결 방안을 제목으로 나타낸다고 했으므로 글쓴이의 주장과 글쓴이가 제시한 해결 방안을 모두 찾아봐야겠지?

1 이 글을 읽은 학생의 이해로 적절하지 <u>않은</u> 것을 고르세요.

① 고전 경제학에서 '합리성'은 여러 대안들 중에서 효용을 극대화하기 위한 선택과 관련이 있군. ☐

② 고전 경제학에서는 개인의 이익 추구가 자원의 효율적 분배를 이끌어 낼 수 있다고 보는군. ☐

③ 고전 경제학에서는 '죄수의 딜레마' 이론을 바탕으로 하여 사회적 이익을 도모하려 하는군. ☐

④ 글쓴이는 각 개인들이 자신의 욕망을 적절하게 통제한다면 개인의 합리성을 추구할 수 있다고 보는군. ☐

⑤ 글쓴이는 사회적인 합리성을 확보하기 위해서는 구성원들 간의 공감과 의견 수렴이 필요하다고 보는군. ☐

2 이 글의 ⓐ와 ⓑ가 〈보기〉의 상황에 대해 다음과 같은 반응을 보인다고 할 때, ( )에 들어갈 내용을 이 글에서 찾아 쓰세요.

┤보 기├

　세계 경제가 어려워지면서 유가가 계속 떨어지고 있다. 주요 산유국들은 약간의 손해를 보더라도 생산량을 줄이는, 감산에 합의한다면 유가 하락을 막아 더 큰 손해를 막을 수 있을 거라 보고 있다. 그런데 감산 협의에서 한 나라라도 거부하면 해당 국가가 감산에 따른 이익을 보게 된다. 실제로 A국은 감산 할당량이 과도하다는 판단 아래 비협조적인 상황이며, B국 역시 정부가 민간 기업의 감산을 강제할 수 없다는 이유로 감산 합의에 소극적이다.

ⓐ	ⓑ
A국이나 B국처럼 개별 국가적 차원의 합리성만을 강조하여 감산 합의에 비협조적으로 행동한다면 산유국 전체적으로는 ( )입니다.	A국이나 B국이 비협조적으로 행동하더라도 감산 합의가 ( ) 을 알기 때문에 협조하게 될 것입니다.

3 ㉠과 같은 상황을 나타내는 예로 보기에 가장 적절한 것은 무엇인가요?

① 유리수는 무리수가 아닌 수이다. 한편, 무리수는 유리수가 아닌 수이다.

② 하나를 보면 열을 안다고, 너 지금 하는 행동을 보니 형편없는 애로구나.

③ 친구가 하나도 없어 괴로워하는 영희를 위해 내가 친구가 되어 주어야겠다.

④ 거짓말은 나쁘다. 그러므로 의사가 환자를 위해서 하는 거짓말도 당연히 나쁘다.

⑤ 홍길동 선수는 우리나라 최고의 축구 선수이므로, 그가 속한 팀도 최고의 팀이다.

4 ㉡과 관련된 속담으로 가장 적절한 것은 무엇인가요?

① 가는 말에 채찍질한다

② 달면 삼키고 쓰면 뱉는다

③ 닭 잡아먹고 오리발 내민다

④ 낮말은 새가 듣고 밤말은 쥐가 듣는다

⑤ 남의 잔치에 감 놓아라 배 놓아라 한다

반론은 '합리적 딴지걸기'다

우리는 노장사상이라고 하여, 장자를 노자의 계승자라고 생각합니다. 하지만 '도(道)'와 개체의 관계를 바라보는 관점에 있어서도 과연 그럴까요?

> 노자에게 있어 '도(道)'는 세상의 모든 개체들 간의 관계 원리이며, 이는 모든 개체에 선행하여 존재하는 것이다. 아무것도 담을 수 없는 그릇을 떠올려 보자. 그릇은 무언가를 담기 위해 존재하는 것이다. 따라서 '다른 것과 관계할 수 있는 가능성'을 상징하는 원리로서 '도'는 개체인 그릇보다 앞서 존재하는 것이다.
>
> 그러나 장자의 생각은 이러한 노자의 생각과 차이가 있다. 장자에게 있어 '도'는 미리 존재하는 것이 아니라, 사후적으로 만들어지는 것에 지나지 않는다. 예를 들어 깊은 산에 나 있는 등산로를 떠올려 보자. 구불구불한 산길은 분명 미리 만들어져 있는 것처럼 보일 수도 있다. 하지만 장자는 바로 그 길로 무수히 많은 사람들이 걸어 다녔기 때문에 비로소 등산로가 만들어진 것에 지나지 않았다고 생각했다. 그에게 있어 '도'는 개체에 앞서 미리 존재하는 것이 아니라 개체들의 관계에 의한 흔적인 것이다.

주장은 글쓴이가 말하고자 하는 바이고, **반론은 그러한 주장이 잘못되었음을 증명하는 주장**을 말합니다. 주장하는 글에서 반론을 세우거나 반론의 입장에서 새로운 상황에 적용하는 문항이 자주 출제되는데, 이때 핵심은 '반론을 어떤 식으로 구성할 것인가'에 있습니다.

그렇다면 반론이 나타난 글은 어떻게 읽어야 할까요? **반론의 핵심은 먼저 제기된 주장에서 반박할 지점을 찾는 것입니다.** 글에 제시된 주장에서 어떤 부분에 허점이 있고 어떤 부분에 논리적 오류가 있는지 등을 찾아야 합니다. 이 부분을 찾기 위해서는 선택지에 진술된 내용이 주장과 관련성을 가지면서도 그 주장의 설득력을 떨어뜨릴 수 있는가를 판단할 수 있어야겠죠? 근거 없이 반대하거나 주장에서 빗겨간 주장이나 사례를 제시하는 순간 반론은 아무런 설득력을 얻을 수 없습니다. 딴지걸기가 반론의 본질적 성격이지만, 반론을 할 때에는 우기는 것이 아니라 누구나 받아들일 수 있게 합리성을 갖추어야 합니다.

74쪽 지문

ⓑ일부 경제학자들은 이러한 주장에 대하여 강하게 반발한다. 그들은 죄수의 딜레마 현상이 보편적이고 광범위한 현상이라면, **우리 주위에서 흔히 발견할 수 있는 협동은 어떻게 설명할 수 있느냐고 반문한다.** 사실 우리 주위를 돌아보면, 사람들은 의외로 약간의 손해를 ~~~~~~~~~~~~~~~~~~~~~~ 그들은 이런 행동들도 합리성을 들어 ~~~~~~~~~~~~~~~~~~~~를 하는 행동이 장기적으로는 이익이 ~~~~~~

제대로 된 반박을 하려면
우선 주장이 지닌 한계점을 찾는 것부터 시작하라!

독해실전

배운 글을 다시 읽고, 물음에 답해 보세요.

생각독해 Ⅱ 92쪽

> 우리는 음악을 들으면서 흥겨움을 느끼기도 하고, 때로는 슬픔의 감정을 느끼기도 한다. 음악은 우리의 정서와 어떤 관계를 맺고 있을까? 전통적으로 ㉠표현주의자들은 음악이란 정서를 표현하는 것으로 보고 이를 증명하고자 했다. 이와 달리 형식주의자들은 음악 속에 정서가 포함되어 있지 않으므로 음악 안에 담긴 형식에 주목해야만 그 본질을 파악할 수 있다고 보았다.

1 위 글에서 형식주의자가 ㉠의 주장에 대해 반박한 내용으로 적절한 것은 무엇인가요?

① 음악이 아름다운 것은 음악적 형식에 담긴 고유한 요소들 때문이다.

② 음악을 들음으로써 청자들이 느끼는 정서를 완전히 배제하여 삶으로부터 음악을 분리시킨다.

수능실전

아래 글을 읽고, 수능 실전감각을 길러 보세요.

2008학년도 수능

> 그러나 시장 이자율이나 민간 자본의 수익률을 사회적 할인율로 적용하자는 주장은 수용하기 어려운 점이 있다. 우선 ㉠공공 부문의 수익률이 민간 부문만큼 높다면, 민간 투자가 가능한 부문에 굳이 정부가 투자할 필요가 있는가 하는 문제가 제기될 수 있다. 더욱 중요한 것은 시장 이자율이나 민간 자본의 수익률이, 비교적 단기적으로 실현되는 사적 이익을 추구하는 자본 시장에서 결정된다는 점이다. 반면에 사회적 할인율이 적용되는 공공사업은 일반적으로 그 이익이 장기간에 걸쳐 서서히 나타난다. 이러한 점에서 공공사업은 미래 세대를 배려하는 지속 가능한 발전의 이념을 반영한다. 만일 사회적 할인율이 시장 이자율이나 민간 자본의 수익률처럼 높게 적용된다면, 미래 세대의 이익이 저평가되는 셈이다. 그러므로 사회적 할인율은 미래 세대를 배려하는 공익적 차원에서 결정되는 것이 바람직하다.

1 ㉠이 전제하고 있는 주장은 무엇인가요?

① 정부는 공공 부문에서 민간 자본의 수익률을 제한하는 것이 바람직하다.

② 정부는 민간 기업이 낮은 수익률로 인해 투자하기 어려운 공공 부문을 보완해야 한다.

> 적을 알아야 이길 수 있는 법!
> 상대방 주장의 허점을 찾아야 해~

생각읽기가 수능이다! 🧠 **[주장-반박]의 생각 구조에서 글쓴이의 생각은 어떻게 알 수 있나요?**

실제 수능에서 반박형의 글은 대상이 가진 문제점에 대해 이야기하고 이를 바탕으로 화제에 대한 자신의 주장을 제시하는 구조로 나와. 이러한 글을 만나면, 우선 상대 주장의 근거를 찾는 일부터 해야 해! 적을 알아야 이길 수 있지? 상대 주장의 근거를 공격하면 그것이 바로 명쾌한 반박의 근거가 될 수 있어!

사진의 추상성

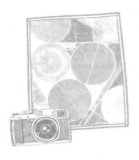

(가) 사진은 한때 기록성을 고유한 특성으로 삼았다. 그래서 다른 예술 매체와 구분되는 사진 매체의 존재 이유를 기록성에서 찾기도 하였다. ㉠사진이 기록성을 고유한 특성으로 삼게 된 것은 결코 대상에서 벗어날 수 없는 숙명 때문이다.

(나) 그런데 현대 사진은 기록성에서 벗어나 점차 추상화되어 가고 있다. 사진이 추상화되어 간다는 것은 사진 매체의 특성으로 볼 때 모순적 현상이다. 다른 모든 예술은 상상만으로도 얼마든지 작품 제작이 가능하기 때문에 구체적 사물을 필요로 하지 않지만, 사진은 구체적 사물을 전제*하고서야 작품 제작이 가능하기 때문이다. 그런데 왜 사진은 추상화되어 가고 있는가? 사진은 구체적인 사물을 담는 매체이지만 사진이 나타내고자 하는 주제, 곧 작가의 생각이나 느낌은 추상적* 관념의 세계이기 때문이다. 추상적 주제를 담아야 할 사진이 추상을 지향하는 것은 어쩌면 자연스러운 귀결*인 셈이다.

(다) 그러나 '사진의 추상화'는 쉽지 않은 문제이다. '추상'이란 구체성을 극복하는 데에서 출발하지만 사진은 구체적 모습을 벗어날 길이 없기 때문이다. 사진에 찍힌 사물은 작가가 해석한 주관적 이미지임에도 불구하고 그 형태가 너무나 사실적이어서 아직 해석되지 않은 사물 자체로 인식된다. 사진에 찍힌 여인의 모습을 통해 작가가 여인의 마음을 표현하고자 해도 사람들은 여인의 마음을 느끼기 이전에 여인의 모습만을 보게 된다. 이러한 구체적 형태가 사진의 추상화를 가로막는 커다란 장애 요인이다.

(라) 간혹 사진의 추상을 회화의 추상과 같은 의미로 오해하는 사람들도 있다. 회화는 사물의 형태에 묶이지 않는 유연한 매체임에 비해, 사진은 사물의 외형을 벗어나서는 존재할 수 없는 완고한 매체이다. 이처럼 두 매체는 서로 다른 예술 양식이므로 회화적 추상은 사진적 추상의 모범이 될 수 없다. 그런데도 많은 사람들은 회화적 추상을 그대로 사진에 적용해서 추상 사진이라 부른다. 그들이 추상 사진이라 분류한 것을 보면 영상이 흔들렸거나 초점이 흐려진 것, 또는 추상 형태를 모방해서 사물의 형태를 왜곡시켜 놓은 것들이 대부분이다. 그러나 이들은 추상 회화의 형태적 모방일 수는 있어도 추상 사진일 수는 없다. '추상'이란 사물에서 어떤 속성 또는 특성을 '추출*한' 형태여야 하기 때문이다. 초점이 흐리거나 떨린 사진은 기계적 조작에 의해 상이 왜곡된 것이지 사물의 외형에서 '추출되어' 걸러진 상이 아니기 때문에 추상 사진이 될 수 없다.

(마) 외형을 벗어날 수 없는 사진이 진정한 의미의 추상 사진이 되기 위해서는 외형을 놓아둔 채 외형을 뛰어넘는 길밖에 없다. 그렇게 하려면 사물을 사물이 가진 원초적 의미에서 벗겨 내고 제2의 의미로 재창조해 내야 한다. 제2의 의미로 재창조된 사물은 외형상 현실적 사물의 형태는 유지하지만, 그 사물은 작가가 해석한 이미지이므로 현실적 사물이 아니다. 즉, 작가의 주관적 관념을 시각화한 하나의 기호인 것이다. '여인의 모습'을 통해 '여인의 고독감'을 드러내려는 추상 사진이 있다고 하자. 이때 사진에 찍힌 '여인의 모습'은 '여인의 고독감'이라는 작가의 관념을 시각화하기 위한 기호이자 이미지이다. 추상 사진의 작가는 자신의 주관적 관념을 시각화하기 위해 현실적으로 존재하지만 ㉡전혀 어울릴 수 없는 이질적 사물들을 조합*함으로써 기이함과 신비감을 주기도 한다. 이러한 과정을 통해 형태를 벗어날 수 없는 사진은 형태를 극복하여 추상화할 수 있게 되는 것이다. 결국 추상 사진은 외형이 아니라 외형을 뛰어넘는

의미의 창조를 통해 주제 의식을 드러낸다고 할 수 있다.

* 전제: 어떠한 사물이나 현상을 이루기 위하여 먼저 내세움.
* 추상적: 어떤 사물이 직접 경험하거나 지각할 수 있는 일정한 형태와 성질을 갖추고 있지 않은.
* 귀결: 어떤 결말이나 결과에 이름. 또는 그 결말이나 결과.
* 추출: 전체 속에서 어떤 물건, 생각, 요소 따위를 뽑아냄.
* 조합: 여럿을 한데 모아 한 덩어리로 짬.

0 **(가)~(마)의 문단별 주요 내용으로 적절하지 않은 것을 고르세요.**

① (가): 사진의 고유한 특성 ☐
② (나): 현대 사진의 흐름과 경향 ☐
③ (다): 사진의 추상화를 가로막는 요인 ☐
④ (라): 회화적 추상을 방지하기 위한 작가의 노력 ☐
⑤ (마): 진정한 의미의 추상 사진이 되기 위한 방향 ☐

> 글을 읽은 후 핵심 용어를 먼저 파악해 봐!
> 문단별로 중심 화제를 설명하는 중요 어휘
> 를 파악하고 그 의미를 먼저 헤아림으로써
> 독해의 중심을 잡을 수 있어.

1 **이 글의 내용으로 적절하지 <u>않은</u> 것은 무엇인가요?**

① 사진의 추상화는 사진 매체의 특성상 모순적인 현상이다.
② 추상적 주제를 나타내는 사진이 추상을 지향하는 것은 당연하다.
③ 사진은 다른 예술과 달리 구체적 사물을 전제하여 제작되는 매체이다.
④ 회화와 사진은 서로 다른 예술 양식이므로 회화적 추상은 사진적 추상의 모범이 되지 않는다.
⑤ 초점이 흐리거나 떨린 사진은 기계적 조작을 한 것이므로 훌륭한 추상 사진으로 평가받는다.

 지향이란 좋은 쪽으로 추구한다는 뜻이야!

2 **㉠과 관련된 다음 질문에 답할 때, (   ) 안에 들어갈 내용으로 가장 알맞은 것은 무엇인가요?**

> 선생님: 대상에서 벗어날 수 없는 사진의 숙명은 구체적으로 무슨 뜻일까요?
> 학　생: 사진은 (   ) 매체라는 뜻입니다.

① 대상의 구체적 형태를 사실 그대로 찍어 내는
② 작가가 대상의 어떤 순간을 선택해서 찍어 내는
③ 대상이 지닌 역동성을 포착해 운동감을 강조하는
④ 대상과 관련된 작가의 경험을 환기해서 드러내는
⑤ 대상에 대한 작가의 해석을 주관적으로 담아내는

3 이 글을 바탕으로 할 때, 〈보기〉에 대해 보일 반응으로 적절하지 <u>않은</u> 것은 무엇인가요?

---| 보 기 |---

이갑철, 「바위 위의 할머니」

추상 사진에서는 때로 사람도 인격을 가진 개성적 존재가 아니라 한 개 돌덩이나 한 포기 풀과 같은 비중으로 다루어지기도 한다. 풍경에 동원된 사물도 사물 자체의 현실적인 의미를 상실하고 새로운 의미로 재구성되어 비현실적으로 제시되는 경우가 많다. 한복을 곱게 차려 입은 할머니가 폭포가 쏟아지는 벼랑 위에 서 있는 뒷모습을 찍은 이 사진은 '생(生)'과 '사(死)'의 갈림길을 더욱 극명하게 보여 준다.

① 작가는 추상적 메시지를 전달하기 위해 '바위'와 '할머니'라는 사물의 형태를 왜곡했군.
② '바위'와 '할머니'라는 대상을 비일상적으로 조합했기 때문에 독특한 분위기가 느껴졌어.
③ 사진 속 '바위'와 '할머니'는 원초적 의미에서 벗어나 제2의 의미로 재창조된 이미지로군.
④ '바위'와 '할머니'라는 사물을 통해 '생(生)과 사(死)의 의미'라는 작가의 주관적 관념을 시각화했군.
⑤ '바위'와 '할머니'는 구체적 사물의 형태를 띠고 있지만, 작가가 창조해 낸 하나의 기호라고 볼 수 있어.

장화 꽃병 본 적 있어?
내가 만들었어!

기존에 있던 것을 활용해 **다시 새롭게 구성하는 것**을
새로운 의미로 재구성한다고 말해.

4 다음 밑줄 친 말 중, ⓛ의 발상에 해당하지 <u>않는</u> 것은 무엇인가요?

① 누구든 남의 <u>입방아</u>에 오르내리는 것은 싫어한다.
② 아무리 가난해도 산사람의 <u>입</u>에 거미줄 치겠느냐?
③ 영희는 아프신 어머니를 위해 정성껏 <u>죽을 쑤어</u> 드렸다.
④ 그는 다시 1등을 되찾기 위해 <u>눈에 불을 켜고</u> 공부했다.
⑤ 부모님께 차 조심하라는 말을 <u>귀에 못이 박이도록</u> 들었다.

 발상이란 갑자기 문득 떠오르는 상상이야!
둘 이상의 단어가 합해져 새로운 의미를 나타내는 관용 표현에도 이러한 발상이 잘 드러나.

초상권과 언론 보도

오늘날 신문 잡지·TV 등 각종 언론 매체들이 자신들의 보도 활동과 관련하여 타인의 초상*을 이용하는 일이 점차 늘어나고 있으며, 이른바 초상권 침해를 이유로 언론사에 손해 배상을 청구하는 사례도 최근 급증하고 있다. 언론에 의한 초상권 침해의 유형으로는 본인의 동의를 구하지 않은 무단 촬영·보도, 승낙의 범위를 벗어난 촬영·보도, 몰래카메라를 동원한 촬영·보도 등을 들 수 있다.

법적 개념으로 초상은 얼굴 또는 용모에 국한되는 개념이 아니라, 사람의 신체적인 특징 등을 포함하여 그것을 통해 그 사람의 동일성을 파악할 수 있게끔 해 주는 일체의 가시적*인 개성들을 의미한다. 이를 바탕으로 한 초상권은 얼굴 및 기타 사회 통념상 특정인임을 식별할 수 있는 신체적 특징을 타인이 함부로 촬영하여 공표*할 수 없다는 인격권*과 이를 광고 등에 영리적으로 이용할 수 없다는 재산권을 포괄하는 법적 보장을 가리킨다. 일반적으로 초상권은 다음과 같은 세 종류의 권리를 그 내용으로 하고 있다. 즉 자신의 초상이 함부로 촬영·작성되어 공표, 복제되는 것을 거부할 수 있는 이른바 촬영·작성 거절권, 촬영·작성된 초상이 본인의 공표 의도와는 다른 목적으로 이용되는 것을 거부할 수 있는 공표 거절권, 자신의 초상이 함부로 영리 목적에 이용되지 않게끔 할 수 있는 이른바 초상 영리권이다.

그런데 초상권 침해와 관련해서는 위법성이 배제되는 여러 사유가 있다. 일반적으로 초상 본인의 승낙, 초상 본인이 유명인인 경우, 범죄 수사를 위한 경우, 공적 기능인 국민의 알 권리를 충족시키는 언론 보도를 위한 경우, 집회나 시위의 경우, 기타 노사 분규나 교육 또는 예술 목적의 사진 등 사회 상규*에 위배되지 않는 행위이다. 그러나 언론의 지나친 범죄 보도에서 범죄자나 범죄 피의자의 초상권을 침해하였다는 이유로 법적·윤리적 문제를 일으키기도 한다.

[A]
예를 들어 교내에서 불법으로 개인 지도를 하던 대학 교수를 현행범으로 체포하려는 현장을 방송 기자가 경찰과 동행하여 취재하던 중 초상권을 침해한 경우를 살펴보자. 법원은 '원고의 동의를 구하지 않고, 연습실을 무단으로 출입하여 취재한 것은 원고의 사생활과 초상권을 침해하는 행위'라고 판시*하였다. 더불어 취재의 자유를 포함하는 언론의 자유는 다른 법익*을 침해하지 않는 범위 내에서만 인정되며, 비록 취재 당시 원고가 현행범으로 체포되는 상황이라 하더라도, 원고의 연습실과 같은 사적인 장소는 수사 관계자의 동의 없이는 출입이 금지되며, 이를 무시한 취재는 원칙적으로 불법이라고 판결하였다.

그렇다면 언론 매체에 대하여 자신의 사생활과 초상에 관한 방송을 동의한 경우에는 어떻게 될까? 이때에는 본인이 예상한 것과 다른 방법으로 방송된 경우에 사생활의 비밀과 자유 및 초상권의 침해를 인정하게 된다. 즉, 동의에 의하여 촬영된 사진이라도 이를 함부로 공표하는 행위, 일단 공표된 사진이라도 다른 목적에 사용하는 행위는 모두 초상권 침해에 해당한다.

여전히 초상권에서는 딜레마*가 존재한다. 공공장소에서 촬영하게 될 경우 불특정 다수인 모든 사람에게 허락을 받기 어렵다. 외국의 경우 공공장소의 초상권은 없는 사례가 있지만, 국내에서는 아직 정당화되지 않았다. 그 때문에 공공장소에서의 촬영은 딜레마이며, 논의할 때마다 초상권 침해 여부에 대한 무수한 논쟁을 일으키며 법학계에 [㉡](이/가) 되고 있다.

* 초상: 사진, 그림 따위에 나타낸 사람의 얼굴이나 모습.
* 가시적: 눈으로 볼 수 있는 것.
* 공표: 여러 사람에게 널리 드러내어 알림.
* 인격권: 권리의 주체와 분리하여 생각할 수 없는 인격적 이익을 내용으로 하는 권리. 구체적으로는 생명, 신체, 정신의 자유에 대한 권리를 이른다.
* 사회 상규: 국가 질서의 존엄성을 기초로 한 국민 일반의 건전한 도의감이나, 공정하게 사유하는 일반인의 건전한 윤리 감정.
* 판시: 어떤 사항에 관하여 판결하여 보임.
* 법익: 어떤 법의 규정이 보호하려고 하는 이익. 살인죄에서 사람의 생명, 절도죄에서 재물의 소유권 따위이다.
* 딜레마: 선택해야 할 길은 두 가지 중 하나로 정해져 있는데, 그 어느 쪽을 선택해도 바람직하지 못한 결과가 나오게 되는 곤란한 상황.

0 이 글의 내용 전개 방식으로 가장 적절한 것을 고르세요.

이 문제를 풀려면, 화제를 설명하는 방식을 먼저 파악해야겠어.

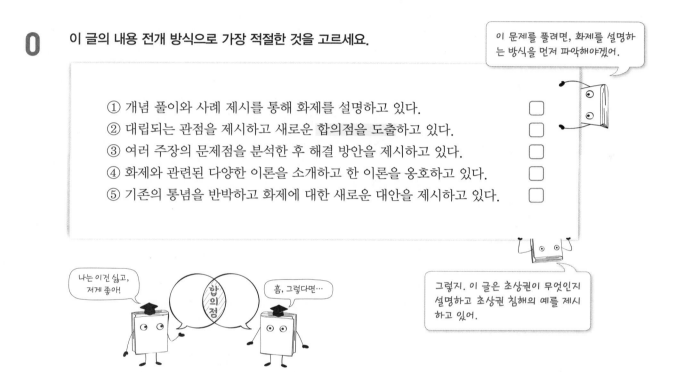

① 개념 풀이와 사례 제시를 통해 화제를 설명하고 있다.
② 대립되는 관점을 제시하고 새로운 합의점을 도출하고 있다.
③ 여러 주장의 문제점을 분석한 후 해결 방안을 제시하고 있다.
④ 화제와 관련된 다양한 이론을 소개하고 한 이론을 옹호하고 있다.
⑤ 기존의 통념을 반박하고 화제에 대한 새로운 대안을 제시하고 있다.

그렇지. 이 글은 초상권이 무엇인지 설명하고 초상권 침해의 예를 제시하고 있어.

나는 이건 싫고, 저게 좋아!

흠, 그렇다면…

합의점

합의점이란 **서로의 의견이 일치하거나 일치할 수 있는 점**을 말해.
일치한 결론을 이끌어 내는 것을 합의점을 도출한다고 해!

1 **이 글을 읽고 해결할 수 있는 질문이 <u>아닌</u> 것을 고르세요.**

① 초상권 침해 관련 손해 배상 청구가 급증한 배경은 무엇인가요? ☐

② 법적으로 초상을 얼굴 또는 용모에 국한시키는 이유는 무엇인가요? ☐

③ 취재의 자유를 포함하는 언론의 자유가 인정되는 경우는 언제인가요? ☐

④ 초상권 침해의 위법성이 배제되는 여러 사유에는 어떤 내용들이 있나요? ☐

⑤ 공공장소에서 촬영을 할 때 모든 사람에게 초상권을 허락받지 못하는 이유
는 무엇인가요? ☐

2 **이 글을 참고할 때, 다음 ⓐ와 ⓑ에 들어갈 알맞은 내용을 쓰세요.**

초상권의 종류	침해 내용	대응 내용	법적 구제(救濟)
촬영·작성 거절권	초상이 함부로 촬영·작성됨.	공표·복제 거부	손해 배상
공표 거절권	ⓐ	초상 이용 거부	손해 배상
초상 영리권	ⓑ	경제적 손실 보상 청구	손해 배상· 부당 이득 반환

3 이 글의 [A]와 〈보기〉에 대해 친구들과 토론을 하려고 합니다. 〈보기〉에 대한 해석이 적절하지 **않은** 학생은 누구인가요?

─────| 보 기 |─────

'○○ 방송사'의 시사 프로그램 담당 기자 '갑'은 신세대 대학생들의 신입생 환영회 모습을 긍정적으로 방송하겠다는 조건으로 대학생 '을'과 '병'으로부터 취재 동의를 받았다. 그러나 정작 방송 프로그램에서는 신입생 환영회의 음주 장면과 대화 장면 등을 구성해 대학생들의 지나친 음주 행태를 비판하는 내용으로 방송하였다. 이에 대학생 '을'과 '병'은 방송사를 상대로 초상권을 침해당하였다며 손해 배상을 청구하였다.

학생 1 [A]로 볼 때, 공익 목적을 위한 언론 보도라도 초상권을 침해한 경우 불법 행위로 판결받을 수 있군. ································· ①

학생 2 [A]로 볼 때, 불법 개인 지도를 해서 현행법으로 체포되는 상황이더라도 언론 보도로 인한 초상권은 보호받을 수 있군. ················· ②

학생 3 〈보기〉로 볼 때, '갑'은 대학생들의 음주 행태를 비판하려는 공익 목적을 위한 보도를 하였다는 점에서 초상권 침해에 대한 손해 배상을 당하지 않아도 되겠군. ··· ③

학생 4 〈보기〉로 볼 때, 대학생 '을'과 '병'은 자신들의 의도와는 다른 목적으로 방송이 되었다는 점에서 초상권이 침해되었음을 인지하였군. ······················ ④

학생 5 [A]처럼 무단으로 촬영된 경우와 달리, 〈보기〉와 같이 초상에 관한 방송을 동의한 경우에도 초상권이 침해되는 사례가 있을 수 있군. ······················ ⑤

4 ⓛ에 들어갈 말로 가장 적절한 것은 무엇인가요?

① 양날의 검
② 빛과 그림자
③ 동전의 양면
④ 뜨거운 감자
⑤ 판도라의 상자

ⓛ 앞에 어떤 내용이 제시되어 있는지 파악하고, 앞 내용과 연결시켰을 때 문맥에 맞는 적절한 관용구를 찾아보도록 해!

로봇의 노동에 세금을 매겨야 할까

로봇세는 로봇 도입으로 인한 실직 속도를 늦추고 실직자의 재교육 등을 지원할 재원*으로 활용하기 위해 로봇을 소유한 사람이나 기업으로부터 걷는 세금을 뜻한다. 로봇세는 빌 게이츠가 2017년 정보 기술 전문지『쿼츠』와의 인터뷰에서 "인간과 같은 일을 하는 로봇의 노동에도 세금을 매겨야 한다."라고 주장하면서 널리 알려졌다.

로봇세 부과를 찬성하는 입장은 먼저 로봇세를 통해 로봇 산업을 발전시킬 수 있다는 점을 강조한다. 로봇세로 거둔 재원을 통해 로봇 기술의 개발과 발전에 유용하게 사용할 수 있으며, 로봇의 노동으로 일자리를 잃는 사람들이 증가할 경우를 대비할 수 있다는 점도 근거로 내세운다. 앞으로 로봇이 인간의 일자리를 대체한다면 실직한 빈곤층이 양산*될 가능성이 높기 때문에 로봇세로 기본 소득을 보장할 수 있다는 주장이다. 그들은 로봇세를 통해 소득 불평등 문제, 자본 집중화 문제를 해소할 수 있으며, 장기적으로 경제 성장에도 긍정적으로 작용할 것이라고 본다. 앞서 언급한 빌 게이츠도 로봇세로 거둔 재원을 고령자 직업 교육, 학교 확충 등 복지에 활용할 수 있다고 밝힌 바 있다.

하지만 로봇세 부과를 반대하는 입장도 만만치 않다. 먼저, 로봇세는 로봇 산업의 성장을 저해할 수 있다는 점이다. 로봇 산업은 현재 로봇이 완벽히 개발되어 일상생활 속에 적용된 정도까지 도달한 것은 아니다. 아직 제대로 개발도 되지 않은 로봇에 세금을 추가적으로 부과한다면 로봇 개발자에게는 세금 이상의 부담으로 작용해 로봇 산업 발전을 저해*하는 요인이 될 것이다. 국제 로봇 연맹 등은 "로봇세가 경쟁과 고용에 부정적인 충격을 주고 혁신을 저해할 것"이라고 밝히며 로봇세에 대해 우려를 표한 바가 있다. 또한 로봇이 인간의 일자리를 빼앗지 않는다. 경제학자 제임스 베슨은 자동화가 제조, 물류 유통, 트럭 운전 등 산업 분야에서 일자리가 줄 것이지만 산업 전반적으로 볼 때 고용은 증가할 것이라고 주장한 바 있다. 이는 기술이 불균등한 수요를 바로잡는 효과가 있기 때문에 고용을 끌어올릴 것이라는 맥락이다. 기술의 진보로 수십 년 전과는 달리 인간 특유의 창의력과 사고력을 요하는 다양한 형태의 직업이 생겨났고 로봇을 단순 노동을 대체하는 데 사용하여 작업 과정에 편리함을 더했다는 점에서, 로봇은 오히려 일자리 창출에 기여할 수 있다는 것이다. 마지막으로 진보하는 기술에 값을 매길 수는 없다는 점이다. 산업 혁명 때 대량 실업을 초래하였다고 방직기*나 증기 기관에 세금을 매겼더라면 지금과 같은 기술 발전과 문명 진보는 불가능하였을 것이라고 주장한다.

만약 로봇세 부과가 결정된다면 다시 고민해야 하는 부분이 발생한다. 바로 로봇세를 납부*하는 주체, 즉 납세 의무자를 로봇으로 볼 것인지 아니면 로봇의 소유자로 볼 것인지를 판단해야 하는 점이다. 전자로 본다면, 로봇에 인격을 부여하고 로봇이 창출한 가치에 세금을 부과하는 방법을 ㉠살필 수 있을 것이다. 이는 유럽에서 논의된 '전자인'과 비슷한 관념으로 볼 수 있는데, 과연 로봇에 인격을 부여할 수 있을지에 관한 논쟁이 따를 것으로 예상된다. 반면에 납세 의무자를 로봇의 소유자로 본다면 로봇을 취득하거나 소유하는 것에 대해서 취득세 또는 재산세를 부과하거나, 로봇이 창출한 경제적 가치를 측정하여 그 소유주에게 소득세 등을 부과하는 방법을 고려할 수도 있을 것이다.

* 재원: 재화나 자금이 나올 원천.
* 양산: 많이 만들어 냄.
* 저해: 막아서 못 하도록 해침.
* 방직기: 실을 뽑아서 천을 짜 내는 기계를 통틀어 이르는 말.
* 납부: 세금이나 공과금 따위를 관계 기관에 냄.

0 이 글을 다음의 학급 신문 기사에 이어서 제시한다고 할 때, 논지를 가장 잘 반영한 표제와 부제가 되도록 밑줄 친 부분에 들어갈 알맞은 말을 쓰세요.

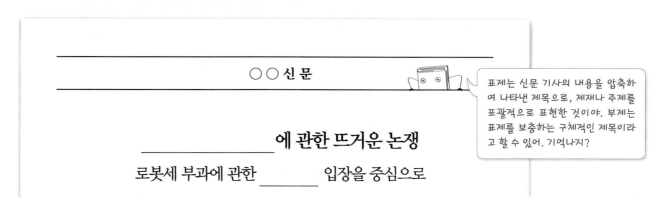

○○ 신 문

표제는 신문 기사의 내용을 압축하여 나타낸 제목으로, 제재나 주제를 포괄적으로 표현한 것이야. 부제는 표제를 보충하는 구체적인 제목이라고 할 수 있어. 기억나지?

_____에 관한 뜨거운 논쟁

로봇세 부과에 관한 _____ 입장을 중심으로

　로봇이 '미래 신성장 동력'으로 자리 잡으면서 세계 로봇 시장 규모는 1,880억 달러(약 221조 원)에 달할 것으로 예상된다. 특히 산업계에서 로봇 기술을 채택하는 기업이 빠르게 증가하고 있어 성장세는 지속될 것으로 보인다. 한편 기술 발전에 따라 로봇이 인간의 일자리를 대체하면서 '로봇세'를 부과하는 문제에 대한 논란도 본격화되고 있다.

1 이 글에서 논지를 전개하는 방식으로 가장 적절한 것을 고르세요.

① 서로 다른 관점을 비교한 후 공통점을 도출하고 있다. ☐

② 한 가지 관점을 선택해서 다른 관점으로 논박하고 있다. ☐

③ 어떤 현상의 문제점을 제시한 다음 대안을 제시하고 있다. ☐

④ 제시한 이론을 분석한 다음 새로운 상황에 적용하고 있다. ☐

⑤ 대립되는 관점을 소개한 후 부가적인 논의가 필요한 상황을 덧붙이고 있다. ☐

벽이네. 응? 계단인데?

다른 각도에서 보면 또 다른 내용이 보이겠지?

2 〈보기〉의 밑줄 친 부분에 들어갈 학생의 반응으로 가장 적절한 것은 무엇인가요?

───────| 보 기 |───────

선생님: 이 글을 읽고 난 후 아쉬운 점이 있다면 무엇인가요?

학 생: _____

- 로봇세를 부과하는 세금의 비율을 정확하게 계산해서 제시하였다면 글의 초점이 더욱 분명해지지 않았을까요? ·· ①

- 로봇세가 무엇을 뜻하는지 그 개념을 정확하게 제시하였다면 독자들이 내용을 이해하는 데 도움이 되지 않았을까요? ·· ②

- 로봇세 부과에 관한 논쟁을 글의 화제로 선택한 동기를 서두에 제시하였다면 독자의 흥미를 더욱 높이지 않았을까요? ·· ③

- 로봇세를 부여하는 과정에 대해 좀 더 상세한 정보를 제시하였다면 문제 해결적 글쓰기가 더욱 명확하게 구현되지 않았을까요? ·· ④

- 로봇세 부과가 로봇의 소유주에게 어느 정도의 경제적 부담을 주는지에 대해 밝혔다면 논의의 방향이 분명해지지 않았을까요? ·· ⑤

3 〈보기〉는 이 글을 읽고 로봇세 부과 논쟁에 관한 의견을 정리한 것입니다. ⓐ~ⓔ 중 적절하지 <u>않은</u> 것은 무엇인가요?

┤보 기├

[찬성 입장]
- 로봇세로 거둔 재원을 통해 로봇 기술의 개발 및 일자리를 잃은 사람들을 위한 기본 소득을 보장할 수 있음. ⋯⋯ ⓐ
- 로봇세를 통해 소득 불평등 문제, 자본 집중화 문제를 해소할 수 있으며, 장기적으로 경제 성장에도 긍정적으로 작용할 것임. ⋯⋯⋯⋯⋯⋯⋯ ⓑ

[반대 입장]
- 세금 부담으로 인해 로봇 산업의 발전에 저해가 될 수 있음. ⋯⋯⋯⋯⋯⋯ ⓒ
- 산업 전반으로 고용이 증가할 것이므로 일자리가 사라지는 문제는 우려할 필요가 없음. ⋯⋯⋯⋯⋯⋯⋯⋯⋯⋯ ⓓ
- 진보하는 기술의 가치를 낮게 책정함으로 기술 발전과 문명 진보를 방해할 수 있음. ⋯⋯⋯⋯⋯⋯⋯⋯⋯⋯⋯ ⓔ

① ⓐ   ② ⓑ   ③ ⓒ   ④ ⓓ   ⑤ ⓔ

4 ㉠과 바꾸어 쓰기에 가장 적절한 것은 무엇인가요?

① 고려(考慮)할
② 음미(吟味)할
③ 탐구(探究)할
④ 짐작(斟酌)할
⑤ 관찰(觀察)할

선별적 복지 vs 보편적 복지

일반적으로 사회 복지는 크게 선별적 복지와 보편적 복지로 나뉜다. 선별적 복지는 빈곤층을 중심으로 필요한 사람에게 더 뚜렷한 복지 정책을 펼치는 것을 말한다. 이에 반해 보편적 복지는 이유를 불문하고 국민 전체에게 동등한 복지 혜택을 받도록 복지 정책을 펼치는 것을 가리킨다. 선별적 복지 모델은 주로 미국에서, 보편적 복지 모델은 주로 북유럽 국가에서 실시되고 있지만 저소득층과 중산층 등 한 국가 내의 계층에 따라서도 어떠한 복지를 추구해야 할 것인지에 대한 논란이 있다.

㉠선별적 복지론자들은 사회 복지 지출의 확대가 경제 성장을 저해하는 여러 가지 부정적 결과를 불러올 것임을 강조한다. 가령 복지 지출이 확대될 경우 경제 주체들로 하여금 생산적 활동보다는 복지에 의존하게 되는 도덕적 해이*를 불러올 수 있다. 또한 확대된 복지 지출을 위한 초기 재원 확보를 위해서는 세금을 더 많이 거두어야 하는데, 이는 경제 주체들로 하여금 생산에 투자할 자본을 줄이게 만들어 생산 활동이 그만큼 위축*될 수도 있다는 것이다. 그뿐만 아니라 보편적 복지의 혜택 제공으로 발생하는 부채가 증가되는 문제도 우려한다. 경제력이 뒷받침할 수 있는 수준을 넘어서 복지를 펼치는 경우 국가 재정을 망치고 국가 경제가 파탄*에 이를 수 있다고 보는 것이다.

반면에 ㉡보편적 복지론자들은 사회 복지 지출의 확대가 오히려 수익을 창출하고 재정 확보에도 도움을 준다고 주장한다. 사회 복지 지출을 확대하는 것은 복지의 적용 대상과 혜택을 늘리게 된다. 그 결과 경제 주체들은 투자와 같은 위험 감수* 행위로 인해 불리한 결과가 발생할 경우에 드는 비용을 줄일 수 있으므로, 투자를 늘리게 될 것이다. 또한 실업 급여 등을 통해 실업자들에게 소득을 보장하고, 직업 훈련 기회 등을 더 많이 제공함으로써 노동 시장을 더욱 유연하게 만들 것이다. 더불어 소득 재분배 효과를 통해 소득 격차를 완화함으로써 정치적 안정성은 높이고 사회 통합을 강화시킬 것이다. 나아가 사회 복지 지출이 클수록 경기 불확실성이 줄어듦에 따라 경기 변동으로 인해 발생하는 손실을 미리 막을 수 있다. 이러한 결과는 결국 경제 성장에 도움을 주고 궁극적으로는 보편적 복지에 소요되는 재정을 다시금 안정적으로 확보하게 해 줄 것이라고 본다.

요약하자면 보편적 복지론자들과 선별적 복지론자들은 모두 경제 성장을 저해하지 않으면서도 사회적 공공선*을 실현해야 한다는 데에 있어서는 동의한다. 그러나 보편적 복지론자들의 경우 복지 지출의 증대가 이 두 마리 토끼를 모두 잡을 수 있는 방법이라고 여기는 반면, 선별적 복지론자들은 복지 지출을 늘리는 것이 자칫 두 마리 토끼 모두를 잃을 수 있다고 본다는 점에서 차이가 있다. 사회 복지를 둘러싼 이러한 의견 차이와 대립은 결국 한 사회가 보다 바람직한 복지 정책을 위해 고민하고 노력함으로써 그 사회를 발전시키는 데 밑거름이 될 것으로 보인다.

---

* 도덕적 해이: 법과 제도적 허점을 이용하여 자신에게 부여된 책임이나 의무를 소홀히 하거나 타인에게 막대한 피해를 입혀도 어떠한 사회적 책임감이나 도덕적 반성을 하지 않는 태도. 또는 그런 상태로 저지르는 행위.
* 위축: 어떤 힘에 눌려 졸아들고 기를 펴지 못함.
* 파탄: 일이나 계획 따위가 원만하게 진행되지 못하고 중도에서 어긋나 깨짐.
* 감수: 책망이나 괴로움 따위를 달갑게 받아들임.
* 공공선: 개인을 위한 것이 아닌 국가나 사회, 또는 온 인류를 위한 선.

0 〈보기〉는 이 글을 읽은 학생들에게 선생님이 질문한 내용입니다. 보편적 복지론자의 주장을 반영하여 반론을 제기한 내용이 가장 적절한 학생은 누구인가요?

┤보 기├

선생님: 선별적 복지론자들은 사회 복지 정책을 추진하기 위해 국민들에게 강제로 세금을 부과하는 것 자체가 사유 재산권을 침해할 뿐만 아니라 국민들의 자유도 제한하고, 정부 재정에도 악영향을 준다고 주장합니다. 이러한 견해에 대해 반론을 제기해 보세요.

민규 사회 복지 정책은 기본적으로 공공선을 실현하기 위한 것이므로 이 과정에서 특정한 사람의 자유를 제한하는 것은 불가피한 일입니다. ┄┄┄┄ ①

영희 국민들에게 세금을 강제로 부과하게 되면 경제 성장을 저해하게 될 것이기 때문에 자유의 제한과 관계없이 옳지 않다고 생각합니다. ┄┄┄┄┄ ②

진희 사유 재산권의 침해 문제가 일부 있을 수 있지만 국민 모두가 복지 정책의 혜택을 바라고 있으므로 국민들의 자유가 제한되는 것은 감수해야 한다고 생각합니다. ┄┄┄┄┄┄┄┄┄┄┄┄┄┄┄┄┄┄┄┄┄┄┄ ③

소영 세금 부과는 정부의 권한이므로 세금 부과 자체를 사유 재산 침해나 자유 제한으로 보는 것은 적절하지 않습니다. 또한 사회 복지 정책을 위해 거둔 세금이 경제 성장에도 도움이 되고, 복지에 소요되는 재정도 다시 안정적으로 확보하게 해 주는 장점이 있습니다. ┄┄┄┄┄┄┄┄┄┄┄┄┄ ④

세민 국가적인 정책 추진에 필요한 세금을 납부하는 것은 국민으로서 당연한 의무입니다. 복지 정책을 추진하기 위해 필요한 세금도 국민이라면 당연히 내야 한다고 볼 수 있습니다. 비록 세금을 내지 않은 사람들로 인해 국가 재정이 나빠진다고 해도 보편적 복지를 추진해야 합니다. ┄┄┄┄ ⑤

'반론'은 어떤 주장에 반대하여 말하는 거야. 〈보기〉에서 내세우는 주장과 반대되는 견해를 찾아보도록 해.

1 이 글에 대한 설명으로 가장 적절한 것을 고르세요.

① 복지 제도의 구성 요소들을 나열하고 있다. ☐
② 복지 제도가 변화해 가는 과정을 서술하고 있다. ☐
③ 복지 제도에 관해 대립하는 견해를 소개하고 있다. ☐
④ 복지 제도의 시행 절차를 단계적으로 설명하고 있다. ☐
⑤ 복지 제도가 실제로 실행된 구체적 사례를 제시하고 있다. ☐

2 이 글을 읽고 〈보기〉의 두 국가의 복지 정책에 대해 판단한 내용으로 적절하지 **않은** 것은 무엇인가요?

┤보 기├

A국과 B국은 모두 2000년부터 2010년까지 계속 보편적 복지 지출을 늘려 나갔다. 이후 A국과 B국의 경제 성장률 및 실업률은 보편적 복지를 위한 지출을 늘린 것으로부터만 영향을 받았다고 가정한다.

국가 \ 연도	A국		B국	
	2000년	2010년	2000년	2010년
경제 성장률	4%	2%	−5%	2%
실업률	10%	25%	5%	4%

① A국의 경우 2000년 이후 실업률이 높아진 것을 보니, 복지에 의존한 도덕적 해이가 발생하였다고 볼 수 있다.
② A국의 경우 2000년 이후 경제 성장률이 낮아진 것을 보니, 경제 주체들이 늘어난 세금을 감당하느라 투자를 줄이는 생산 활동의 위축이 일어났다고 볼 수 있다.
③ B국의 경우 2000년 이후 경제 성장률이 높아진 것을 보니, 경기 불확실성이 줄어들었다고 할 수 있다.
④ B국의 경우 2000년 이후 경제 성장률이 높아진 것을 보니, 기업들이 위험 감수를 꺼려 투자 금액을 줄였다고 할 수 있다.
⑤ B국의 경우 2000년 이후 실업률이 낮아진 것을 보니, 투자 활성화로 인해 경제 활동에 참가하는 인원이 늘어났다고 할 수 있다.

3 이 글의 ⊙과 ⓛ이 〈보기〉를 읽고 보일 수 있는 반응으로 적절하지 <u>않은</u> 것은 무엇인가요?

┤보 기├

　　스칸디나비아 3국은 경제적 풍요, 정치적 자유와 함께 공동체적 평등이 보장되어 있는 나라로 잘 알려져 있다. 자유, 평등, 결속을 국가적 지표로 내걸고 있는 이들 세 나라는, 이념적으로 빈부 격차를 받아들이지 않는다. 국가는 모든 사람들이 자신의 능력을 맘껏 발휘할 수 있도록 기회를 제공하고, 모든 국민은 인간다운 삶을 누릴 수 있는 권리와 의무를 동시에 가진다. 또한 고소득자는 최고 55%의 세금을 내고, 저소득자는 세금을 면제받으며, 실업자는 실업 수당을 지급받는다. 그 결과 개인이 쓸 수 있는 돈은 결국 비슷해진다.

① ⊙: 고소득자의 부담으로 저소득자를 책임지는 사회 체제가 과연 언제까지 지속될 수 있을지 의문입니다.

② ⊙: 저소득층을 위한 정책의 성공 여부는 고소득층의 소비 자제를 어느 정도로 이끌어낼 수 있느냐에 달려 있습니다.

③ ⓛ: 사회적 안전망이 이들 국가의 사회적 안정과 경제적 풍요를 떠받치는 기둥이 될 수 있습니다.

④ ⓛ: 모든 사람들이 능력을 발휘할 수 있도록 기회를 제공하고, 인간다운 삶을 누릴 수 있도록 복지 혜택을 보장하는 국가적 노력이 인상적입니다.

⑤ ⓛ: 이 정도의 사회적 안전망과 연대 의식 속에서 경제적 풍요를 이루어 냈다면 경기 변동으로 인한 어려운 상황에도 쉽게 적응할 수 있을 것입니다.

Q 다음은 생각을 읽을 수 있는 지문 구조도를 퍼즐로 나타낸 것입니다. 앞에서 읽은 글의 내용을 떠올리며 생각읽기 1~6에 해당하는 퍼즐을 선으로 연결해 보세요.

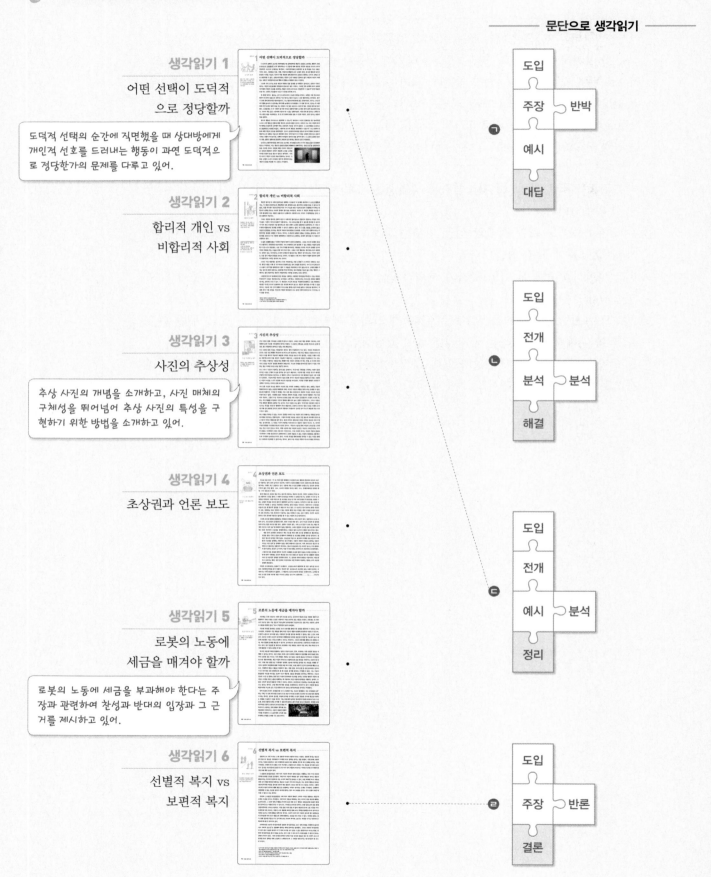

문단으로 생각읽기

생각읽기 1

어떤 선택이 도덕적으로 정당할까

도덕적 선택의 순간에 직면했을 때 상대방에게 개인적 선호를 드러내는 행동이 과연 도덕적으로 정당한가의 문제를 다루고 있어.

생각읽기 2

합리적 개인 vs 비합리적 사회

생각읽기 3

사진의 추상성

추상 사진의 개념을 소개하고, 사진 매체의 구체성을 뛰어넘어 추상 사진의 특성을 구현하기 위한 방법을 소개하고 있어.

생각읽기 4

초상권과 언론 보도

생각읽기 5

로봇의 노동에 세금을 매겨야 할까

로봇의 노동에 세금을 부과해야 한다는 주장과 관련하여 찬성과 반대의 입장과 그 근거를 제시하고 있어.

생각읽기 6

선별적 복지 vs 보편적 복지

ㄱ
도입
주장 ─ 반박
예시
대답

ㄴ
도입
전개
분석 ─ 분석
해결

ㄷ
도입
전개
예시 ─ 분석
정리

ㄹ
도입
주장 ─ 반론
결론

1 도덕적 선택의 순간에 직면했을 때 상대방에게 개인적 선호를 드러내는 행동이 과연 도덕적으로 □□한 가에 대해 강경한 공평주의자는 완전한 배제를, 온건한 공평주의자는 한정된 조건에서의 허용을 주장한다.

2 개인이 합리적이면 사회도 합리적이 된다는 고전 경제학의 주장과 달리, 개인적 차원의 합리성이 사회 전체적으로 비합리적 결과를 초래하는 죄수의 □□□ 현상이 나타나므로 이에 대한 사회적인 합리성을 확보할 수 있는 방안을 마련해야 한다.

3 사진의 □□□는 사물의 외형을 유지하면서도 사물에 대한 작가의 주관과 해석을 바탕으로 의미를 재창조하는 것이다.

4 언론 매체 보도에서 □□□ 문제와 관련하여 그 침해가 배제되는 여러 사유가 있지만 동의 여부, 사용 목적 등에 따라 초상권 침해 여부에 대한 논란이 있을 수 있다.

5 로봇의 노동에 세금을 부과해야 한다는, □□□ 부과에는 찬성과 반대의 주장이 있으며, 로봇세 부과가 결정된다면 로봇세의 납부 주체와 납부 방법에 대해서도 논의가 필요하다.

6 선별적 복지와 □□□ 복지를 둘러싼 의견 대립은 그 사회를 발전시키는 밑거름이 되기 때문에 복지에 대한 논쟁은 필요하다.

우리는 어떤 선택을 해야 할까?

"하나를 얻으려면 하나를 포기해야 하는 것이 선택이다"

우리는 살아가면서 모두가 매력적인 양쪽 길 중에서 한쪽 길을 선택해야만 하는 순간을 맞이합니다. 그리고 그 순간의 선택이 인생의 많은 부분을 바꿔 놓기도 합니다. 어떤 길을 선택한다는 것은 단순한 선택이 아니라 인생의 문제이고, 운명의 문제이기도 합니다. 이러한 선택이 우리에게 딜레마로 다가오는 것은 바로 그 이유 때문이지 않을까요?

> 노란 숲속에 길이 두 갈래로 갈라져 있었습니다.
> 안타깝게도 나는 두 길을 갈 수 없는
> 한 사람의 나그네라 오랫동안 서서
> 한 길이 덤불 속으로 꺾여 내려간 데까지,
> 바라다볼 수 있는 데까지 멀리 보았습니다.
> ─로버트 프로스트, 「가지 않은 길」

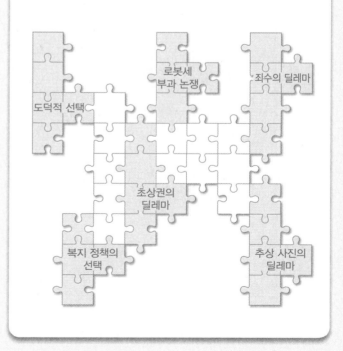

생각의 발견 04 효율

효율을 말하다!

평소에는 한 시간씩 걸리던 숙제를 집중해서 30분만에 다 했다면? 남은 30분은 아마 여러분들을 행복하게 만들 겁니다. 이때 여러분은 시간을 효율적으로 썼다고 말할 수 있습니다. 이처럼 적은 시간을 투자하여 더 큰 결과를 얻게 되었을 때 효율성이 높다고 말합니다. 사람들은 목적을 달성하기 위해 노력하는 과정에서 보다 더 효율적인 방법을 찾습니다. 그 과정에서 개인의 삶뿐만 아니라, 사회도 발전하게 되죠. 그런데 효율적인 것이 무조건 다 좋은 것일까요? 지금까지 사람들이 발견하거나 만든 효율성에는 어떤 것들이 있으며, 우리는 어떤 효율성을 추구해야 하는지 알아볼까요?

效率性
efficiency

효율성의 개념

Q 동양의 효율성에서 가장 강조되는 부분은 무엇인가요?

견해가 나오는 글, 어떻게 읽어야 할까

견해 혹은 입장이 나오면 견해를 잘 드러내는 사례가 뒤따를 거야!

► 생각읽기가 수능이다 104쪽

효율에 대한 동서양의 관점

효율성이란 일반적으로 들인 노력과 얻은 결과의 비율이 높은 특성을 의미한다. 즉, 능률적으로 목표를 성취할 수 있는 정도를 말하는 것으로 효과성과 능률성을 합친 개념이라 할 수 있다. 그런데 이렇게 명확해 보이는 단어의 개념도 동서양의 문화 차이에 따라 다른 양상을 보이기도 한다.

먼저 서양의 효율성은 '모델화'로 말할 수 있다. 즉, 실현하고자 하는 대상을 관념적으로 먼저 구상하고, 그 후에 의지와 행동을 통해 관념적 구상을 현실에서 구체화하는 전략을 따른다. 예를 들어, 우리는 악기를 연주하기 전에 먼저 악보를 보고 이론을 배운다. 어떻게 연주해야 하는지 완전한 연주의 관념을 알고 난 뒤에 그 연주에 도달하기 위해 연습하는 것이다. 모델화는 특히 근대 과학에서 엄청난 위력을 발휘하였다. 바로 수학과 기하학이 철저히 모델화를 따르는 학문이었기 때문이다. 그런데 이러한 관념적 구상에 따른 효율성은 이상적이지만, 문제는 이론이 실제에 완벽하게 반영될 수 있는가 하는 점이다. 이러한 문제를 보여 주는 대표적인 사례가 전쟁이다. 전쟁은 동태적*인 영역으로 수많은 변수가 무한히 존재한다. 이러한 상황에서 미리 세워 둔 계획은 그 가치가 없어지기도 한다. 독일의 전쟁 이론가인 클라우제비츠는 전쟁을 계획으로서의 전쟁인 절대적 전쟁과 실제 전투가 벌어진 상황인 실재적 전쟁으로 구분하였다. 그런데 전쟁은 항상 우연의 요소를 내포하므로 ㉠<u>고착화*된 구상</u>을 실현할 수 없는 상황이 벌어지곤 한다. 이때 사람들은 ㉡<u>계획과는 별개로 모든 변수와 고난을 이기고 승리할 수 있는 영웅</u>을 기대하고 요구하게 되며, 영웅은 ⓐ<u>상황에 따라 탁월한 대처 능력으로 문제를 해결한다.</u>

그렇다면 동양으로 대표되는 중국에서의 효율성은 무엇일까? 동양은 바로 ㉢<u>상황의 흐름을 감지해 내고 그 흐름을 이용하는 능력</u>에 관심을 기울인다. 즉, '형세(形勢)'가 전략의 중심축이 되는데, 형세는 『손자병법』에서도 자주 등장하는 개념으로 눈앞에 전개되고 있는 힘의 관계인 '형(形)'을 살피고, 이 상황 속에 함축되어 있는 잠재력인 '세(勢)'를 점검하고 평가하는 능력을 말한다. 서양의 모델화는 목적을 달성하기 위한 행동을 요청하므로 행동할 주체가 강조되는 반면, 중국의 형세는 주체의 능력보다 상황에서 비롯되는 ㉣<u>객관적 조건</u>이 강조된다. 따라서 동태적 관계에서 발생하는 예외적인 요인을 해결하기 위한 주체의 ㉤<u>개입</u>이 필요하지 않으며, 단지 객관적 조건이 유리하게 전개되는 상황을 만들거나 그러한 상황을 기다리면 된다. 주어진 상황의 흐름을 이용하는 능력이 전략가의 가장 중요한 능력인 것이다.

하지만 '형세' 또한 한계점을 지니고 있다. 서구의 모델화에는 입장 정리와 반론 제기 같은 토론의 과정이 있다. 즉 공론*의 장을 통해 민주주의를 만들어 갈 수 있는 것이다. 반면 형세는 내밀함*, 폐쇄성, 비가시성*을 지니고 있어 서구와 같은 공론화 과정이 부재한다. 이 때문에 객관적 조건이 만들어지는 과정에 참여하지 않은 구성원은 결과에 대해 아는 것이 아무것도 없게 된다. 이런 점에서 상호 인정과 타협의 과정이 없는 효율성이 계속 유지가 될 수 있을 것인가에 대한 물음이 생기게 된다.

---

* 동태적: 움직이거나 변하는. 또는 그런 것.
* 고착화: 어떤 상황이나 현상이 굳어져 변하지 않는 상태가 됨.
* 공론: 여럿이 의논함. 또는 그런 의논.
* 내밀함: 어떤 일이 겉으로 드러나지 아니함.
* 비가시성: 눈으로 볼 수 없는 성질.

0 이 글에서 글쓴이가 말하고자 하는 핵심 내용이 무엇인지 고르세요.

① 동양에서의 효율성 개념의 한계 ☐

② 서양에서의 효율성 개념의 장점 ☐

③ 동서양의 효율성 개념의 차이점 ☐

④ 동서양의 문화가 차이 나는 이유 ☐

⑤ 동양에서의 효율성 개념의 발전 과정 ☐

1 이 글의 내용 전개 방식으로 적절하지 <u>않은</u> 것은 무엇인가요?

① 용어의 정의를 통해 핵심 화제를 이끌어 내고 있다.

② 구체적인 사례를 제시하여 내용의 이해를 돕고 있다.

③ 유명한 학자의 이론을 제시하여 내용의 신뢰도를 높이고 있다.

④ 질문하고 이에 대해 답하는 형식을 통해 내용을 전개하고 있다.

⑤ 대상이 지닌 한계점을 지적하고 이에 대한 해결 방안을 제시하고 있다.

신뢰도란 **발언에 대해 굳게 믿고 의지할 수 있는 정도**를 뜻해.
대개 주어진 내용을 사실로 믿을 수 있는지를 물을 때 자주 나와!

2 이 글에 대해 이해한 내용으로 적절하지 <u>않은</u> 것은 무엇인가요?

① 서양의 효율성은 관념적 구상에 따라 현실에서 행동하는 전략을 추구한다.

② 동양의 효율성은 상호 소통 없이 일방적으로 이루어지기도 한다는 문제점이 있다.

③ 동양의 효율성은 계획보다도 상황의 흐름에 따라 결정된다는 사고를 바탕으로 한다.

④ 서양의 효율성은 우연적 상황이 발생할 경우 영웅적인 존재가 필요하다는 한계가 있다.

⑤ 동양과 서양 모두 효율성을 위해 행동의 주체가 상황에 개입하는 것이 필요하다는 것을 강조한다.

3 ~ ⑩ 중 〈보기〉의 밑줄 친 단어와 의미하는 바가 같은 것을 모두 고른 것은 무엇인가요?

┤보 기├

　전쟁에 승리하기 위해서는 병사들에게 용기를 주는 것이 아니라, 그들이 싸울 수밖에 없는 환경을 만들어 주는 것이 필요하다.

① ㉠, ㉡

② ㉡, ㉤

③ ㉢, ㉣

④ ㉠, ㉡, ㉤

⑤ ㉢, ㉣, ㉤

　㉠~㉤은 서양의 효율성과 동양의 효율성으로 나누어 볼 수 있어. 〈보기〉에 제시된 '환경'이 서양의 효율성과 동양의 효율성 중 어디에 해당되는지 파악한 후 이를 ㉠~㉤과 관련지어 봐.

4 ⓐ를 표현하는 말로 가장 적절한 것은 무엇인가요?

① 견강부회(牽强附會)

② 임기응변(臨機應變)

③ 고장난명(孤掌難鳴)

④ 궁여지책(窮餘之策)

⑤ 백척간두(百尺竿頭)

견해 파악의 핵심은 사례 적용이다

사람은 누구나 정의로운 사회에 살기를 원합니다. '정의로운 사회란 무엇일까요?'에 대해 두 사람은 서로 다른 견해를 보이고 있습니다. '정의로운 사회'에 대한 두 사람의 견해를 비교해 볼까요?

타인에게 피해를 주지 않는 한, 개인의 모든 자유가 보장되는 사회가 정의로운 사회입니다. 따라서 개인의 소유에 대해 국가가 간섭하는 것은 소유권이라는 개인의 자유를 침해하므로 정의롭지 못한 것입니다.

개인의 자유를 보장하면서도 사회적 약자를 배려하는 사회가 정의로운 사회입니다. 누구나 사회적 약자가 될 수 있으므로 자발적 기부나 사회적 제도를 통해 그들을 배려하는 것이 사회 전체로 볼 때 공정하고 정의로운 것이기 때문입니다.

똑같은 사건이나 상황을 제시하고도, 글에는 다양한 입장이 제시되는 경우가 많습니다. 특히 인문, 철학 지문을 보면, 〈보기〉를 통해 학자나 학파의 입장이 더 드러나는 경우도 많습니다. 그런데 글에 제시된 학자나 학파의 입장을 파악하기도 버거운데, 〈보기〉의 사례에까지 적용하라니, 견해를 사례에 적용하는 문제는 독서에서 정답률이 떨어지는 대표적인 문제 유형입니다.

하지만 처음부터 지레 겁먹을 필요는 없습니다. 사례에 적용하는 문제는 대부분 글에서 제시된 학자나 학파의 입장과 비슷한 입장 혹은 대비되는 입장 둘 중 하나일 테니까요. 인문 지문에서 학자나 학파의 입장 간의 비교는 지문과 〈보기〉의 입장이 비슷한 입장이거나 대조적으로 차이나는 입장을 정리해 보면 자연스레 해결되는 경우가 많습니다.

100쪽 지문

> **논제 혹은 쟁점에 대한 견해가 나오면**
> 견해를 잘 드러내는 사례가 반드시 나온다!

먼저 서양의 효율성은 '모델화'로 말할 수 ~~~~ 저 구상하고, 그 후에 의지와 행동을 통해 관념~ ~~~~~ ~~~~. **예를 들어, 우리는 악기를 연주하기 전에 먼저 악보를 보고 이론을 배운다.** 어떻게 연주해야 하는지 완전한 연주의 관념을 알고 난 뒤에 그 연주에 도달하기 위해 연습하는 것이다. 모델화는 특히 근대 과학에서 엄청난 위력을 발휘하였다. 바로 수학과 기하학이 철저히 모델화를 따르는 학문이었기 때문이다. 그런데 이러한 관념적 구상에 따른 효율성은 이상적이지만, 문제는 이론이 실제에 완벽하게 반영될 수 있는가 하는 점이다. 이러한 문제를 보여 주는 대표적인 사례가 전쟁이다. 전쟁은 동태적*인 영역으로 수많은 변수가 무한히 존재한다. 이러한 상황에서 미리 세워 둔 계획은 그 가치가 없어지기도 한다.

독해실전 **배운 글을 다시 읽고, 물음에 답해 보세요.**

생각독해 Ⅲ **14쪽**

> ㉠이 입장은, '지행(知行)의 괴리'를 전제로 한다. 사람들은 여러 가지 이유로 아는 대로 행하지 못하는 경우가 있으며, 이 여러 가지 이유 중 하나가 욕망에 이끌리는 것이라고 볼 수 있기 때문에 욕망의 통제가 필요하다는 것이다. 물론 이에 반대하는 주장도 있다. 지행합일설의 입장에서는 지 와 행 사이에는 괴리가 있을 수 없다고 주장한다. 이 주장에 따르면, 부정행위를 한 학생도 자기가 아는 대로 행동한 것이다. 그는 부정행위가 나쁘다는 것뿐만 아니라 부정행위를 성공시킬 수 있고, 부정행위를 하면 점수가 좋아질 것이라는 점 등을 알고 있으며, 이러한 모든 지식을 다 동원하여 부정행위를 한 것이기 때문이다.

1 위 글에서 알 수 있는 ㉠의 입장을 바르게 파악한 것은 무엇인가요?

① 지와 행 사이에는 괴리가 있을 수 있기 때문에 욕망의 통제는 필요하다.

② 지와 행 사이에는 괴리가 있을 수 없기 때문에 욕망의 통제가 불필요하다.

수능실전 **아래 글을 읽고, 수능 실전감각을 길러 보세요.**

2011학년도 고1

> 낙인이란 어떤 행동을 규범에서 벗어난 것으로 규정하는 행위이다. 규범에 어긋나는 크고 작은 행동은 누구나 할 수 있다. 하지만 이러한 행동을 했다고 그들 모두가 사회에서 일탈자로 낙인찍히는 것은 아니다. 사람들로부터 이 행동이 잘못된 것이라고 낙인찍히고 비난을 받게 되면 이것이 비로소 일탈이 된다는 것이다. 낙인 이론에서는 어떤 행동의 성격보다 그 행동이 일어나는 상황과 여건을 더욱 중요하게 보았고, 그에 따라 일탈이 매우 상대적인 것임을 부각해 주었다.

1 낙인 이론의 입장에서 위의 만화 속 인물에 대해 평가한 내용으로 적절한 것은 무엇인가요?

① '○○'가 지각을 하게 된 원인을 개인의 심리적 요인에서 찾을 수 있겠군.

② '○○'는 회사에서 게으르고 불성실한 사람이라는 낙인을 벗기가 쉽지 않겠군.

> 견해만 계속 나열하면 어떨까?
> 실현 가능성이 있어야 진짜 제대로 된 견해지!

생각읽기가 수능이다! 🧠 **[견해-사례]의 생각 구조**에서 글쓴이의 생각은 어떻게 알 수 있나요?

실제 시험에서 견해는 반드시 사례가 함께 나와! 왜 그럴까? 견해 혹은 이론만 언급하면, 이론의 실현 가능성 혹은 타당성에 대해서는 다룰 수가 없거든. 견해가 나올 땐, 그 견해의 핵심을 파악해서 사례에 적용해 보고, 견해의 적절성 여부까지 꼭 판단해 보자!

자원을 효율적으로 배분하려면 ─────

경제생활은 국가 경제의 자원을 각 재화*와 용역*의 생산에 투입하고, 생산된 제품을 개인별 소비와 기업별 생산에 배정한다. 자원의 배정 결과를 자원 배분 또는 간단히 줄여서 그냥 배분이라고 부르는데 쓸모 있는 자원이 희소한 만큼 이것을 효율적으로 배분해야 국민의 생활을 보다 더 윤택하게 할 수 있다. 더 적은 자원으로 생산 목표를 달성하면 절약한 자원을 꼭 필요한 물자 생산에 쓸 수 있고, 한정된 자원으로 더 많은 물자를 생산한다면 그만큼 더 풍요롭게 생활할 수 있는 것이다. 이렇게 최소의 자원으로 최대의 물량을 생산하는 자원 이용의 효율성을 기술적 효율성이라고 한다.

그러나 자원을 소모하여 생산한 제품이 쓸모가 떨어지는 물자라면 아무리 기술적 효율성의 조건을 충족했다고 하더라도 그 자원 배분은 자원을 낭비한 것이다. 따라서 자원은 기술적 효율성에 더해 '사회적 필요'를 최대한 충족시키도록 배분되어야 경제적 효율성을 달성할 수 있다. 경제적 효율성의 기준은 '사회적 필요'를 어떻게 설정하는지에 따라서 그에 합당한 모습으로 구체화된다. 이탈리아의 경제학자 파레토는 자원 배분 시 국가 경제의 모든 사람이 배분 B보다 배분 A에서 더 행복하다면 '배분 A가 배분 B보다 사회적으로 더 우월하다'고 판정했다. 경제학에서는 이 우월 관계를 '배분 A가 배분 B보다 파레토 우월하다'고 말한다. 현재의 생산 기술과 가용 자원*으로 실현 가능한 자원 배분을 실현 가능 배분이라고 하는데, 배분 A와 B가 모두 실현 가능할 때 A가 B보다 파레토 우월하다면 배분 B를 모든 사람이 더 좋아하는 배분 A로 개선할 수 있다는 뜻이다. 이러한 개선의 여지를 남겨 둔 실현 가능 배분이라면 자원을 효율적으로 이용한다고 말하기 어렵다. 국민 모두가 현재보다 더 나은 생활을 영위할 수 있다면 현재의 경제생활은 명백히 자원을 비효율적으로 낭비하고 있는 것으로 볼 수 있기 때문이다.

어떤 실현 가능 배분 C보다 파레토 우월한 배분은 모두 실현 불가능하다고 해 보자. 국민 모두의 경제생활을 배분 C보다 일제히 더 좋도록 개선하는 일은 불가능하다. 어떤 사람의 경제 생활을 개선하려면 반드시 다른 어떤 사람의 생활을 악화시켜야 하는 상태가 효율 상태인 것이다. 예컨대 영미는 사과를 한 개 가지고 있고 철수는 커피 한 잔을 손에 들고 있다. 그런데 영미는 사과보다는 커피를 마시고 싶고 철수는 커피보다는 사과를 먹고 싶다. 이 경우 영미가 사과와 커피를 모두 차지하는 배분도 효율 상태이다. 철수의 만족을 위해 사과나 커피를 조금 주려면 영미의 몫이 그만큼 줄어야 하기 때문이다. 마찬가지로 철수가 모두 다 가지는 배분도 역시 효율 상태이다. 이처럼 [㉠]. 파레토는 이와 같이 더 이상 개선할 여지가 없는 배분 C를 효율 배분 또는 최적 배분이라고 정의하였으며, 파레토 효율 또는 파레토 최적이라고도 부른다.

자원은 희소하기 때문에 이것을 낭비하지 않고 효율적으로 활용하는 일이 중요하다. 경제학에서 효율성을 강조하는 것도 이 때문이다. 그러나 효율성만으로 충분한 것은 아니다. 희소한 자원을 한 사람이 모두 독점해 버리면 다른 사람들의 사용은 제한되지만 이 상태는 효율 상태이다. 독점 소유자의 몫을 줄여야 다른 사람들의 생활을 개선시킬 수 있기 때문이다. 그러나 한 사람이 희소한 자원을 모두 독점하는 상태를 효율 상태라는 이유로 무조건 수용할 수는 없다. 따라서 경제적 효율성을 보완하기 위해서는 공평성이 필요하다. 그런데 효율성과는 달리 공평성을 명확하게 합의하는 일은 어렵다. 비효율적인 상태에서 더 효율적인 상태로 개선하자는 것에 대해 반대할 사람은 없겠지만, 어느 효율 상태가 불공평하기 때문에 다른 공평한 효율 상태로 옮겨 가자는 제안에는 반드시 반대자가 나타난다. 이 제안을 실행하면 어떤 사람들의 생활은 개선되겠지만 다른 일부 사람들의 생활은 반드시 악화되기 때문이다. 생활이 악화되는 사람들이 그 공평성의 기준을 수용하도록 기대하기는 어렵다. 그래서 사람들은 효율성에 대해 서는 쉽게 합의하지만 공평성에 대해서는 서로 대립하는 경우가 많은 것이다.

* 재화: 사람이 바라는 바를 충족시켜 주는 모든 물건.
* 용역: 물질적 재화의 형태를 취하지 아니하고 생산과 소비에 필요한 노동을 제공하는 일.
* 가용 자원: 사용할 수 있는 자원.

0 이 글의 논지를 반영한 표제와 부제를 정하려고 할 때, 가장 적절한 것을 고르세요.

① 경제적 효율성의 기준
  - 파레토 이론의 한계 ☐
② 자원 배분의 효율성
  - 효율성과 공평성의 조화 ☐
③ 파레토 이론의 의의
  - 공평성을 이룰 수 있는 방안 ☐
④ 효율적인 자원 배분의 방법
  - 기술적 효율성의 중요성 ☐
⑤ 경제적 효율성의 달성 조건
  - 자원의 희소성과 효율적 배분의 관계 ☐

1 이 글에 대한 설명으로 적절하지 <u>않은</u> 것은 무엇인가요?

① 파레토 우월의 개념과 특성을 밝히고 있다.
② 파레토 이론의 발전 과정을 서술하고 있다.
③ 파레토 이론의 한계와 보완 방법을 제시하고 있다.
④ 파레토 최적과 관련한 구체적 상황을 예로 들고 있다.
⑤ 자원 배분을 효율적으로 해야 하는 이유를 설명하고 있다.

어떤 견해나 내세우는 주장에 대한 근거가 부족하면 비판의 대상이 되곤 해,
이럴 땐 **모자라거나 부족한 것을 보충하여 완전하게** 해야 해.

2 이 글에 대한 반응으로 적절하지 <u>않은</u> 것은 무엇인가요?

① 파레토 최적은 자원 배분의 효율성과 공평성을 모두 포함하는 개념이군.
② 자원 배분 상태의 적절성을 평가하기 위해서는 효율성 이외에도 따져 봐야 하는 것들이 더 있군.
③ 파레토 우월은 개선의 여지가 있는 상태이므로 자원을 효율적으로 배분하였다고 보기 어렵겠군.
④ 사회의 자원이 많이 제한되어 있을수록 사회가 달성할 수 있는 경제적 효율성의 수준이 제한되는군.
⑤ 사회 내에서 다른 사람의 이익을 감소시키지 않고서는 어떤 사람의 이익도 증대시킬 수 없는 배분 상태를 파레토 최적이라고 하는군.

3 ㉠에 들어갈 내용으로 가장 알맞은 것은 무엇인가요?

① 여러 개의 효율 상태가 가능하다
② 독점은 실현 가능한 자원 배분이다
③ 효율성과 함께 공평성이 고려되어야 한다
④ 개선의 가능성이 있어야 효율 상태가 된다
⑤ 효율 상태는 모두의 생활을 개선시킬 수 있다

빈칸에 들어갈 내용이나 이어질 내용을 파악할 때는 앞뒤 내용을 잘 살펴봐야 해. ㉠ 앞에 있는 '이처럼'이라는 말이 힌트야. 그럼 '이처럼'이 가리키는 것이 무엇인지 찾아봐야겠지. 그리고 뒤의 파레토 최적과도 이어질 수 있는 내용인지도 확인해야 정확한 답을 찾을 수 있어.

4 이 글을 참고할 때, 〈보기〉에 대해 이해한 내용으로 적절하지 <u>않은</u> 것은 무엇인가요?

┤보 기├

어느 한 집단에 생산된 자동차가 총 10대가 있으며, 이 집단의 구성원은 '가'와 '나' 2명밖에 없다고 가정하자. 이 집단에서 자동차를 분배하는 정책을 펼치는데, 생산된 자동차를 '가'에게 6대, '나'에게 4대를 제공하는 정책은 A라고 하고, '가'에게 4대, '나'에게 6대를 제공하는 정책은 B라고 한다. 이때, A와 B는 모두 파레토 최적에 해당한다.

① A, B는 모두 더 나은 배분으로 개선할 수 있는 여지가 없군.
② A는 B에 비해 '가'에게 더 많은 만족감을 제공하는 정책으로 볼 수 있군.
③ A와 B는 모두 집단 전체적인 측면에서 효율 상태를 실현한 것으로 볼 수 있군.
④ A에서 B로 바꾸면 집단 전체적인 차원에서 자원 배분의 효율성이 달라지게 되겠군.
⑤ A와 B는 모두 최적의 자원 배분 상태를 이루고는 있지만 서로 다른 분배 효과를 지니게 되겠군.

생체 컴퓨터를 만들다, DNA 컴퓨팅

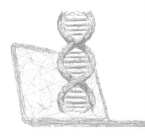

IT 기술의 효율성

Q 일반 컴퓨터의 직렬 연산 방식에 대비되는 DNA 컴퓨팅의 장점은 무엇인가요?

(가) 1946년에 탄생한 세계 최초의 전자식 컴퓨터는 무게가 30톤에 달하며 성능은 오늘날의 값싼 계산기보다도 떨어졌다. 하지만 이후 60년 동안 컴퓨터의 성능은 ㉠비약적으로 발전해 왔다. 이는 정보화 사회의 발전에 따라 중앙 연산 장치 및 반도체 메모리의 집적화* 기술이 발전한 결과라고 할 수 있다. 그런데 현재와 같은 실리콘 반도체 칩을 더 고밀도로 집적하는 기술은 조만간 물리적 공간의 제한성 문제로 인해 기술적인 한계에 도달하게 될 것으로 전망되고 있다. 이러한 문제점을 해결하기 위해 새로운 대안으로 등장한 것이 바로 'DNA 컴퓨팅' 기술이다.

(나) DNA 컴퓨팅을 이해하기 위해서는 우선 DNA의 개념과 그 결합 구조를 이해할 필요가 있다. DNA는 생물체의 세포핵에 있는 화합물의 분자로 유전 정보를 담고 있으며, 그 크기가 매우 작다. 이 DNA는 아데닌(A), 티민(T), 구아닌(G), 사이토신(C)이라고 불리는 네 종류의 염기가 결합하여 형성되는데, 마치 레고 블록을 쌓듯이 이중 나선의 구조로 결합되어 있다. 그리고 네 가지 염기가 결합될 때에는 [그림]과 같이 'A-T', 'G-C'의 짝으로만 결합되는데 이를 염기쌍이라고 한다. 이러한 염기쌍들이 결합된 배열 순서를 염기 서열이라고 하며, 염기 서열은 유전 정보에 따라 결정된다. 이것을 다르게 생각하면 DNA의 염기 서열이 곧 유전 정보라고 이해할 수 있는 것이다.

[그림]

(다) 이러한 염기쌍의 특징과 염기 서열의 개념에서 착안한 컴퓨터 기술이 DNA 컴퓨팅인데, 생체 분자인 DNA를 이용하여 정보를 표현·저장·조작하는 정보 처리 기술을 말한다. 컴퓨터는 0과 1로만 된 이진법으로 모든 정보를 저장하고 처리한다. DNA의 염기쌍 역시 'A-T', 'G-C'의 두 가지 형태로만 이루어지므로, DNA 역시 이진법으로 정보를 저장하고 처리하는 셈이다. 그러니까 예를 들어 'A-T' 염기쌍을 '0'에, 'G-C' 염기쌍을 '1'에 대응시킬 수 있다는 의미인 것이다. 이 염기쌍들의 배열 순서인 염기 서열은 곧 어떤 저장 정보에 대응된다. 따라서 기존의 반도체 대신 DNA 분자를 저장 장치나 처리 장치로 사용하면, 저장 장치 및 처리 장치의 크기를 엄청나게 작게 만들 수 있는 것이다. 뿐만 아니라 각 세포마다 DNA를 가지고 있으므로, 수많은 세포들을 모두 정보 처리에 사용한다면 엄청난 효율성을 가질 수 있게 되는 것이다.

(라) 일반 컴퓨터는 한 번에 하나의 연산을 빠른 시간에 처리하는 직렬 연산 방식을 채택하고 있다. 그러나 처리하고자 하는 정보의 양이 많으면 처리 시간도 늘어나게 되고, 복잡한 수학 문제의 경우는 슈퍼컴퓨터로도 해결할 수 없는 경우가 생긴다. 그런데 DNA 컴퓨팅의 기본 전략은 많은 수의 해*를 유지하면서 연산자를 적용한 후 생성된 많은 수의 해 중에서 최종 조건을 만족하는 해를 발견하는 방법을 취하고 있다. 일반적인 컴퓨터의 알고리즘*이 하나의 해를 유지하면서 주어진 연산자를 이용해 그 해를 계산해 나가는 과정을 통해 최종 해를 찾는 방법을 취하는 데 반해, DNA 컴퓨팅은 엄청난 수의 분자들이 동시에 반응에 참여하는 병렬 연산을 통해 연산 속도를 얼마든지 높일 수 있다. 또한 DNA 1g으로 CD 1조 장의 정보를 저장할 만큼 대용량의 정보를 저장할 수 있으며, 전기가 없어도 수천 년간 수록된 정보를 고스란히 보존할 수 있다는 것도 DNA 컴퓨팅의 매력이다.

(마) 물론 DNA 컴퓨팅이 기존 컴퓨터의 단점을 모두 보완할 수는 없지만, DNA 컴퓨팅의 응용이 단지 어려운 수학적인 문제를 해결하는 데에만 쓰이지는 않을 것이다. DNA 컴퓨팅을 통해 언어나 시각 정보 처리 등 지금의 컴퓨터로 해결하기 어려운 문제도 풀 수 있을 것으로 기대되며, 최근 주목받고 있는 양자 컴퓨터에 비해서도 DNA 컴퓨팅이 기술적으로 쉽다는 평가를 받고 있다. 또한 DNA 컴퓨팅은 최근 나노 바이오 기술과도 접목되고 있어 언젠가는 생체에 이식된 DNA 컴퓨팅 장치가 신체의 기능을 효율적으로 제어하는 날이 올 수도 있을 것이라 기대되고 있다.

* 집적화: 기능의 직접 연결을 목적으로 하여 많은 구성 부품을 설계에서 제조 · 시험 · 운용에 이르기까지 각 단계별로 하나의 단위 상태로 결합하여, 기기 회로 따위를 만드는 일.
* 해: 방정식이나 부등식을 성립시키는 미지수의 값. 또는 미분 방정식 등을 만족시키는 함수(函數).
* 알고리즘: 어떤 문제의 해결을 위하여, 입력된 자료를 토대로 하여 원하는 출력을 유도하여 내는 규칙의 집합. 여러 단계의 유한 집합으로 구성되는데, 각 단계는 하나 또는 그 이상의 연산을 필요로 한다.

0 (가)~(마)의 중심 내용으로 적절하지 **않은** 것을 고르세요.

① (가): DNA 컴퓨팅 기술의 등장 배경 ☐
② (나): DNA의 개념과 결합 구조 ☐
③ (다): DNA 컴퓨팅과 일반 컴퓨터의 정보 처리 방식의 차이 ☐
④ (라): DNA 컴퓨팅 기술이 지닌 장점 ☐
⑤ (마): DNA 컴퓨팅 기술에 대한 낙관적 전망 ☐

앞으로는 다 잘 될 거야!
낙관이란 앞으로의 일이 잘되어 갈 것으로 여기는 것!

1 이 글의 내용과 일치하지 <u>않는</u> 것은 무엇인가요?

① DNA 컴퓨팅은 생체 분자를 실제로 사용하여 연산을 수행한다.
② DNA 컴퓨팅은 병렬 연산을 바탕으로 연산 속도를 높일 수 있다.
③ DNA 컴퓨팅은 컴퓨터의 정보 처리 기술과 DNA 분자를 접목한 기술이다.
④ DNA 컴퓨팅의 정보 처리 속도는 처리해야 하는 정보량이 많을수록 빨라진다.
⑤ DNA 컴퓨팅 장치는 수학 문제의 해결뿐 아니라 다양한 분야에도 적용될 수 있다.

2 이 글의 글쓴이의 관점으로 가장 적절한 것은 무엇인가요?

① DNA 컴퓨팅의 등장으로 반도체 칩 가공 기술이 비약적으로 향상될 수 있었다.
② DNA 컴퓨팅이 발전하면 반도체 칩의 집적 기술을 안정적으로 이어 갈 수 있다.
③ DNA 컴퓨팅의 개발은 반도체 메모리 집적 기술과는 다른 차원의 기술 발전이다.
④ DNA 컴퓨팅의 실용화는 낙관적 전망과 함께 검증되지 않은 위험성도 내포하고 있다.
⑤ DNA 컴퓨팅도 기존의 반도체 메모리 집적 기술과 같이 물리적 한계를 겪게 될 것이다.

관점은 생각의 다른 말이야! 글쓴이의 관점은 곧 핵심
화제에 대한 글쓴이의 생각이나 태도를 말해. 그러니
글쓴이의 생각과 일치하는 것을 찾아야겠지?

3 이 글과 〈보기〉를 읽고 'DNA 컴퓨팅'에 대해 보인 반응으로 적절하지 <u>않은</u> 것은 무엇인가요?

┤보 기├

'외판원 문제'는 외판원이 각 도시를 모두 경유하는 최소한의 경로를 찾는 문제로, 어려운 수학적 문제 중 하나로 꼽힌다. 이 문제를 풀려면 가능한 모든 경우를 다 계산한 다음 최소 거리를 경유하는 경로를 선택하면 되는데, 25개 도시를 경유하는 모든 경우의 수를 계산해 최소 거리를 구하려면 1GHz의 계산 속도를 가진 컴퓨터로도 약 10조 년 이상이 걸린다. 그런데 DNA 컴퓨터가 '외판원 문제'를 해결하여 그 가능성을 증명했다.

모든 경우의 수를 다 계산해 최소 거리를 구해야 하는 '외판원 문제'는 연산과 관련되므로 DNA 컴퓨팅의 연산을 이용하여 어떻게 해결할 수 있을지 생각해 봐.

① 여러 개의 해를 유지하면서 여러 경우의 수를 계산해 낼 것이다.

② 동시다발적으로 연산을 수행하므로 계산 시간이 빨라질 것이다.

③ 한 번에 하나의 경우의 수를 연산하는 일반 컴퓨터의 한계를 극복할 것이다.

④ 생성된 많은 해를 비교하여 최선의 해를 발견하는 과정을 통해 문제를 해결할 것이다.

⑤ 대용량의 정보를 저장할 수 있으므로 정보량이 많으면 계산의 정확성이 더욱 높아질 것이다.

4 문맥상 ㉠과 바꿔 쓰기에 가장 적절한 것은 무엇인가요?

① 순차적(順次的)

② 미온적(微溫的)

③ 퇴보적(退步的)

④ 단계적(段階的)

⑤ 급진적(急進的)

지레의 원리와 인체

지레는 무거운 물건을 움직이는 데에 쓰는 막대기이다. 막대의 한 점을 물체에 받쳐 고정하고, 그 점을 중심으로 하여 한쪽 끝에 작은 힘을 가하면 다른 쪽에서 큰 힘을 얻는 장치이다. 이 지레의 원리는 아주 오래전부터 우리의 일상생활에서 다양하게 적용되어 왔다.

지레를 받치는 곳을 받침점, 힘을 가하는 곳을 힘점, 물체에 힘이 작용하는 곳을 작용점이라고 하며, 이를 지레의 3요소라고 한다. 지레는 큰 돌이나 레일과 같은 무거운 것을 움직이는 작업에 특히 효율적이고, 대저울, 병따개, 핀셋, 가위 등과 같은 다양한 도구뿐만 아니라 도르래나 자동차의 핸들과 같은 장치에도 그 원리가 적용되고 있다.

지레는 가운데에 지레의 3요소 중 어떤 점이 놓이느냐에 따라 1종, 2종, 3종 지레로 나뉜다. 1종 지레는 그림 [A]와 같이 작용점과 힘점 사이에 받침점이 놓여 있으며, 힘점과 작용점은 힘의 방향이 반대이다. 무거운 돌을 들기 위해서는 지렛대 끝에 힘을 주어야 하는데, 그 이유는 받침점과 작용점 사이의 거리보다 받침점과 힘점 사이의 거리가 길수록 작용점에 미치는 힘이 커지기 때문이다. 2종 지레는 그림 [B]와 같이 받침점과 힘점 사이에 작용점이 놓여 있으며, 힘점과 작용점은 힘의 방향이 같다. 이 경우도 1종 지레와 마찬가지로 병따개 손잡이의 뒤쪽을 잡을수록 작은 힘으로 병뚜껑을 딸 수 있다. 따라서 1, 2종 지레를 사용하면 작은 힘을 가하여 큰 힘을 얻을 수 있다. 3종 지레는 그림 [C]와 같이 받침점과 작용점 사이에 힘점이 놓여 있으며, 힘점과 작용점은 힘의 방향이 같다. 3종 지레는 1, 2종 지레와 달리 받침점에서 힘점까지의 거리가 받침점에서 작용점까지의 거리보다 짧기 때문에 작은 힘을 가하여 큰 힘을 얻을 수는 없다. 하지만 힘점을 짧게 움직여서 작용점을 길게 움직일 수 있기 때문에 이동 거리 측면에서는 효율적이다. 핀셋의 경우, 힘점에 가하는 힘에 비해 작용점에 미치는 힘이 더 작지만, 힘점인 가운데 부분을 조금만 움직여도 작용점인 끝부분이 더 많이 움직이게 된다. 따라서 3종 지레를 사용하면 짧은 거리를 움직여서 긴 거리를 움직일 수 있다.

[A]   [B]   [C]

이러한 지레의 원리는 우리의 인체에도 적용이 된다. 예를 들어 목 뒤 근육에 힘을 주어 머리를 들어 올릴 때에는 1종 지레의 원리가 적용된다. 목뼈를 받침점으로 하여 목뼈 뒤쪽의 근육이 수축하면서 힘을 주면 머리를 들어 올릴 수 있다. 또한 다리 근육을 이용하여 발뒤꿈치를 들어 올릴 때는 2종 지레의 원리가 적용된다. 발가락을 받침점으로 하여 받침점에서 먼 다리 근육이 수축하여 힘을 주면 작용점에 해당하는 발뒤꿈치를 들어 올릴 수 있기 때문이다. 팔은 3종 지레의 원리로 움직인다. ㉠물건을 손으로 들어 올릴 경우, 팔꿈치를 중심으로 팔의 근육이 수축하면서 물건을 들어 올릴 수 있다.

0 이 글의 핵심 내용을 다음과 같이 요약할 때, (　　)에 들어갈 단어로 알맞은 것은 무엇인가요?

> 　지레의 원리를 이용하면 (　　　　)의 효율성을 높일 수 있으며, 지레의 원리는 다양한 도구뿐만 아니라 인체에서도 찾아볼 수 있다.

① 힘　　　　　② 무게　　　　　③ 비용

④ 속도　　　　⑤ 제작

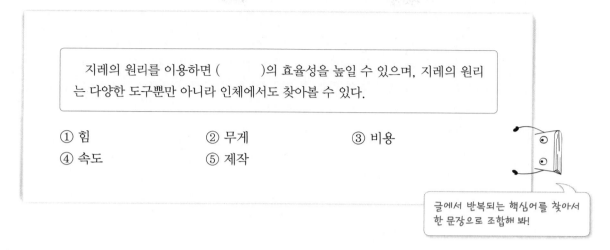

글에서 반복되는 핵심어를 찾아서 한 문장으로 조합해 봐!

1 **이 글을 통해 알 수 있는 내용으로 적절하지 <u>않은</u> 것은 무엇인가요?**

① 1종, 2종, 3종 지레 모두 힘점과 작용점의 힘의 방향이 같다.

② 3종 지레는 1종 지레와 2종 지레에 비해 이동 거리 면에서는 효율적이다.

③ 고개를 들어 올릴 때 목뼈 뒤의 근육을 힘점, 머리를 작용점으로 볼 수 있다.

④ 3종 지레는 2종 지레와 달리 힘점에 가하는 힘보다 작용점에 미치는 힘이 작다.

⑤ 지레는 받침점과 작용점의 거리가 받침점과 힘점의 거리보다 짧을수록 힘의 효율이 높아진다.

2 **이 글을 읽고 심화 학습을 하기 위한 질문으로 가장 적절한 것은 무엇인가요?**

① 1종, 2종, 3종 지레의 차이점은 무엇일까?

② 지레의 종류를 구분하는 기준은 무엇일까?

③ 지레의 효율을 높일 수 있는 방법은 무엇일까?

④ 지레는 정확히 언제부터 사용되었고 어떻게 발전했을까?

⑤ 일상생활에서 지레의 원리가 적용되는 것에는 무엇이 있을까?

3 이 글을 참고하여 다음 (가), (나)를 이해한 내용으로 적절하지 <u>않은</u> 것은 무엇인가요?

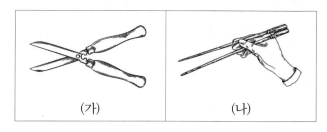

(가)   (나)

(가)와 (나)에서 받침점, 작용점, 힘점이 어디인지 파악해 봐.

① (가)는 1종 지레에 해당하겠군.

② (가)로 물체를 자를 때 손잡이 끝 쪽을 잡을수록 힘이 덜 들겠군.

③ (나)는 힘점이 받침점과 작용점 사이에 놓여 있군.

④ (나)는 (가)와 달리 힘점과 작용점의 힘의 방향이 같군.

⑤ (가)와 (나)는 모두 작은 힘을 들여 큰 힘을 얻고자 할 때 사용하는 도구이군.

4 ㉠에 대한 설명으로 가장 적절한 것은 무엇인가요?

① 팔 근육과 손바닥의 힘의 방향은 다르다.

② 팔 근육이 수축한 거리보다 손바닥이 움직인 거리가 더 길다.

③ 팔 근육에 가하는 힘은 물건의 무게에 미치는 힘보다 작을 것이다.

④ 팔꿈치에 더 강한 힘이 가해질수록 손바닥이 움직이는 거리는 길어진다.

⑤ 팔 근육을 중심으로 팔꿈치가 수축되면서 가해진 힘이 물건을 들어 올리게 한다.

셉테드와 안전한 지역 사회

범죄 예방을 위한
집합 효율성

Q 셉테드는 인간과 환경의
관계를 어떻게 보는 관점인가
요?

　최근 건축이나 환경 설계를 통해 범죄를 사전에 예방하여 안전한 환경을 조성하기 위해 셉테드가 도입되고 있다. 셉테드란 적절한 디자인과 주어진 환경의 효과적인 활용을 통해 범죄 발생 수준 및 범죄에 대한 두려움을 감소시키고 삶의 질을 향상시키는 것을 말한다. 환경이 인간의 행동과 태도에 영향을 미치며, 그것이 결과적으로 범죄 수준과 범죄에 대한 두려움을 줄여 줄 수 있다고 보는 것이다. 이때의 환경은 단지 물리적 환경 또는 도시 설계만을 의미하는 것은 아니다. 셉테드는 행동에 대한 인식, 사회 과학, 법 집행 그리고 공동체 조직과 같은 보다 포괄적인 개념들을 포함하고 있다.

　셉테드 전략에는 자연적 접근 통제, 자연적 감시, 영역성이라는 세 가지 주요 전략이 존재한다. 먼저 자연적 접근 통제는 출입구, 울타리, 조경*, 문 등 시설물을 적절히 배치하여 사람들이 보호 공간에 들어오고 나가는 것을 통제하는 것을 말한다. 이를 통해 범죄 목표물에의 접근을 차단하는 것으로 범죄인에게 체포의 위험을 인식시키고자 하는 전략이다. 자연적 감시는 공간과 시설물에 대한 가시권을 확보하고 잠재적 범죄자의 은폐 장소를 최소화시킴으로써 내부인이나 외부인의 행동을 주변 사람들이 자연스럽게 관찰할 수 있게 만드는 것이다. 이 전략은 주로 경찰 순찰 같은 조직적 감시, 조명이나 CCTV 설치 같은 기계적 감시와 함께 창문 같은 자연적 감시를 통한 관찰을 이용한다. 마지막 영역성은 안과 밖이라는 공간 영역을 조성하여 거주하는 주민에게는 자신들의 영역에 대한 소속감을 증대시키고 잠재적인 범죄인에게 영역감을 인식시켜 범죄를 예방하려는 전략이다. 자연적 접근 통제와 자연적 감시는 범죄 예방을 위해 효과적인 영역감을 조성하는 데 기여하는 것으로 인식되고 있다. 즉, 자연적 접근 통제와 자연적 감시는 주민의 영역을 보호함으로써 주민들에게는 더욱더 범죄에 대한 관심을 가지게 할 것이고, 잠재적 범죄인에게는 더 많은 위험을 느끼게 할 것이라고 본 것이다.

　이것은 바로 범죄 예방을 위한 집합 효율성과도 연결이 된다. 집합 효율성이란 '지역 주민 간 상호 신뢰 또는 연대감뿐만 아니라 범죄와 같은 사회 문제에 대한 지역 주민의 적극적 개입, 즉 비공식적 사회 통제의 결합'을 의미한다. 지역 사회의 범죄율 차이는 지역 주민, 사업체, 지자체 등 지역 사회의 구성원들이 범죄 문제를 공공의 적으로 인식하고 이를 해결하기 위해 적극적으로 참여하는 것에서 비롯되며, 집합 효율성이 높을수록 그 지역의 불리한 사회 경제적 여건이 범죄에 미치는 영향이 적어지는 효과가 있다는 것이다. 즉, 아무리 생활수준이 ㉠낮고 유해 환경에 많이 노출된 지역이더라도 구성원들 간의 합의와 의지, 공동의 노력 등 사회적 통제가 잘 가동된다면 얼마든지 범죄 문제에 효과적으로 대응할 수 있다.

　따라서 최근 논의되는 2세대 셉테드에서는 사회적 응집*과 지역 사회 문화가 강조되고 있다. 사회적 응집은 지역 주민들 간의 관계를 강화시키는 전략으로 단순히 감시하는 역할만 하는 것이 아니라 문제를 함께 해결하고자 방법을 찾을 수 있는 관계를 만들어 가는 것이다. 지역 사회 문화는 지역 주민들이 자신들의 영

역에 있는 것들을 보호하고 주의를 기울이고자 하는 공동체 의식이다. 지역 사회 문화는 지역 주민들에게 공동의 문화를 가지도록 해 준다. 공동의 문화가 생겼을 때 사람들은 지역 사회 공간에 대한 의식, 영역 통제에 관한 필요성을 인식하게 되고 자발적인 통제를 할 수 있게 되는 것이다.

안전한 지역 사회는 지역 사회 내 각 기능들이 적절히 이루어지고, 범죄율이 낮은 공동체를 말한다. 또한 주민들의 참여가 광범위하게 이루어지고, 뚜렷한 지역 문화가 존재하며, 다양한 층의 지역 주민들이 긍정적인 상호 작용을 할 수 있는 기회가 제공된다. 결국 단순히 도시의 물리적 측면의 개선만으로는 안전하고 건강한 사회를 만들 수 없으며 지역 사회의 유대, 응집력, 의사소통, 집합 효율성, 비공식적 사회 통제 등 사회 문화적·경제적 측면을 함께 고려한 개선 노력이 필요한 것이다.

* 조경: 경치를 아름답게 꾸밈.
* 응집: 한군데에 엉겨서 뭉침.

0 이 글에 드러나는 글쓴이의 논지가 무엇인지 고르세요.

① 셉테드의 주요 전략과 그 의의
② 셉테드를 통한 범죄인의 인식 변화 기대
③ 범죄 예방을 위해 도입된 셉테드의 장점과 한계
④ 범죄율을 낮출 수 있는 물리적 환경 조성의 중요성
⑤ 안전한 지역 사회를 만들기 위한 법적 장치의 필요성

1 **이 글의 서술 방식으로 가장 적절한 것은 무엇인가요?**

① 예상되는 반론을 언급하며 이를 반박하고 있다.

② 핵심 개념에 대한 다양한 관점을 비교하고 있다.

③ 핵심 개념의 의미를 밝힌 뒤 그 가치를 제시하고 있다.

④ 문제 해결을 위한 방법의 변화 과정을 분석적으로 설명하고 있다.

⑤ 핵심 개념에 대한 두 이론을 절충하여 새로운 이론으로 통합하고 있다.

2 **이 글의 내용과 일치하지 <u>않는</u> 것은 무엇인지 고르세요.**

① 집합 효율성과 지역 사회의 범죄율은 비례 관계에 있다. ☐

② 2세대 셉테드에서는 집합 효율성을 높이기 위한 전략이 강조된다. ☐

③ 셉테드는 물리적 환경뿐만 아니라 사회 문화적 측면까지도 포함하는 전략이다. ☐

④ 셉테드의 주요 전략은 결국 영역감을 강화하여 범죄를 예방하고자 하는 목적을 지닌다. ☐

⑤ 기존의 셉테드 전략보다 2세대 셉테드는 문제 해결을 위한 주민들의 적극적인 역할을 요구한다. ☐

내용의 일치 여부를 묻는 문제에서는 특히 두 대상을 비교하거나 둘의 관계를 제시한 선지에 주의해야 해. 이 선지들은 두 대상에 관한 내용을 서로 바꾸어 제시하는 경우가 많으니 함정에 빠지지 마.

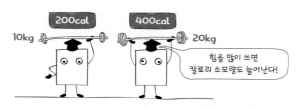

비례 관계란, **두 수나 두 양의 비가 항상 일정할 때 그 둘의 관계**를 의미해. 커지면 함께 커지고, 작아지면 함께 작아지는 그런 관계 말이야.

3 이 글을 참고하여 〈보기〉에 대해 설명한 내용으로 적절하지 <u>않은</u> 것은 무엇인가요?

┤보 기├

　　□□ 아파트는 지어진 지가 오래되어 다소 음침한 느낌을 주는 곳이었다. 이에 주민 대표와 아파트 관리 업체의 협력으로 단지 내 외진 장소에 CCTV를 설치했다. 또한 사람들의 시선을 막고 있는 담장을 철거하고, 대신 작은 나무와 꽃들을 심은 화단을 조성했다. 외부인의 출입을 통제하기 위해 후문을 폐쇄하고 단지 내로 들어오는 사람들의 통행을 정문으로 유도했다. 그리고 주민 대표단은 주민 자치 모임을 조직하여 단지의 문제점을 주민들과 공유하며 환경 개선을 위한 활동을 주기적으로 실시하고, 주민들이 참여하는 벼룩시장과 같은 이벤트를 통해 주민들의 화합을 유도하기 위해 노력하고 있다.

① 후문을 폐쇄한 것은 '자연적 접근 통제'를 통해 범죄인이 목표물에 접근하는 것을 차단하기 위한 전략이다.

② 주민 자치 모임을 운영하는 것은 '지역 사회 문화'를 통해 지역 사회 공간에 대한 의식의 필요성을 인식하게 하기 위한 것이다.

③ 주민들이 참여하는 이벤트를 실시하는 것은 '사회적 응집'을 통해 문제를 함께 해결해 나갈 수 있는 관계를 만들고자 하는 것이다.

④ 외진 장소에 CCTV를 설치한 것은 '영역성'을 통해 아파트 단지 안과 밖이라는 공간 영역을 명확하게 확립하여 범죄를 예방하려 한 것이다.

⑤ 담장을 허문 것은 아파트 시설물에 대한 가시권을 확보하는 '자연적 감시'를 통해 범죄가 발생할 여지가 있는 상황이 자연스럽게 노출되도록 하기 위한 것이다.

4 문맥상 ㉠과 의미가 가장 가까운 것은 무엇인가요?

① 물은 <u>낮은</u> 곳으로 흐른다.

② 소령은 대령보다 계급이 <u>낮다</u>.

③ 이 물질은 끓는점이 물보다 <u>낮다</u>.

④ 콘트라베이스의 <u>낮은</u> 선율이 흘렀다.

⑤ 원격 수업의 질이 <u>낮다는</u> 불만이 있다.

열효율과 열역학 법칙

열에너지의 효율성

Q 열역학 제1법칙이 의미하는 것은 무엇인가요?

(가) 열역학은 열 현상을 다루는 분야이다. 18세기에는 열의 실체가 칼로릭(caloric)이며, 칼로릭은 온도가 높은 쪽에서 낮은 쪽으로 흐르는 성질을 갖고 있고, 질량이 없는 입자들의 모임이라는 칼로릭 이론이 받아들여져 이를 기반으로 열역학을 설명하려는 시도들이 있었다. 특히 산업 혁명 시기에 증기 기관이 등장하면서 사람들은 어떻게 하면 증기 기관 같은 열기관에 똑같은 열량을 투입해서 최대한의 역학적인 일을 시킬 수 있을 것인가에 대해 관심을 갖기 시작하였다. 즉 열이 어떻게 일로 바뀌고, 그 효율은 어떻게 되는지에 대해 궁금해했고, 19세기 초 카르노가 이를 연구하는 과정에서 열역학이 정립되었다.

(나) 열기관은 높은 온도의 열원*에서 열을 흡수하고 낮은 온도의 대기와 같은 열기관 외부에 열을 방출하며 일을 하는 기관을 말하는데, 카르노는 이상적인 열기관인 카르노 엔진 모형을 만들어 높은 온도의 열원에서 투입된 열량이 어떻게 역학적인 일로 바뀌고 낮은 온도의 열원으로 열량이 빠져나가는지를 연구하였다. 카르노 엔진의 열효율, 즉 투입한 열량 대비 역학적인 일을 한 비율은 두 열원의 온도에 의해서만 결정된다. 카르노 엔진은 이상화된 열기관이기 때문에 실제 열기관보다도 열효율이 높다. 그럼에도 열기관이 높은 온도의 열원에서 열량을 가져와 엔진을 돌리고 낮은 온도로 열을 방출하는 이상 결코 100%의 열효율을 달성할 수 없다.

(다) 열역학과 관련해서는 두 가지 중요한 법칙이 있다. 제1법칙은 어떤 대상에 열을 가하면 그 대상은 공급된 열의 양만큼 어떤 일을 하고 내부의 에너지를 증가시킨다는 것이다. 여기에는 두 가지 의미가 포함되어 있다. 첫째, 열이 일 또는 에너지와 형태만 다를 뿐 서로 전환이 가능하다는 것으로, 이것은 열과 일, 또는 열과 에너지 사이에는 등가성*을 가진다는 의미이다. 이와 관련하여 줄(Joule)은 물통에 물을 담고 그 속에서 프로펠러를 돌려 물을 휘젓는 장치를 고안하였고, 이 실험에서 수온이 올라간다는 사실을 알아냈다. 여기서 프로펠러를 돌리는 것은 일을 한 것에 해당하고, 수온이 올라간 것은 열이 발생한 것을 의미한다. 줄은 얼마나 일을 했고, 얼마나 열이 올랐는지를 정확하게 측정하였고, 그 결과 일과 열의 등가성을 확인하였다. 그리고 일을 할 수 있는 힘을 에너지라고 하므로, 이 정의에 따라 일과 에너지는 등가성을 가진다는 것을 알 수 있다. 따라서 줄의 실험은 '일과 열'의 등가성, 나아가 '에너지와 열'의 등가성을 확인한 것이다. 둘째, 제1법칙은 결국 에너지 보존 법칙을 의미한다는 것이다. 즉, 에너지가 어디서 사라지거나 갑자기 생기는 것이 아니라 열과 일이 상호 전환될 때 열과 일의 에너지를 합한 양은 일정하게 보존된다는 것이다. 이처럼 제1법칙은 열과 에너지의 전환 관계를 발견하고 열 현상에 적용되는 에너지 보존 법칙을 찾았다는 점에서 의의가 있다.

(라) 열역학 제2법칙은 1850년 클라우지우스가 주장한 법칙으로 열은 방향성이 있어 항상 온도가 높은 곳에서 낮은 곳으로 흐른다는 것이다. 그는 카르노의 이론이 유지되지 않는다면 열은 저온에서 고온으로 흐르는 현상이 생길 수도 있을 것이라는 가정에서 출발하여, 열기관의 열효율은 열기관이 고온에서 열을 흡수하고 저온에 방출할 때의 두 작동 온도에만 관계된다는 카르노의 이론을 증명하였다.

(마) 또한 클라우지우스는 카르노 엔진처럼 아무리 이상적인 열기관을 만들더라도 열효율이 결코 100%가 되지 않아 어떻게든 낭비되는 열량이 있다는 것에 관심을 가졌다. 일은 100% 열이 될 수 있지만 열은 100% 일로 전환되지 못하는데, 그는 이처럼 일이 열로 전환될 때와는 달

리, 열기관에서 열 전부를 일로 전환할 수 없다는 상호 전환 방향에 관한 비대칭성이 있다는 사실에 ⓐ주목하였다. 그리고 이러한 방향성과 비대칭성에 대한 논의는 이를 설명할 수 있는 새로운 물리량인 엔트로피의 개념을 낳았다. 열역학 제2법칙에 따르면 우리가 겪는 모든 과정과 현상은 ㉠엔트로피가 증가하는 방향으로 일어난다. 예를 들어 물에 ㉡잉크를 떨어트리면 잉크 분자가 물 전체에 ㉢골고루 퍼지는 것을 볼 수 있는데 그것이 역으로 ㉣다시 모여드는 일은 일어나지 않는 것이다. 이처럼 자연은 ㉤무질서한 상태로 나아가려는 경향을 보이며, 이를 엔트로피 증가의 법칙이라고 한다.

* 열원: 열이 생기는 근원.
* 등가성: 가치가 서로 같은 성질.

0 이 글을 쓰기 전 글쓴이가 머릿속에 떠올렸을 구조도로 가장 적절한 것은 무엇인가요?

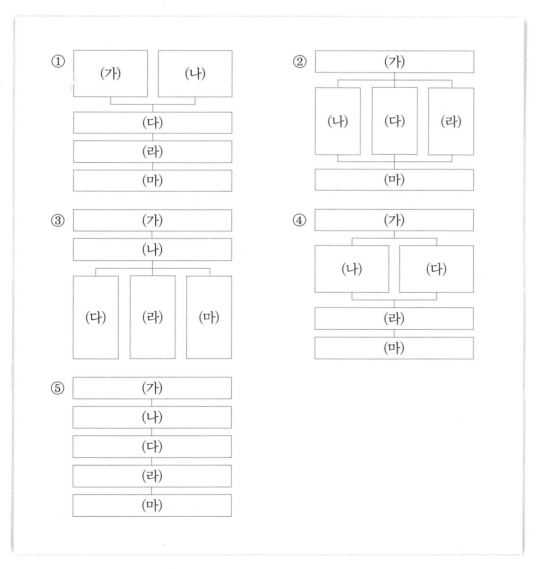

1 이 글을 통해 알 수 있는 내용으로 적절한 것은 무엇인가요?

① 열과 일의 상관관계를 밝히는 과정에서 산업 혁명이 유발되었다.
② 자연 현상에서 저절로 엔트로피가 감소되는 일은 일어나기 어렵다.
③ 에너지는 다른 형태로 변환이 가능하지만 정량적 측정은 불가능하다.
④ 열기관은 일을 열로 변환하여 생성된 열을 외부로 방출하는 기관이다.
⑤ 카르노는 열이 저온에서 고온으로도 흐를 수 있다는 것을 입증하였다.

2 ㉠~㉤ 중, 나타내는 의미가 같은 것끼리 묶은 것은 무엇인가요?

① ㉠, ㉤ / ㉡, ㉢, ㉣
② ㉠, ㉡, ㉢ / ㉣, ㉤
③ ㉠, ㉡, ㉣ / ㉢, ㉤
④ ㉠, ㉢, ㉤ / ㉡, ㉣
⑤ ㉠, ㉢ / ㉡, ㉣, ㉤

단어나 구절이 나타내는 의미가 같은 것을 찾는 것은 결국 글의 내용을 잘 이해하고 있는지를 묻는 거야. 제시된 개념어와 예로 든 상황을 일대일로 대응시켜 살펴봐야 해.

3 이 글을 바탕으로 나눈 대화 내용으로 적절하지 <u>않은</u> 것은 무엇인가요?

> **다희** 에너지 보존 법칙에 따르면 어떠한 기관도 공급한 에너지보다 더 많은 일을 할 수 없어. 일을 하면 일한 만큼 에너지를 사용해야 하기 때문이야. ·············· ①
>
> **주원** 에너지 사용으로 인해서 일로 전환할 수 있는 열에너지는 계속해서 줄어들게 되지. 그렇기 때문에 에너지 공급 없이 계속 일을 하는 것은 불가능해. ·········· ②
>
> **다희** 맞아. 계속해서 일을 하려면 스스로 에너지를 창조해야 하는데 이것은 엔트로피 증가 법칙에 위배되는 것이지. ···························· ③
>
> **주원** 만일 열효율이 100%인 기관을 만들고자 한다면, 그것은 열과 일이 상호 전환될 때 상호 전환 방향에 비대칭성이 있다는 것을 간과한 거야. ·················· ④
>
> **다희** 맞아. 낮은 열원에서 에너지를 가져와 높은 열원으로 방출할 수 있다고 생각하는 것도 열역학 제2법칙에 위배되는 거야. ························ ⑤

4 ⓐ의 사전적 의미로 적절한 것은 무엇인가요?

① 관심을 가지고 주의 깊게 살핌.
② 어떤 일을 몹시 즐겨서 거기에 빠짐.
③ 마음속 깊이 감동받아 일어나는 흥취.
④ 어떤 일에 온 정신을 다 기울여 열중함.
⑤ 어떤 부분을 특별히 강하게 주장하거나 두드러지게 함.

Q 다음은 생각을 읽을 수 있는 지문 구조도를 퍼즐로 나타낸 것입니다. 앞에서 읽은 글의 내용을 떠올리며 생각읽기 1~6에 해당하는 퍼즐을 선으로 연결해 보세요.

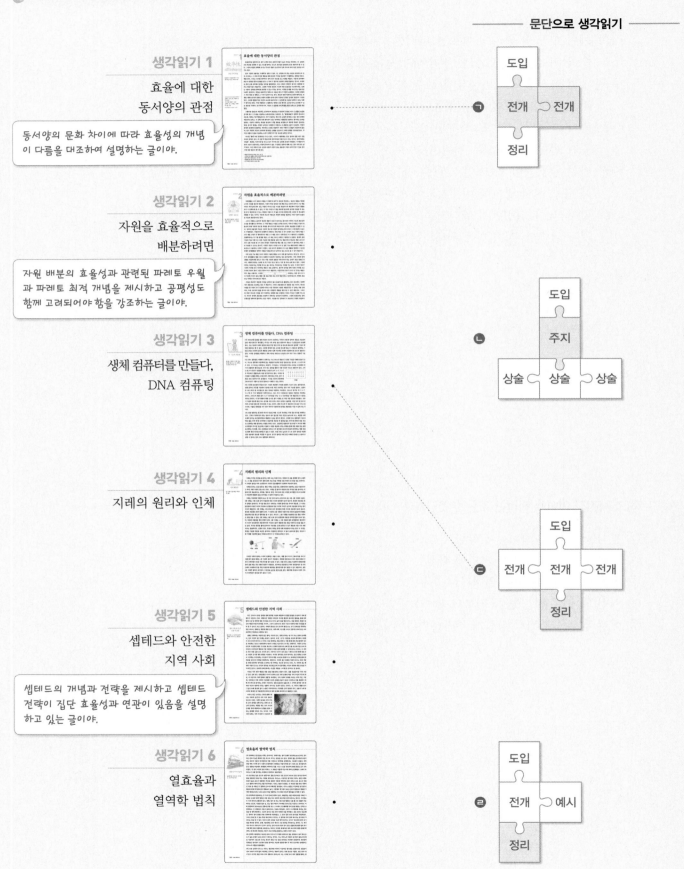

문단으로 생각읽기

생각읽기 1

효율에 대한
동서양의 관점

동서양의 문화 차이에 따라 효율성의 개념이 다름을 대조하여 설명하는 글이야.

생각읽기 2

자원을 효율적으로
배분하려면

자원 배분의 효율성과 관련된 파레토 우월과 파레토 최적 개념을 제시하고 공평성도 함께 고려되어야 함을 강조하는 글이야.

생각읽기 3

생체 컴퓨터를 만들다,
DNA 컴퓨팅

생각읽기 4

지레의 원리와 인체

생각읽기 5

셉테드와 안전한
지역 사회

셉테드의 개념과 전략을 제시하고 셉테드 전략이 집단 효율성과 연관이 있음을 설명하고 있는 글이야.

생각읽기 6

열효율과
열역학 법칙

ㄱ

도입
전개 ⌐ 전개
정리

ㄴ

도입
주지
상술 ⌐ 상술 ⌐ 상술

ㄷ

도입
전개 ⌐ 전개 ⌐ 전개
정리

ㄹ

도입
전개 ⌐ 예시
정리

1 서양의 [ ][ ]은 모델화를 따르는데 변수로 인한 한계가 있고, 동양은 형세가 중심이 되는데 상호 인정과 타협의 과정이 부재한 한계가 있다.

2 [ ][ ][ ] 이론에 따르면, 개선의 여지가 있는 파레토 우월보다는 개선할 여지가 없는 파레토 최적이 배분의 효율 상태인데, 이러한 효율성을 보완하려면 공평성도 고려되어야 한다.

3 [ ][ ][ ] 컴퓨팅은 DNA 분자를 매체로 활용하여 기존 컴퓨터의 단점을 보완한 기술로 미래에 긍정적인 역할을 할 것으로 기대된다.

4 지레는 받침점, 힘점, 작용점 간의 거리에 따라 작은 힘으로 큰 힘을 얻는 장치로, 1종, 2종, 3종 지레가 있으며 [ ][ ]에도 지레의 원리가 적용된다.

5 [ ][ ] 예방을 위해 고안된 셉테드는 자연적 접근 통제, 자연적 감시, 영역성을 주요 전략으로 하며 집합 효율성과 연결되어 안전한 사회를 만들기 위한 대응을 한다.

6 열기관의 열효율에 대한 [ ][ ][ ]의 제1법칙은 열과 에너지의 전환 관계와 에너지 보존 법칙을 찾았고, 제2법칙은 열의 방향성과 비대칭성을 밝히고 엔트로피의 개념을 낳았다.

인간은 어떻게 효율을 추구할까?

"세상에 무한한 것은 없다"

세상에 존재하는 것들 중에 우리가 무한히 활용할 수 있는 것은 거의 없습니다. 무엇이든 한계가 있으며, 이것은 유형의 것들뿐만 아니라 시간과 같은 무형의 것에도 해당이 됩니다.

따라서 우리가 삶을 좀 더 가치 있게 살기 위해서는 제한된 환경이나 물건들을 최대한 활용할 수 있는 효율적인 방안을 고민해야 합니다. 낭비되는 것 없이 어떻게 하면 효율적으로 살아갈 수 있을까를 고민하다 보면, 앞으로 우리가 어떤 선택을 하며 살아가야 할지 삶의 방향도 알게 되지 않을까요?

> 낭비한 시간에 대한 후회는 더 큰 시간 낭비이다.
> – 메이슨 쿨리

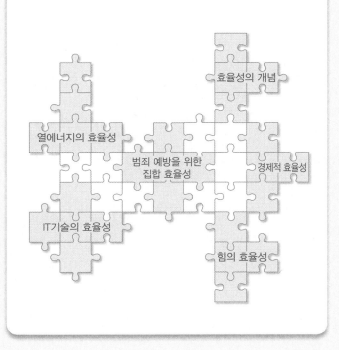

05 아이러니

아이러니를 말하다!

우리는 어떤 일을 할 때나 어떤 상황을 바라볼 때, 앞으로 어떤 결과가 나타날지를 예상합니다. 그리고 대부분의 경우에는 그 예상이 적중하죠. 그런데 극히 낮은 확률로 예상과는 정반대의 결과가 나타나기도 합니다. 그런 상황을 표현할 때 '아이러니'라는 말을 사용합니다. '아이러니'한 상황은 개인적 차원뿐만 아니라 사회·역사적 차원에서도 나타나며, 과학적 현상에서도 발견할 수 있습니다. 그럼 아이러니한 상황에는 어떤 것들이 있으며, 그런 상황이 왜 일어나는지 살펴볼까요?

아이러니란 무엇인가

연극에서의
아이러니 기법

Q '아이러니'란 말의 어원과
유래에 담긴 의미는 무엇인가
요?

나열하는 글, 어떻게 읽어야
할까
나열의 시작점,
글의 중심 화제를 파악하라!
▶ 생각읽기가 수능이다 134쪽

　기원전* 4세기를 전후해서 그리스 지역에서는 연극이 크게 발달하였다. 연극 기법들 역시 함께 발달했는데, 그중 하나가 아이러니이다. 아이러니는 원래 고대 그리스 연극에 자주 등장하는 '에이런'이라는 인물의 이름에서 유래된 말이다. 그리스 희극의 전형적인 인물인 에이런(eiron)과 알라존(alazon)이 무대에서 논쟁을 펼치는데, 에이런은 약자로서 겸손하고 총명한 인물이지만 반대로 알라존은 강자로서 거만하고 우둔한 인물이었다. '아이러니'라는 말은 약자이면서 패배할 듯 보이는 에이런이 승리하는 데서 생겨난 것이다. 이렇게 패배할 것처럼 보이는 행위가 오히려 승리를 거두게 되고, 표면에 드러난 의미가 숨겨진 의미에 의해서 전도되는 그리스 희극의 본질에서 그 주인공 '에이런'에 어원을 둔, '위장, 변장, 속뜻을 감추며 시치미 떼기'를 의미하는 고대 그리스어 'eironeia'(에이로네이아)를 거쳐, 아이러니라는 말로 자리 잡았다. 아이러니는 다양한 의미로 사용되는데, 주로 사람들의 의도·기대·예상 등에 반하는 말이나 상황, 또는 결과를 지칭할 때 사용한다. 연극에 사용되는 아이러니에는 언어적 아이러니, 상황적 아이러니, 극적 아이러니가 있다.

　㉠언어적 아이러니는 극의 등장인물이 생각하는 바와 반대로 말하여 청자가 스스로 그 의미를 파악하게 만드는 표현 방법을 의미한다. 의사 전달을 효과적으로 하기 위한 표현 방법을 연구하는 학문인 수사학*에서는 언어적 아이러니를 반어법*이라고 한다. 예를 들어 어떤 잘못을 저질렀는데 부모님께서 '잘 했다.'라고 말한 경우가 언어적 아이러니에 해당한다. 관객은 등장인물이 처한 상황과 맥락*을 파악하고 있으므로 인물이 왜 그런 말을 했는지 그 의도를 알고 있다. 인물의 대사에 언어적 아이러니가 사용되면, 부정적인 인물이나 상황에 대해 풍자할 수 있으며, 부정적 현실에 대한 냉소적*인 태도를 드러낼 수 있다. 여기서 풍자란 주어진 사실을 곧이곧대로 드러내지 않고 과장 또는 왜곡하거나, 비꼬아서 표현하여 웃음을 유발하는 것을 말한다. 이로 인해 언어적 아이러니는 관객의 웃음을 유발하여 연극에 흥미를 더 많이 느끼게 만들고, 극에 더욱 몰입하도록 만든다.

　㉡상황적 아이러니는 등장인물이나 관객이 기대하거나 적절하다고 생각하는 것과는 반대의 상황이 전개되는 것을 의미한다. 예를 들어 불이 난 것을 보고 신고를 하러 소방서를 찾았는데, 소방서가 불에 타고 있는 상황은 상황적 아이러니에 해당한다. 상황적 아이러니는 작가가 의도적으로 상황을 반전시킴으로써 관객에게 일종의 심리적인 충격을 주는 기법이다. 등장인물과 관객 모두 주인공이 행복해지거나 상식적인 사건의 전개를 기대하지만, 의도하지 않은 사건으로 인해 상황이 반전된다면 관객은 아쉬움과 안타까움을 크게 느끼는 동시에 충격에 빠지게 된다.

　㉢극적 아이러니는 관객이나 다른 등장인물들은 다 아는 사실을 정작 사건의 중심에 있는 특정 인물만 모른 채 사건이 전개되는 상황을 의미한다. 작가는 의도적으로 주인공이 상황을 제대로 파악하지 못하여 잘못된 행동을 하거나, 다가올 미래에 대해 엉뚱한 기대를 하도록 만든다. 예를 들어 셰익스피어의 희곡 「햄릿」은 모두가 알고 있는 패배를 주인공만 모른 채, 운명에 도전하다가 철저히 몰락하는 비극으로, 극적 아이러니 기법이 사용된 대표적인 작품으로 평가받는다. 특히 비극에 극적 아이러니 기법이 사용되면, 관객은 높은 긴장감을 가지고 연극에 몰입하게 된다.

아이러니 기법이 사용되면 관객들은 처음에는 인물과 상황에 대해 안타까워하지만, 점점 사건의 의미를 곰곰이 생각하게 되고, 더 나아가 작가의 의도, 즉 작가가 전달하고자 하는 삶의 교훈, 바람직한 삶의 태도 또는 삶과 세계의 의미 등을 파악하게 된다. 이를 통해 작가는 자신이 전달하고자 하는 바를 보다 강렬하고 인상 깊게 전달할 수 있다. 이러한 아이러니 기법은 연극에서만 사용되지 않고, 이후에 시와 소설 등의 문학 작품을 비롯한 예술 작품의 창작 기법으로 확대되어 사용되었다. 뿐만 아니라 소크라테스가 대화했던 것처럼 사람들에게 철학적 깨달음을 주기 위한 방법으로 활용되거나 인간의 삶의 본질을 드러내는 철학적 용어로 활용되기도 했다. 오늘날에는 영화나 드라마에서 아이러니 기법이 자주 활용되어 아이러니란 말은 이제 대중에게 친숙한 용어가 되었다.

* 기원전: 기원 원년 이전. 주로 예수가 태어난 해를 원년으로 하는 서력기원을 기준으로 하여 이른다.
* 수사학: 사상이나 감정 따위를 효과적 · 미적으로 표현할 수 있도록 문장과 언어의 사용법을 연구하는 학문.
* 반어법: 참뜻과는 반대되는 말을 하여 문장의 의미를 강화하는 수사법. 풍자나 위트, 역설 따위가 섞여 나타나는 경우가 많다.
* 맥락: 사물 따위가 서로 이어져 있는 관계나 연관.
* 냉소적: 쌀쌀한 태도로 업신여기어 비웃는 것.

0 이 글로 보아, 작가가 희곡을 창작할 때 아이러니 기법을 활용하는 궁극적인 이유로 가장 적절한 것은 무엇인가요?

① 관객들에게 일상에서 경험해 보지 못한 심리적 충격을 겪게 하기 위해서
② 관객들에게 자신이 전달하고자 하는 생각을 보다 효과적으로 표현하기 위해서
③ 관객들에게 상황에 대해 부적절한 기대를 하는 것이 어리석다는 교훈을 주기 위해서
④ 관객들이 무대 위에서 펼쳐지는 사건에 대해 보다 정확하게 이해하도록 하기 위해서
⑤ 관객들이 극의 상황에 몰입하면서 인물에 대한 비판적인 인식을 가지도록 하기 위해서

1 이 글에 대한 설명으로 적절하지 <u>않은</u> 것을 고르세요.

① 대상의 어원과 변화 과정을 밝혀 독자의 배경지식을 확장하고 있다. ▢
② 대상이 적용된 구체적인 사례를 언급하여 독자의 이해를 돕고 있다. ▢
③ 대상의 하위 유형을 구분하여 대상에 대해 체계적으로 설명하고 있다. ▢
④ 대상이 확대·적용된 영역을 구체적으로 밝혀 사용 양상을 보여 주고 있다. ▢
⑤ 대상을 유사한 속성을 지닌 다른 대상에 빗대어 대상의 특성을 제시하고 있다. ▢

'구분'이란 말은 일상에서도 자주 쓰는 말이야!
주로 **일정한 기준에 따라 나눌 때**를 말해.
'구별'이란 말과 혼동하지 말자!

2 ㉠의 사례에 해당하지 <u>않는</u> 것은 무엇인가요?

① (자신에게 빈정대는 친구에게) 너 참, 말 예쁘게 하는구나?
② (사랑하는 사람과 이별한 후) 난 괜찮아. 하나도 슬프지 않아.
③ (아이스크림을 맛있게 먹으며) 아이스크림은 익혀서 먹어야 해.
④ (상식에 어긋나는 판결을 보고) 역시, 이 땅의 정의는 살아 있어.
⑤ (등교 시간에 지각한 학생에게) 이야! 너, 너무 빨리 온 거 아냐?

3 ⓛ과 ⓒ에 대해 이해한 내용으로 가장 적절한 것은 무엇인가요?

① ⓛ은 상황 그 자체를 의미하고, ⓒ은 언어적인 표현을 의미한다.
② ⓛ에는 작가의 의도가 반영된 반면, ⓒ에는 작가의 의도가 반영되지 않는다.
③ ⓛ과 달리 ⓒ이 사용되면 극중 상황의 반전을 통해 관객의 심리적 충격을 유발한다.
④ ⓒ과 달리 ⓛ이 사용되면 전개될 상황에 대한 관객과 주인공의 예상이 일치할 수 있다.
⑤ ⓛ과 ⓒ은 모두 운명에 도전하는 인물을 형상화한 비극의 연극 기법으로 주로 활용된다.

불같이 화내지 좀 마~!

형상화란 분명히 나타나 **있지 않은 형체를**
어떤 방법을 통해 구체적이고 명확하게 나타내는 거야~

4 이 글을 바탕으로 〈보기〉를 감상한 내용으로 적절하지 **않은** 것은 무엇인가요?

─────| 보 기 |─────

　오 헨리(O. Henry)의 단편 소설 「크리스마스 선물」에는 가난한 부부의 애틋한 사랑이 잘 형상화되어 있다. 남편 짐은 할아버지에게 받은 금시계를 자랑으로 여겼고, 아내 델라는 아름답고 긴 머리를 자랑으로 여겼다. 크리스마스가 다가오자, 이 가난한 부부는 서로에게 줄 선물을 고민한다. 먼저 아내는 자신의 긴 머리를 잘라 판 돈으로 금시계에 어울리는 시곗줄을 선물로 준비했다. 이 사실을 모르는 남편은 금시계를 팔아 아내의 긴 머리에 어울리는 머리핀을 선물로 준비했다. 크리스마스 날, 선물을 확인한 아내는 눈물을 흘리고, 남편은 아내를 위로하며 이야기가 끝이 난다.

〈보기〉의 소설에서 등장인물이 처한 상황과 사건 전개 과정 등을 파악해 봐. 그런 뒤에 지문에서 설명하는 아이러니적 요소에 해당하는 내용이 있는지 살펴보도록 해.

① 〈보기〉의 소설은 연극에서 사용되던 아이러니가 소설 창작 기법으로 확대 적용된 사례에 해당하겠군.
② 부부가 서로의 선물을 확인하는 장면에서야 자신들이 의도했던 것과 상반된 상황이 전개된 것을 알아차리겠군.
③ 남편이 선물을 준비하는 장면에서는 극적 아이러니의 요소가 활용되어 독자가 아는 정보를 남편은 여전히 모르고 있겠군.
④ 남편은 가난한 형편임에도 불구하고 자신이 가진 금시계를 자랑으로 여겼다는 것은, 상황적 아이러니를 보여 주는 핵심 요소로군.
⑤ 〈보기〉에서 소설의 작가는 의도적으로 아이러니한 상황을 설정함으로써 독자들에게 '가난한 부부의 애틋한 사랑'이라는 주제를 인상 깊게 전달하고 있군.

나열을 할 땐 그 시작점에 주목하라

다음 블로그에 올라온 글을 보고, 김밥에 들어갈 속 재료들에는 어떤 것들이 있는지 나열해 볼까요?

김밥 맛있게 싸는 법

저는 다양한 재료들도 중요하지만 김밥에서 맛은 밥의 양념을
어떻게 하느냐에 따라 달라지는 것 같아요.
소금이나 참기름으로 간을 하기도 하지만
저는 설탕과 소금 그리고 식초와 참기름을 넣어서 만든
밥 양념이 간도 딱 맞고 더 맛있는 것 같아요.
그 후에는 김 위에 양념이 잘 된 밥을 얹고, 속 재료들을 한곳에
올려 주면 되는데 단무지, 시금치, 당근, 계란 지단, 햄을 넣어
돌돌 예쁘게 말면 맛있는 김밥 완성!

하나의 김밥을 만들기 위해 다양한 속 재료들이 필요한 것처럼, 우리가 읽는 글들 중에서는 이렇게 **설명 대상이 가진 여러 가지 특성이나 요소를 하나씩 나열하는 구조로 된 글들이 있습니다.** 이렇게 나열의 구조를 가진 글들을 읽을 때에는 어떻게 읽어야 할까요?

나열-열거 구조로 전개되는 글을 읽을 때에는 **우선 각각의 특성 또는 요소를 구분해서 나열의 시작점을 찾아 읽는 것이 중요합니다.** 나열하려는 대상들이 무엇을 위해 나열하고 있는지를 파악해야 글을 제대로 읽어 나갈 수 있죠. 그래서 이런 구조의 글을 읽고 난 다음에는 전체 설명 대상은 무엇인지를 확인한 다음, 대상의 특성 및 하위 요소에는 무엇이 있는지를 파악하고 각각의 특성 및 하위 요소를 설명한 부분이 어디에서 어디까지인지 확인해 보는 생각의 과정을 거치면서, 글 내용을 정리해 보는 과정이 필요합니다.

130쪽 지문

'아이러니'라는 말은 약자이면서 패배할 듯 보이는 에이런이 승리하는 데서 생겨난 것이다. 이렇게 패배할 것처럼 보이는 행위가 오히려 승리를 거두게 되고, 표면에 드러난 의미가 숨겨진 의미에 의해서 전도되는 그리스 희극의 본질이

> 무엇이 어떻게 나열되어 있는지를 확인**하고
> 이를 종합해야 글쓴이의 생각이 보인다!**

속뜻을 감추며 시치미 떼기'를 의미하는 고대 그
니라는 말로 자리 잡았다. 아이러니는 다양한 ~~~~~~~~~~~~
예상 등에 반하는 말이나 상황, 또는 결과를 지칭할 때 사용한다. **연극에 사용되는 아이러니에는 언어적 아이러니, 상황적 아이러니, 극적 아이러니가 있다.**

독해실전

배운 글을 다시 읽고, 물음에 답해 보세요.

생각독해 Ⅱ 18쪽

> 0은 본질적으로 기묘한 수다. 덧셈과 뺄셈을 할 때는 아무것도 할 수 없는 무력한 수이지만, 곱셈을 하는 순간 모든 것을 0으로 바꾸는 막강한 능력을 가진 수가 되며, 나눗셈의 경우엔 어떤 수도 0으로 나누면 안 되는 금단의 수이기도 하다. 0이 하는 기능은 '아무것도 없는 상태'를 의미하는 기능, 십의 자리, 백의 자리와 같은 '수의 자릿수'를 표시하는 기능, 그리고 2+0=2, 3×0=0처럼 '연산을 하는 수'로서의 기능이 있다.

1 이 글에서 알 수 있는 '0'이 하는 기능이 <u>아닌</u> 것은 무엇인가요?

① 0을 사용하여 비어 있는 수의 자릿수를 표현할 수 있다.

② '아무것도 없이 비었다'는 뜻으로 '공(空)'이라고도 한다.

③ 0은 다른 수와 더하거나 빼는 연산을 할 수 있는 수이다.

수능실전

아래 글을 읽고, 수능 실전감각을 길러 보세요.

2019학년도 수능

> 가능세계는 다음의 네 가지 성질을 갖는다. 첫째는 가능세계의 일관성이다. 가능세계는 명칭 그대로 가능한 세계이므로 어떤 것이 가능하지 않다면 그것이 성립하는 가능세계는 없다. 둘째는 가능세계의 포괄성이다. 이것은 어떤 것이 가능하다면 그것이 성립하는 가능세계는 존재한다는 것이다. 셋째는 가능세계의 완결성이다. 어느 세계에서든 임의의 명제 P에 대해 "P이거나 ~P이다."라는 배중률*이 성립한다. 즉 P와 ~P 중 하나는 반드시 참이라는 것이다. 넷째는 가능세계의 독립성이다. 한 가능세계는 모든 시간과 공간을 포함해야만 하며, 연속된 시간과 공간에 포함된 존재들은 모두 동일한 하나의 세계에만 속한다. 한 가능세계 W1의 시간과 공간이, 다른 가능세계 W2의 시간과 공간으로 이어질 수는 없다. W1과 W2는 서로 시간과 공간이 전혀 다른 세계이다.
>
> * 배중률: 어떤 명제와 그것의 부정 가운데 하나는 반드시 참이라는 법칙.

1 위 글을 읽고 가능세계에 대해 이해한 내용으로 적절한 것은 무엇인가요?

① 가능세계의 일관성 측면에서 볼 때, '인간은 맨몸으로 날 수 있다'가 성립하는 가능세계는 없다.

② 가능세계의 완결성 측면에서 볼 때, '나는 아침밥을 먹었다'와 '나는 점심밥을 먹었다' 중 하나는 반드시 참이 된다.

> 나열을 할 땐 글의 표지에 주목할 것!

생각읽기가 수능이다! ❀ **[나열-열거]의 생각 구조**에서 글쓴이의 생각은 어떻게 알 수 있나요?

실제 수능에서 나열 구조를 가진 글들이 많이 출제되는데, 나열된 각각의 설명 대상에 번호를 붙여 보면, 좀 더 쉽게 구조를 파악할 수 있지. 그리고 이때 '첫째, 둘째' 또는 '우선, 먼저, 그리고, 또한' 등과 같은 글의 표지를 고려해 보면 더 쉽게 내용 구조를 파악할 수 있어.

프랑스 혁명과 나폴레옹 전쟁

프랑스 혁명과 나폴레옹의 유럽 정복은 민족주의*가 성장하는 새로운 전환점이 되었다. 오늘날과 달리 18세기의 유럽 사람들에게는 같은 혈통을 가지고 같은 언어를 사용하는 공동체라는 민족의 개념이 없었다. 프랑스 혁명기에 루소를 비롯한 계몽사상가들과 혁명론자들이 'nation'이라는 단어를 사용했지만 이 단어는 '국가'와 '민족'을 모두 의미하는 것이었다. 즉, 주권을 가진 국민이 사회 계약에 따라 국가를 형성한다는 것은 곧 민족을 형성한다는 것과 같은 의미로 사용되었던 것이다. 그리하여 혁명을 통해 만들고자 했던 새로운 프랑스는 곧 새로운 국가이자 민족으로서의 프랑스를 의미했다. 그러나 프랑스 혁명이 일어난 1789년만 하더라도 혁명을 주도했던 일부를 제외한 대다수 프랑스 사람들에게는 여전히 이러한 민족 개념이 자리 잡지 못했다.

프랑스 혁명으로 공화정*이 수립되자, 혁명 사상이 자국으로 전파될 것을 두려워한 오스트리아와 프로이센*이 프랑스를 공격하였고 1792년에 이른바 혁명전쟁이 일어났다. 전쟁이 발발하자 당시 프랑스 혁명 정부는 조국의 위기를 전국에 알렸고, 프랑스 각지에서 조직된 의용병*들이 나라를 지키기 위해 파리에 집결하여 두 나라와 맞서 싸웠다. 그리고 1793년에 루이 16세가 처형당하자, 이번에는 영국과 스페인이 프랑스를 침공했다. 이러한 외국 군대의 침략은 프랑스인들 전체에 민족주의 의식을 확산시키는 결정적 계기가 되었다.

혁명전쟁을 승리로 이끌면서 대중적 인기와 명성을 얻은 나폴레옹은 권력을 잡은 뒤 유럽 각국을 정복해 나갔다. 그런데 이러한 나폴레옹의 정복 전쟁은 오히려 유럽 각국에 민족주의를 확산시키는 결과를 가지고 왔다. 1799년 나폴레옹이 황제가 되기 전후에 벌인 정복 전쟁은 프랑스와 싸우는 상대편 국가 사람들에게 민족의식*을 고양시켰다. 영국은 나폴레옹의 대륙 봉쇄령으로 인해 경제적 고통을 겪고, 침공의 위협을 받으면서 민족의식이 크게 성장하였다. 1808년 스페인은 프랑스군에 점령당했는데, 수도 마드리드에서는 이에 항의하는 민중 봉기가 일어났다. 하지만 프랑스군이 이를 잔혹하게 진압했고, 그 결과 프랑스군에 대한 스페인 민중의 저항이 스페인 전역으로 확산되었다. 이후 스페인을 포함하여 나폴레옹에게 정복당했던 지역은 1814년에 나폴레옹이 몰락하면서 프랑스의 지배에서 벗어났다.

나폴레옹의 정복 전쟁은 독일에 더 큰 영향을 끼쳤다. 당시 독일은 수십 개의 나라로 분열된 채 느슨한 국가 연합체*나 작은 왕국을 이루고 있었는데, 프로이센이 그 대표적인 왕국이었다. 프로이센은 1806년 전쟁에서 패하고 프랑스의 지배를 받게 되면서, 민족주의 의식이 형성되었는데 특히 이 시기에 피히테, 슈타인 같은 지식인들이 앞장서서 독일인들에게 민족적 각성을 촉구했다. 이때 싹트기 시작한 민족주의는 이후 1871년에 독일이 통일을 이루고 독일 제국을 탄생시키는 데 밑거름이 되었다.

㉠이처럼 18세기 말부터 19세기까지 유럽에서 민족주의가 확산된 과정을 보면 아이러니하다. 그리고 민족주의의 확산은 '민족 국가'의 개념을 자연스럽게 형성하였다. 19세기 유럽에서 형성되어 확산된 민족주의는 크게 세 가지 흐름으로 나타났다. 우선 독일이나 이탈리아처럼 분열되어 있던 나라를 하나로 통일하여 단일한 민족 국가를 형성하게 하였다. 또한 헝가리·오스트리아 제국, 러시아, 오스만 튀르크*와 같이 다민족 국가에서는 소수 민족들의 분리 독립운동으로 일어났다. 마지막으로 프랑스와 영국처럼 다른 나라에 비해 한발 앞서 민족 국가를 형

성한 국가에서는 자국의 이익을 위해 제국주의 체제로 나아갔다. 이러한 흐름은 제1차 세계 대전의 원인이 되기도 하는 등 이후 유럽 역사에 큰 영향을 끼치게 되었다.

* 민족주의: 민족의 독립과 통일을 가장 중시하는 사상. 19세기 이래 근대 국가 형성의 기본 원리가 되었으며, 분열되어 있는 민족의 정치적 통일을 목표로 하는 형태와 외국의 지배로부터의 해방이나 독립을 목표로 하는 형태로 크게 나누어진다.
* 공화정: 공화 정치(국민이 선출한 대표자 또는 대표 기관의 의사에 따라 주권이 행사되는 정치)를 하는 정치 체제.
* 프로이센(Preussen): 독일 동북부, 발트해 기슭에 있던 지방. 1701년에 프로이센 왕국이 세워졌으나 제2차 세계 대전 후 소련 및 폴란드에 점령되었으며 이름도 없어졌다.
* 의용병: 국가나 사회의 위급을 구하기 위하여 민간인으로 조직된 군대의 병사.
* 민족의식: 자기 민족의 존엄과 권리를 지키고 민족의 단결과 발전을 꾀하려는 집단적 의지나 감정.
* 연합체: 서로 다른 여러 조직체나 단체들이 공동의 목적 아래에 자체의 독자성을 유지하면서 연합하여 이룬 조직체.
* 오스만 튀르크: 1299년에 오스만 일세가 셀주크 제국을 무너뜨리고 소아시아에 세운 이슬람 제국. 1453년에 비잔틴 제국을 멸망시키고 이스탄불로 수도를 옮겨 번성하였으나 제1차 세계 대전 뒤 1922년에 국민 혁명으로 멸망하였다.

0 이 글로 보아, 프랑스 혁명 이후에 혁명전쟁이 일어난 이유로 가장 적절한 것은 무엇인가요?

① 오스트리아나 프로이센은 프랑스 혁명 이전에도 프랑스와 전쟁을 벌였던 경험이 있었기 때문에
② 프랑스 혁명으로 수립된 혁명 정부가 프랑스 사람들을 선동하여 주변국들을 먼저 공격했기 때문에
③ 주변국들은 프랑스 시민들이 왕정을 무너뜨리고 공화정을 수립한 것을 부도덕하다고 여겼기 때문에
④ 주변국들은 나폴레옹의 등장으로 프랑스가 강력한 힘을 가지는 것을 탐탁지 않게 생각하였기 때문에
⑤ 왕정 체제를 유지하고 있던 주변국들이 프랑스 혁명 사상이 자국민들에게 영향을 미칠까 봐 두려워했기 때문에

1 이 글의 내용과 일치하지 <u>않는</u> 것을 고르세요.

① 루소는 국가를 형성하는 것이 곧 민족을 형성하는 것이라고 생각했다. ☐

② 프랑스 혁명 당시 대다수 프랑스 사람들은 민족주의 의식을 가지고 있었다. ☐

③ 피히테와 슈타인은 독일이 통일되어 하나의 국가를 형성하는 데 큰 기여를 하였다. ☐

④ 민족주의의 영향으로 오스만 튀르크의 일부 지역에서는 분리 독립운동이 일어났다. ☐

⑤ 19세기 이전에 이탈리아 지역은 통일된 국가가 존재하지 않은 채 분열되어 있었다. ☐

2 이 글을 바탕으로 〈보기〉의 ㉮에 대해 이해한 내용으로 가장 적절한 것은 무엇인가요?

────────|보 기|────────

프랑스의 국가(國歌)인 ㉮'라 마르세예즈(La Marseillaise)'는 원래 프랑스 혁명 와중이던 1792년, 파리에 입성한 마르세유의 의용군들이 부른 노래였는데, 1879이 되어서야 프랑스 공식 국가로 지정되었다. 이 노래는 피를 흘려 가며 이룬 자유, 평등, 박애의 가치와 민주주의 체제를 지키기 위해 외부 세력에 단호히 맞서겠다는 내용의 가사로 이루어져 있다.

① 프로이센에 맞서는 프랑스인들을 하나로 묶는 공동체적 의식이 반영되어 있다.

② 혁명전쟁의 과정에서 민족적 각성을 촉구하는 지식인들의 노력을 보여 주고 있다.

③ 프랑스 혁명으로 만들고자 했던 새로운 프랑스가 추구하는 가치는 포함되지 않았다.

④ 프랑스를 침략한 프로이센군을 격파한 기쁨을 담음으로써 혁명 사상을 고취하고 있다.

⑤ 프랑스 혁명 정부가 조국의 위기를 전국에 알리려고 창작했고 이후에 국가(國歌)가 되었다.

3 글쓴이가 ㉠과 같이 평가한 이유로 가장 적절한 것은 무엇인가요?

① 민족과 국가가 서로 다른 것임에도 불구하고, 민족과 국가를 동일시하는 민족 국가의 개념이 형성되었으므로

② 19세기 유럽에서 민족주의는 크게 세 가지 흐름을 보였는데, 그 세 가지 흐름이 서로 배타적인 관계에 있었으므로

③ 프랑스는 시민 혁명 과정에서 민족주의가 형성되었지만, 다른 유럽 국가들은 시민 혁명과 관련 없이 민족주의가 형성되었으므로

④ 19세기 이전의 유럽 사람들은 민족주의 의식을 가지지 못했지만, 19세기 이후의 유럽 사람들은 민족주의 의식을 가지게 되었으므로

⑤ 프랑스의 민족주의가 외국의 침략으로 인해 확산되었는데, 유럽 각 나라들의 민족주의는 프랑스의 침략과 지배 때문에 확산되었으므로

㉠은 글쓴이가 유럽에서의 민족주의 확산 과정을 아이러니하다고 평가한다는 거야. 글의 전체 흐름을 제대로 이해하여 글쓴이가 ㉠과 같이 평가한 이유를 파악해야 해.

"초대장이 있어야만 입장 가능합니다."

배타적이란 다른 이를 따돌리거나 거부하는 것을 말해.

4 이 글을 바탕으로 볼 때, 〈보기〉의 그림이 미쳤을 영향에 대해 판단한 내용으로 가장 적절한 것은 무엇인가요?

┤보 기├

이 그림은 스페인 화가 프란시스코 고야가 그린 「마드리드, 1808년 5월 3일」(1814)이다. 고야는 이 그림을 통해 스페인 마드리드에서 일어난 시민들의 저항이 프랑스군들에게 무자비하게 진압되는 과정을 생생하게 그려 내었다.

① 고야의 그림은 스페인 사람들로 하여금 프랑스군에 대한 공포심을 가지게 만들었겠군.

② 고야의 그림은 다른 유럽 국가의 지배층들로 하여금 프랑스 혁명 정신을 수용하게 만들었겠군.

③ 고야의 그림은 스페인 사람들로 하여금 외세에 대항하고자 하는 민족주의 의식을 가지게 만들었겠군.

④ 고야의 그림은 프랑스 사람들로 하여금 자국의 이익을 우선시하는 제국주의 의식을 가지게 만들었겠군.

⑤ 고야의 그림은 프랑스 사람들로 하여금 스스로를 성찰하여 자발적으로 스페인에서 물러나게 만들었겠군.

구체적 사례에 적용하여 판단하는 문제는 글의 어느 부분에 해당 내용이 나와 있지를 확인한 후 사례의 내용과 연결 지어 판단하면 돼.

몸을 방어하는 세포가 몸을 공격해?

면역 체계의
아이러니

Q '자가 면역 질환'이란 무엇
인가요?

외부의 적으로부터 나라를 지키기 위해 만든 군대가 오히려 자국민을 공격한다면 어떻게 될까? 현실에서는 상상하기조차 힘든 일이지만, 우리 몸속에서는 실제 ⓐ이런 일이 일어나기도 한다. 우리 몸에는 외부 침입자들을 제거하여 내 몸을 지켜 주는 면역 세포가 있다. 그런데 이 면역 세포가 우리 몸의 정상 세포를 공격하여 생기는 병을 자가 면역 질환이라고 한다. 자가 면역 질환을 이해하기 위해서는 먼저 면역 반응부터 알아야 한다.

항원은 우리 몸이 스스로 만들지 않은 물질로, 병원균이나 바이러스, 이물질 등이 항원에 해당한다. 그리고 백혈구에 있는 대식 세포*, 호중성 백혈구, NK세포*, B세포*, T세포* 등이 면역에 해당한다. 항원이 체내에 침투하면, 혈액을 타고 온몸을 순찰하고 있던 대식 세포가 ⓑ이를 알아차리고, 곧바로 달려가 항원을 잡아먹어 없애는 식균 작용을 한다. 항원을 잡아먹은 대식 세포는 항원의 일부 조각을 자신의 세포 표면에 매달아 두어 면역 세포들이 해당 부위에 도착했을 때 항원을 알아보게 하는 '항원 제시' 기능을 한다. 한편, 대식 세포는 케모카인*이라는 물질을 분비하여 자신을 도와줄 다른 세포들에게도 ⓒ이 사실을 알린다. 대식 세포의 경보가 울리면 대식 세포뿐만 아니라 호중성 백혈구도 몰려와 식균 작용을 한다. 12시간이 지나도록 항원을 퇴치하지 못하면 더욱 강력한 면역 세포인 NK세포가 와서 항원은 물론 항원에 감염된 우리 몸의 세포들까지 죽여 없앤다. 여기까지의 면역 과정을 선천 면역 과정이라고 한다.

항원이 아주 많거나 강력하면 이제부터는 후천 면역 과정이 시작된다. 항원이 침투한 지 3~7일 동안 문제가 해결되지 않으면 T세포와 B세포가 더욱 체계적으로 우리 몸을 방어한다. T세포는 대식 세포에게서 얻은 정보를 분석하여 면역 반응을 지휘하고 항원에 감염된 세포를 죽여 항원이 살 수 있는 환경을 제거한다. B세포는 식균 작용을 할 뿐만 아니라, T세포의 지시에 따라 항체를 만든다. 항체는 항원에 달라붙어 다른 면역 세포들의 식균 작용을 돕고, 항원의 독성을 줄이기도 하며, 항원의 세포벽에 구멍을 내서 항원을 직접 죽이기도 하는 단백질로, 면역 세포에 포함된다. ⓓ이러한 과정을 통해 항원을 모두 제거하고 나면, T세포와 B세포 모두 항원에 대한 정보를 기억해 둔다. 그리고 이후 같은 항원이 다시 체내에 침투했을 때 즉시 항체를 형성해 효과적으로 대응할 수 있게 된다.

그런데 이러한 면역 세포가 우리 몸의 정상적인 세포를 항원으로 오해하고 공격하여 생기는 병이 있다. 이러한 병을 '자가 면역 질환'이라고 한다. 하지만 ⓔ이러한 비정상적인 면역 반응이 왜 생기는지 그 원인은 아직까지도 정확하게 밝혀지지 않았다. 다만 일부 연구를 통해 유전적인 요인이나 호르몬, 특정 약물이나 바이러스 때문에 발생하는 것이라고 추정할 뿐이다. 자가 면역 질환의 종류에는 100여 가지 정도가 있는데 인체의 모든 장기와 조직에서 나타날 수 있지만, 증상이 주로 나타나는 곳은 갑상선과 같은 내분비 기관*, 적혈구, 피부, 근육, 관절 등이다. 자가 면역 질환의 대표적인 질병으로 류마티스 관절염을 들 수 있다. 류마티스 관절염은 항체가 관절의 연골 조직과 뼈에 있는 정상 세포들을 위험한 물질로 잘못 인지하여 면역 반응이 일어나 생긴다. 류마티스 관절염에 걸리면 초기에는 무릎이나 팔꿈치 등의 관절을 둘러싸고 있는 활막*에 염증이 생기지만, 점차 주위 연골과 뼈로 염증이 퍼지게 되어 관절을 파괴하거나 변형이 생기고 이후에는 관절뿐만 아니라 몸 전체로 퍼져 더 큰 문제를 일으킨다. 안타깝게도 자가 면역 질환에 대한 치료는 증상을 완화하거나, 질병이 발생한 인체 기관의 기능을 보

존하는 방식으로 이루어질 수밖에 없다. 즉, ⊙<u>자가 면역 질환은 근본적인 치료 방법이 없는
질병인 것이다.</u> 의학계에서는 이렇게 몸을 지키기 위한 면역 체계가 오히려 정상 세포를 파괴
하는 아이러니한 문제를 해결하기 위해 문제의 원인을 찾으려 끊임없이 노력 중이다.

* 대식 세포: 혈액, 림프, 결합 조직에 있는 백혈구의 하나. 둥글고 큰 한 개의 핵을 지닌 세포로 침입한 병원균이나 손상된 세포를 포식하여
  면역 기능 유지에 중요한 역할을 한다.
* NK세포: 바이러스에 감염된 세포나 암세포를 직접 파괴하는 면역 세포.
* B세포: 백혈구에 속하는 림프구의 일종으로 항체를 생산함으로써 적응성 면역 반응의 형질 반응 부분을 담당한다.
* T세포: 세포성 면역을 담당하는 림프구의 일종으로, B세포와 함께 적응성 면역의 주축을 이룬다.
* 케모카인(chemokine): 잘 녹는 사이토카인(혈액 속에 함유되어 있는 면역 단백의 하나)의 일종으로 화학 쏠림 현상에 관여하는 물질을 통
  틀어 이르는 말. 주 기능은 혈액 세포들을 특정 부위에 몰리게 하는 것이다.
* 내분비 기관: '내분비샘'을 몸의 다른 여러 기관에 상대하여 이르는 말.
* 활막: 관절 주머니의 속을 싸고 있는 막. 윤활액을 분비한다.

0 이 글을 읽고 '자가 면역 질환'을 설명한 것으로 가장 적절한 것은 무엇인가요?

① 면역 세포가 정상 세포를 병균이나 바이러스, 이물질이라고 판단하여 생기
   는 질병

② 정상 세포가 면역 세포의 기능을 방해하고 공격함으로써 생기는 신체의 이
   상 반응

③ 우리 몸에서 면역 세포와 정상 세포를 구분하지 못하고 모두 없앰으로써 생
   기는 질병

④ 호르몬이 비정상적으로 분비되어 면역 세포가 죽은 세포를 제거하지 못하
   게 되는 현상

⑤ 유전적인 요인으로 정상 세포가 항원과 항체를 제대로 형성하지 못함으로
   써 생기는 질병

1 ㉠과 같이 평가한 이유를 추론한 것으로 가장 적절한 것은 무엇인가요?

① 질병을 효과적으로 치료하기 위해서는 면역 기능이 활성화되어야 하는데, 자가 면역 질환은 면역 기능이 활성화되지 않기 때문이다.

② 질병에 대한 근본적인 치료를 하기 위해서는 발병 원인을 알아야 하는데, 자가 면역 질환은 발병 원인을 아직 정확히 모르기 때문이다.

③ 유전적인 요인으로 발생한 질병은 근본적인 치료 방법을 찾기 어려운데, 자가 면역 질환은 대부분 유전적인 요인으로 일어나기 때문이다.

④ 질병으로 인해 인체 기관의 기능이 떨어지면 치료가 어려워지는데, 자가 면역 질환은 해당 인체 기관의 기능을 회복할 수 없게 만들기 때문이다.

⑤ 어떤 인체 기관에 발생한 질병은 다른 인체 기관으로 퍼지게 마련인데, 자가 면역 질환은 처음 발생한 부위에서 다른 부위로 더 잘 퍼지기 때문이다.

2 이 글을 바탕으로 볼 때, 〈보기〉의 ㉮~㉯의 과정에 관여하는 면역 세포에 대한 설명으로 적절하지 <u>않은</u> 것은 무엇인가요?

─────| 보 기 |─────	
항원 침투 직후	㉮
⇩	
12시간 이전	㉯
⇩	
12시간 이후	㉰
⇩	
3~7일 이후	㉱

면역 과정

① ㉮에서는 대식 세포가 항원 제시, 케모카인 분비를 하게 된다.

② ㉯에서는 대식 세포와 호중성 백혈구가 항원을 잡아먹어 없앤다.

③ ㉰에서는 NK세포가 항원은 물론 항원이 살 수 있는 환경을 제거한다.

④ ㉱에서는 T세포가 면역 반응을 주도하는 후천 면역 과정이 시작된다.

⑤ ㉱에서는 B세포가 식균 작용을 돕고, 항원의 독성을 줄이며, 항체를 만든다.

"공범이 누구야?"
어떤 일에 관계된, 참여하는 게 관여야.

3 이 글의 '자가 면역 질환'과 〈보기〉의 '응집 반응'에 대한 설명으로 가장 적절한 것은 무엇인가요?

┤보 기├

　　ABO식 혈핵형 분류법은 응집 반응이 일어나는지의 여부를 기준으로 나눈 방법이다. 응집 반응은 항원이 들어왔을 때 항체가 형성되고 항체가 항원을 붙잡아 두어 혈액이 뭉쳐지는 반응을 의미한다. 혈액의 적혈구를 포함한 모든 세포들은 저마다의 특징을 나타내는 표지가 있다. 그런데 사람의 적혈구는 그 표지에 따라, A형 표지만 있는 경우(A형), B형 표지만 있는 경우(B형), 두 가지 표지가 모두 있는 경우(AB형), 두 가지 표지 모두 없는 경우(O형)로 나누어진다. 따라서 혈액형에 따라 면역 반응이 일어날 수도 있고, 그렇지 않을 수도 있다. 예를 들어 혈액형이 A형인 사람의 몸속에 B형 혈액이 들어오면, B형 혈액의 적혈구를 항원으로 여겨 응집 반응이 일어난다.

① '응집 반응'과 달리 '자가 면역 질환'은 일단 항체가 형성되면 더 이상 일어나지 않는다.
② '자가 면역 질환'은 비정상적인 면역 반응이지만, '응집 반응'은 정상적인 면역 반응이다.
③ '자가 면역 질환'과 달리 '응집 반응'은 혈액 속 적혈구가 면역 세포의 공격 대상이 된다.
④ '자가 면역 질환'과 '응집 반응'은 모두 항체가 항원을 알아차리고 공격하는 역할을 한다.
⑤ '자가 면역 질환'과 '응집 반응'은 모두 항원이 아닌 물질을 항원으로 오해하여 발생한다.

4 문맥상 ⓐ~ⓔ와 바꾸어 쓸 수 <u>없는</u> 것은 무엇인가요?

① ⓐ: 면역 세포가 정상 세포를 공격하기도 한다.
② ⓑ: 항원이 체내에 침투한 것을 인식하고
③ ⓒ: 항원의 특징을 알린다.
④ ⓓ: 후천 면역 과정으로
⑤ ⓔ: 자가 면역 질환이

ⓐ~ⓔ의 앞뒤 문장 연결을 잘 살펴본 후, 각 문맥의 의미를 파악하여 의미가 통하는 내용을 찾아야 해. 꾸준한 독해를 통해 문맥을 꿰뚫어 보는 실력을 기르면 이런 문제는 쉽게 풀 수 있겠지?

유럽 경제 통합의 의도와 결과

유로화 사용의
아이러니

Q 환율은 제도에 따라 어떻게 결정되나요?

　제2차 세계 대전 이후, 유럽은 미국을 중심으로 한 서유럽 국가들과, 소련을 중심으로 한 동유럽 국가들로 나뉘어 서로 대립했다. 이를 냉전 체제라고 하는데, 냉전 체제 속에서 서유럽 국가들과 미국은 경제적으로 긴밀히 협조하면서 경제 발전을 이루었다. 특히 미국과 서유럽 국가들의 경우 모두 고정 환율제를 시행한 탓에 환율과 물가가 안정되었던 것이 경제 발전의 한 요인이 되었다. 무역을 할 때에는 두 나라의 화폐 가치가 다르므로 그 교환 비율을 정하는데, 이를 환율이라고 한다. 그리고 정부가 상대국과의 환율을 일정하게 정하는 제도를 고정 환율제라고 한다.

　그러나 1971년에 미국은 자국의 재정 적자 및 무역 적자 문제를 해소하기 위해 고정 환율제를 폐지하고, 외국 화폐가 거래되는 시장인 외환 시장에서의 수요와 공급에 따라 환율이 결정되는 변동 환율제를 시행하였다. 이에 따라 미국과의 경제 교류가 많았던 서유럽 국가들도 환율을 자주 바꿀 수밖에 없었고 이에 따라 유럽 각국의 달러에 대한 환율이 요동치게 되었다.

[A] ┌ 특히 환율이 급격하게 오르면 외국 화폐에 대한 자국 화폐의 가치가 떨어지게 되어 수입 물품 가격은 물론 물가가 갑자기 상승하게 된다. 예를 들어 미국 화폐 1달러당 영국 화폐의 환율이 10파운드라고 가정했을 때, 어떤 영국 회사가 미국산 석유 10달러어치를 수입할 때는 100파운드만 있으면 되지만, 환율이 1달러당 20파운드로 급격하게 오르면 같은 양의 석유를 사기 위해서 200파운드가 든다. 이 회사는 환율 상승으로 인한 비용 증가분을 └ 고스란히 상품 가격에 반영하게 되므로, 영국의 물가가 급격하게 상승하게 되는 것이다.

　유럽 각국들은 이러한 문제에 대응하기 위해 1979년 ㉠유럽 통화 제도(EMS)를 만들어, 변동 환율제를 시행하면서도 서로 긴밀하게 협조함으로써 환율을 안정시킬 수 있었다. 이후 1989년에는 환율 변동에 더 효과적으로 대처하기 위해 ㉡경제 통화 동맹(EMU) 계획을 추진하기로 결정하였다. 이 계획은 변동 환율제는 유지하되, 국가마다 제각각이던 달러에 대한 환율을 모두 동일하게 적용하고, 단일한 화폐를 사용하는 것이었다. 이에 따라 1993년에는 유럽 공동체(EC)가 유럽 연합(EU)으로 개편되었고, 꾸준히 유럽의 화폐 및 환율 단일화 계획이 진행되어 마침내 2002년에는 단일 화폐인 유로화*를 사용하는 데 이르렀다. 이로써 유로화를 사용하는 국가, 즉 유로존 국가들은 단일 화폐를 사용하고, 같은 환율을 적용하게 되었다.

　하지만 ㉢단일 화폐 사용과 단일 환율* 적용은 유로존 국가들 사이의 심각한 경제적 불균형을 가져왔다. 그리스, 스페인, 이탈리아 등 물가 상승률이 높았던 국가들은 유로화의 사용 이후, 독일과 프랑스 등 상대적으로 물가가 안정되었던 국가들에 비해 수출 경쟁력이 떨어져 무역 적자가 증대되었다. 단일 화폐를 사용하게는 되었지만 여전히 경제 운영은 국가 단위로 이루어졌기 때문에 유로화 사용 이후에도 유로존 국가들의 물가는 제각각 달랐다. 물가가 높으면 그만큼 상품 생산에 드는 비용이 증가하고, 이는 상품 가격에도 반영되어 상품의 가격이 비싸지게 된다. 예를 들어 이탈리아에서 생산된 자동차는 독일에서 생산된 자동차보다 가격이 올라 수출 경쟁력이 떨어지게 되었고, 이는 무역 적자가 늘어나는 원인이 되었던 것이다. 게다가 단일 환율의 적용은 이탈리아와 같은 국가들에서 실질적인 환율 하락을 가져왔고, 이 역시 수출 경쟁력이 떨어지는 원인으로 작용했다. 이러한 무역 적자가 발생한 나라들은 경제 상황이 갈수록 더 나빠지게 되었던 것이다.

최근 유럽 경제가 어려움을 겪고 있는 이유는 여러 가지 문제가 복합적으로 얽혀 있어서 단일 화폐 사용과 단일 환율 적용이라는 요인만으로 유럽 경제가 어려워진 이유를 진단하는 것은 적절하지 않다. 하지만 외국의 환율 변동에 적절히 대응하면서 자신들의 경제를 발전시키고자 시행했던 유로화의 사용과 단일 환율의 적용이 유럽 경제에는 오히려 더 큰 문제를 가져온 원인 중의 하나라는 것만은 분명한 사실이다.

* 유로화: 유럽 연합(EU)의 법정 화폐인 유럽 단일 통화의 명칭. 유럽 연합 결성 후 12개 회원국은 각국 간에 서로 다른 화폐를 사용함으로써 나라 간 무역 등에 어려움이 따르자 이를 해결하기 위해 유로화를 사용하게 되었다.
* 단일 환율: 어떤 한 외국의 통화를 기준으로 삼아 정한 각국 통화와의 환율.

0 독서의 목적을 고려하여 이 글을 추천하고자 할 때, ㉮에 들어갈 내용으로 가장 적절한 것은 무엇인가요?

_____

_____ ㉮ _____ **분에게 추천합니다.**

_____

① 사회적 문제를 해결하기 위해 특정 현상에 대한 찬반 입장을 소개한 글을 읽으려는
② 세계에 대한 이해도를 높이기 위해 특정 현상이 발생한 원인을 분석한 글을 읽으려는
③ 경제적 문제에 대한 정보를 얻기 위해 특정 현상에 대한 평가를 비교한 글을 읽으려는
④ 역사적 사실에 대한 판단 기준을 얻기 위해 특정 현상으로 인한 결과를 분류한 글을 읽으려는
⑤ 자신만의 철학적 견해를 형성하기 위해 특정 현상에 대한 전문가의 견해를 밝힌 글을 읽으려는

1 이 글로 보아, 1970년대 이전에 서유럽 국가들이 경제 발전을 이룰 수 있었던 이유 두 가지를 고르세요.

① 냉전 체제 속에서 미국과 경제적으로 서로 긴밀히 협조했기 때문에 ☐
② 미국이 무역 적자와 재정 적자를 해소하기 위한 정책을 폈기 때문에 ☐
③ 미국과 서유럽 국가들에서 각각 사용하는 화폐 가치가 달랐기 때문에 ☐
④ 고정 환율제를 시행하여 물가와 환율을 안정적으로 관리하였기 때문에 ☐
⑤ 서유럽 국가들이 위험에 대비하기 위해 환율 제도를 자주 바꾸었기 때문에 ☐

2 [A]를 바탕으로 할 때, 〈보기〉의 ㉮~㉱에 들어갈 말을 바르게 짝지은 것은 무엇인가요?

┤보 기├

　C국은 제조업은 강하지만 천연자원이 부족하기 때문에 원자재의 대부분을 D국에서 수입하여 상품을 생산하고 있다. 그런데 갑자기 환율이 급격하게 (㉮)하면 D국에 대한 C국 화폐의 가치가 (㉯)하게 되는데, 이로 인해 수입 물품 가격은 (㉰)하게 되어, C국의 물가는 급격하게 (㉱)하게 된다. (단, C국과 D국은 모두 변동 환율제를 채택하고 있다고 가정한다.)

	㉮	㉯	㉰	㉱
①	상승	하락	하락	상승
②	상승	상승	상승	하락
③	하락	상승	하락	상승
④	하락	상승	하락	하락
⑤	하락	하락	상승	하락

3 ㉠과 ㉡에 대한 설명으로 가장 적절한 것을 고르세요.

① ㉠은 냉전 체제 속에서 소련의 위협에 대항하기 위해 만들어졌다. ☐
② ㉡은 변동 환율제를 폐지하고 다시 고정 환율제를 채택한 제도이다. ☐
③ ㉠에 비해 ㉡은 서로 다른 국가들의 경제적인 통합 수준이 더 높다. ☐
④ ㉡에 비해 ㉠은 환율 변동에 대해 더욱 신속하게 대응할 수 있다. ☐
⑤ ㉠과 ㉡은 모두 최근 유럽 경제가 어려워지게 된 직접적인 요인이다. ☐

4 이 글을 바탕으로 볼 때, ㉢으로 인한 문제점에 해당하지 <u>않는</u> 것은 무엇인가요?

① 유로존의 일부 국가에서는 수출 경쟁력이 떨어지게 되었다.
② 유로존의 일부 국가에서는 실질적인 환율이 떨어지게 되었다.
③ 유로존의 일부 국가에서는 물가 상승률이 더욱 커지게 되었다.
④ 유로존의 일부 국가에서는 무역 적자가 더 크게 발생하게 되었다.
⑤ 유로존 국가들 사이에서는 경제적인 격차가 크게 벌어지게 되었다.

㉢으로 인해 발생한 문제점을 파악하는 문제
이므로 글의 내용을 먼저 잘 살펴봐야 해. 글의
내용을 선지에 대입해 보면서 해당되지 않는
내용을 찾아봐.

이게 원래 군사용이었다고?

제1차 세계 대전 이후, 전쟁은 승리를 위해 국가의 모든 것을 총동원하는 이른바 총력전의 양상을 띠게 되었다. 그리하여 과학 기술이 비약적으로 발전한 20세기 이후, 군사용 무기를 만들거나, 군사적 목적으로 최첨단의 과학 기술을 연구하고 개발해 왔다. 그러한 과학 기술 중 일부는 민간 영역에서 사용됨으로써 우리의 삶을 편리하게 만들어 주고 있다. 일상생활에서 쉽게 접할 수 있는 기술들 중에서 원래는 군사용으로 개발된 것들을 몇 가지 살펴보자.

간편하게 음식을 데우는 전자레인지는 군사용 감시 기술인 레이더 기술의 원리를 응용하여 만든 기기이다. 레이더란 전파를 사용하여 목표물의 거리, 방향, 각도 및 속도를 측정하는 감지 시스템을 일컫는다. 공간을 따라 전해지는 전기 에너지의 파동*을 전자파라고 하는데, 이를 줄여서 전파라고 한다. 그리고 전파가 1초 동안에 진동하는 횟수를 주파수라고 하고, 이는 전파 분류의 기준이 된다. 그리고 주파수는 그 존재를 실험적으로 증명한 물리학자 헤르츠(Hertz H.R.)의 이름을 따서 헤르츠(Hz)라는 단위를 사용한다. 레이더는 마이크로웨이브*라고도 불리는 극초단파를 사용한다. 마이크로웨이브의 주파수 범위는 300MHz*~300GHz*에 이른다. 모든 물질은 특정 주파수에서 큰 폭으로 진동하게 되는데, 이때의 주파수를 고유 주파수라고 하고, 이러한 현상을 공진 현상이라고 한다. 고유 주파수는 물체마다 다른데, 어떤 물체에 고유 주파수를 가진 진동이 전달되면, 그 물체에 에너지를 전달할 수 있게 된다. 전자레인지 내부에는 마그네트론*이라는 특수 진공관이 있어서 물 분자의 고유 진동수와 동일한 2.45GHz의 극초단파를 발생시킨다. 음식 내부의 물 분자는 이 극초단파를 쬐게 되면, 1초에 24억 5천만 번의 진동을 하게 되고 이로 인해 마찰열이 생겨나 음식을 데우게 되는 것이다.

GPS*와 그 응용 기술인 내비게이션도 원래는 군사용으로 개발된 기술이다. 인공위성에서 보내는 신호를 수신해 사용자의 현재 위치를 알려 주는 시스템인 GPS(Global Positioning System)는 1970년대 미국 국방성에서 폭격의 정확성을 높이기 위해 개발한 기술이다. 거리 계산 오차를 방지하기 위해 GPS 인공위성 안에는 세슘으로 만든 아주 정밀하고 정확한 원자 시계가 있다. GPS 인공위성은 이 시계의 정확한 시각과 인공위성의 정확한 위치를 전파에 담아 수신기로 보낸다. 전파는 빛과 동일한 속도인 약 30만km/s로 수신기에 전달되는데, '수신기가 전파를 받은 시각'에서 '위성에서 전파를 보낸 시각'을 뺀 값에 전파의 속도를 곱하면 수신기와 GPS 인공위성까지의 거리를 계산할 수 있다. 보통은 3대의 인공위성에서 받은 신호를 바탕으로 분석하여 정확한 위치를 파악한다. GPS 기술은 GPS를 통해 계산한 위치를 지도 위에 표시해 주는 내비게이션 기술로 발전했다.

인터넷도 원래 군사용으로 개발되었던 기술이다. 미국은 1950년대 말 소련과의 전쟁 상황을 대비해서 소련의 공격으로 인해 통신망의 일부가 파괴되더라도 통신이 두절되지 않고 정보를 교류할 수 있는 새로운 데이터 전송 방식을 개발했다. 그리하여 1969년 미국 국방성의 연구로 아르파 넷*이라는 통신망이 구축되었다. 이 통신망은 폐쇄형 구조로 특정 유선망에 연결된 컴퓨터들끼리만 통신을 할 수 있었다. 이후 이 기술은 민간 영역에서도 사용이 가능하게 되었고, 1993년 개방형 구조로 되어 전 세계 모든 컴퓨터와 연결이 가능한 월드 와이드 웹* 서비스가 상용화되면서 이용자가 급증하게 되었다.

일상에 사용되는 군사용 기술

Q 군사용 기술이 우리의 삶을 편리하게 만들어 준 예로는 어떤 것들이 있나요?

이처럼 사람의 죽음을 수반할 수밖에 없는 전쟁에서 이기기 위해 만든 기술들 중 일부는 상용화되어 우리의 삶을 편리하게 해 주고 있다. 이러한 기술들을 애초에 만든 목적을 고려해 보면 그 기술을 사용하고 있는 현실이 아이러니하다고 말할 수밖에 없다.

* 파동: 공간의 한 점에 생긴 물리적인 상태의 변화가 차츰 둘레에 퍼져 가는 현상.
* 마이크로웨이브(microwave): 보통 진동수가 1GHz에서 300GHz까지이고 파장이 1mm에서 1m까지인 전자기파. 일반적으로 파장이 짧아 직진성이나 반사·굴절·간섭 따위의 성질이 빛과 비슷한 전자기파를 이른다.
* MHz(메가헤르츠): 전자기파의 주파수 또는 진동수 따위를 나타내는 단위. 1메가헤르츠는 1초 동안에 100만 번 떠는 진동수로, 1헤르츠의 100만 배이다.
* GHz(기가헤르츠): 전자기파의 주파수 또는 진동수 따위를 나타내는 단위. 1기가헤르츠는 1초 동안 10억 번 떠는 진동수로, 1헤르츠의 10억 배이다.
* 마그네트론(magnetron): 마이크로파를 발진하기 위한 진공관의 하나.
* GPS(지피에스): 인공위성을 이용하여 자신의 위치를 정확히 알아낼 수 있는 시스템. 개인의 위치 확인에서부터 비행기·선박·자동차의 항법 장치, 측량, 지도 제작 따위에 쓰인다.
* 아르파 넷(ARPA net): 미국 국방부의 방위 고등 연구 계획국의 주도하에 만들어진 세계 최초의 패킷 스위칭(데이터 통신에서 디지털 신호를 작은 단위로 정리하여 수신처 따위의 정보를 붙여 전송하는 방식) 네트워크. 현재 인터넷의 원형으로 알려져 있다.
* 월드 와이드 웹(World Wide Web): 동영상이나, 음성 따위의 각종 멀티미디어를 이용하는 인터넷을 이르는 말.

0 이 글의 글쓴이가 '전자레인지, GPS, 인터넷' 등에 적용된 기술을 일상생활에서 사용하는 것이 아이러니하다고 평가한 이유로 가장 적절한 것은 무엇인가요?

① 과거에는 부정적으로 인식하던 군사용 기술들을 현재에는 긍정적으로 인식하고 있기 때문에

② 사람들의 삶을 파괴하는 전쟁에 사용하기 위해 개발된 기술이 오히려 사람들의 삶을 향상시켜 주었기 때문에

③ 전쟁을 수행하는 데 반드시 필요하다고 여기는 기술과 그렇지 않다고 여기는 기술이 함께 공존하고 있기 때문에

④ 원래는 사람들의 삶을 윤택하게 만들기 위해 개발되었던 기술이 전쟁을 위한 군사용 기술로 활용되고 있기 때문에

⑤ 쉽게 사용할 수 없었던 군사용 기술들을 일반인들이 사용하게 됨으로써 더 나은 무기를 만들 수 있게 되었기 때문에

1 이 글을 통해 알 수 있는 내용으로 적절하지 <u>않은</u> 것은 무엇인가요?

① 인터넷의 기반이 된 네트워크 기술은 폐쇄형 구조로 되어 있었다.
② 20세기에 나타난 전쟁의 양상은 과학 기술 연구에 영향을 주었다.
③ 전자 제품 중에는 군대에서만 사용하던 기술을 상용화한 것이 있다.
④ 아르파 넷은 전쟁 상황에서 데이터를 보존하기 위해 개발된 기술이다.
⑤ 전파의 초당 진동수를 측정하는 단위는 연구자의 이름을 딴 헤르츠(Hz)이다.

'이 글을 통해 알 수 있는 내용'은 글에 그 내용이 제시되어 있다는 뜻이야. 그러므로 글의 내용을 정확하게 파악한 후 선지의 내용과 비교해 가면서 정답을 찾으면 돼.

2 이 글과 〈보기 1〉을 바탕으로, 〈보기 2〉의 사례를 이해한 내용으로 적절하지 <u>않은</u> 것은 무엇인가요?

┤보기 1├

그림과 같이 세 개의 GPS 인공위성 A, B, C는 자신의 전파 송신 시각을 담은 전파를 주기적으로 지상으로 보낸다. GPS 수신기 D는 세 개의 GPS 인공위성에서 받은 전파를 바탕으로 계산을 하여 자신의 현재 위치를 알려 준다.

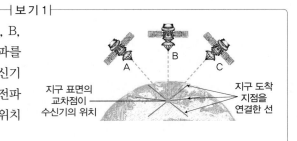

지구 표면의 교차점이 수신기의 위치

지구 도착 지점을 연결한 선

┤보기 2├

GPS 수신기 D는 12시 00분 03초에 세 개의 GPS 인공위성 A, B, C로부터 전파를 수신하였다. D가 받은 각 전파에 담긴 전파 송신 시각은 다음과 같았다.

	A	B	C
전파 송신 시각	12시 00분 00초	12시 00분 02초	12시 00분 01초

(※ 단, 빛의 속도는 30만km/s로 계산한다.)

① 수신기 D는 인공위성 A에서 보낸 전파를 가장 먼저 받겠군.
② 수신기 D와 가장 가까운 거리에 위치한 인공위성은 B겠군.
③ 수신기 D와 인공위성 C 사이의 거리는 60만km로 계산되겠군.
④ 인공위성 A의 시계에 오차가 생기면 수신기 D는 위치를 잘못 파악하겠군.
⑤ 수신기 D가 내비게이션에 내장되면 현재 위치를 지도 위에 표시할 수 있겠군.

3 전자레인지에 대한 설명으로 적절한 것을 고르세요.

① 레이더에서 사용하는 전파의 주파수 범위를 초과한 전파를 사용한다. ☐
② 사용하는 전파의 주파수를 다르게 설정하면 그에 따라 성능도 달라진다. ☐
③ 수분을 전혀 포함하지 않은 물질을 넣으면 정상적으로 작동하지 않는다. ☐
④ 마그네트론이 발생시키는 전파의 주파수는 음식에 따라 다르게 설정된다. ☐
⑤ 음식과 마그네트론 사이의 거리나 방향을 감지하여 공진 현상을 일으킨다. ☐

4 〈보기〉의 선생님의 질문에 대한 학생의 대답으로 가장 적절한 것은 무엇인가요?

┤보 기├

선생님: 지난 20세기에는 총력전의 양상으로 인해 과학 기술이 비약적으로 발전했지만, 그 중에는 이 글에서 읽은 것처럼 아이러니한 특징을 가진 사례들도 있어요. 자, 그러면 다음에 제시된 과학 기술의 발전 사례는 어떤 아이러니한 특징이 있는지 이 글과 비교해서 말해 볼까요?

1945년 미국은 일본에 핵폭탄을 사용하였고, 2차 세계 대전은 끝이 났다. 폭탄 한 발에 수십만 명이 순식간에 사망하고 도시가 초토화되는 원자 폭탄의 위력을 본 소련은 서둘러 핵폭탄 개발을 시작했고, 1949년에 개발에 성공했다. 이에 미국은 1952년에 핵폭탄보다 수백 배 더 강한 위력을 가진 수소 폭탄을 개발했고, 소련 역시 1년 후에 수소 폭탄을 개발했다. 그러나 수소 폭탄은 그 위력이 너무 강해 만일 이를 사용한다면 인류 전체의 생존이 불가능해질 가능성이 높았다. 그리하여 1960년대 이후 미국과 소련은 암묵적으로 서로 더 이상 수소 폭탄 개발 경쟁을 하지 않기로 하였다.

① 이 글과 달리 〈보기〉의 사례에는 국가가 주도한 무기 개발이 과학의 발전을 이끌었다는 특징이 있어요.
② 이 글과 달리 〈보기〉의 사례에는 과도한 무기 개발 경쟁이 오히려 그 경쟁을 멈추게 했다는 특징이 있어요.
③ 이 글과 달리 〈보기〉의 사례에는 군사용으로 개발된 과학 기술이 사람들의 삶을 편리하게 했다는 특징이 있어요.
④ 이 글과 〈보기〉의 사례에는 모두 과학 기술 영역에서의 경쟁은 매우 심각한 문제를 야기할 수 있다는 특징이 있어요.
⑤ 이 글과 〈보기〉의 사례에는 모두 과학 기술이 현실에서 사용될 때 애초에 만든 목적과 다르게 사용될 수 있다는 특징이 있어요.

사형을 집행했는데 무죄로 밝혀진다면?

함무라비 법전*은 세계에서 가장 오래된 성문* 법전으로 알려져 있다. 이 법전은 메소포타미아 지역 바빌로니아 왕국의 함무라비왕 때(기원전 1800년경) 만들어진 것으로, '눈에는 눈, 이에는 이'라는 법조문으로 잘 알려져 있으며, 살인은 물론이고 도둑질이나 강도 범죄를 저지르면 사형에 처한다는 내용이 포함되어 있다. 그러나 사실 가장 오래된 법전은 이보다 300년 전에 만들어진 우르남무 법전이다. 우르남무 법전에도 살인죄나 강도죄를 저지른 사람은 사형에 처한다는 내용이 포함되어 있다. 이처럼 인류는 아주 오래전부터 형벌로서 사형 제도를 시행해 왔다. 그런데 사형 제도에 여러 문제점들이 나타나면서 사형 제도에 대한 찬반 논란이 계속 이어지고 있다.

㉠사형 제도 유지론자들은 어떤 해를 입힌 사람에게 같은 해를 가함으로써 보복한다는 탈리오 법칙*에 따라 살인죄를 저지른 사람을 사형에 처하는 것은 정당하며 이는 사회적 정의를 세우는 것이라고 말한다. 그리고 이러한 행위가 살인을 비롯한 반인륜적 범죄를 저지른 범죄자를 강력하게 처벌해야 한다는 법 감정에도 부합한다고 생각한다. 이들은 경제적으로 볼 때 사형 제도를 교도소의 수감 인원을 줄여 사회적 비용을 절감할 수 있는 방법으로 여긴다. 또한 사형 제도를 통해 폭력적인 범죄를 억제할 수 있으므로 사회를 더 안전하게 만들 수 있다고 본다. 그뿐만 아니라 사형 제도 유지는 여론의 강력한 지지를 받고 있으며, 현대 국가의 사법 체계는 합리적 판단이 가능한 구조로 작동된다고 주장한다.

이에 비해 ㉡사형 제도 폐지론자들은 탈리오 법칙에 따라 살인 범죄자를 사형하는 것은 보복에 지나지 않는다고 말한다. 이들은 피해자 가족들의 억울하고 원통한 마음에는 공감하지만, 국가 제도를 통해 복수를 한다고 해서 사회적 정의가 세워지는 것은 아니라고 말한다. 즉, 이들은 살인죄에 대한 사람들의 법 감정을 무시하는 것은 아니지만, 국가 제도적 차원에서의 보복과 사회적 정의를 세우는 것은 별개라고 주장하는 것이다. 또한 경제적인 동기로 어떤 사람의 생명을 앗아 가는 것을 정당화하는 것은 비도덕적이라고 비판한다.

사형 제도 폐지론자들은 사형 제도와 범죄 억제 사이에는 상관관계가 없다고 주장한다. 이들은 사형 제도를 폐지하고도 오히려 살인 범죄 발생률이 감소한 캐나다의 사례를 그 근거로 든다. 캐나다에서는 1976년에 사형 제도를 폐지했는데, 살인을 포함한 강력 범죄 발생률에 대한 연구 조사 결과, 사형 제도가 있던 1975년에 비해 2003년에 강력 범죄 발생률이 44%가 감소하였다고 한다. 이 연구 조사 결과는 사형 제도가 유지되면 살인과 같은 강력 범죄의 발생률이 낮아질 것이라는 사람들의 통념이 실제와는 괴리*가 있다는 것을 보여 준다. 그래서 이들은 사형 제도 유지론자들이 실상이 아닌 허상에 근거한 주장을 펼치고 있으며, 사람들의 여론 역시 실제 사실이 아닌 추측에 근거하여 형성된 것이라고 지적한다.

또한 사형 제도 폐지론자들은 사형을 집행한 이후 무죄로 밝혀질 경우, 국가가 또 다른 억울한 피해자를 만드는 아이러니한 결과를 낳게 될 수 있다고 주장한다. 이들은 역사적으로 볼 때 당대의 법에 따라 사형을 집행하였지만, 후대에 그 법이 악법으로 드러나 억울하게 희생된 사람

들이 있었음을 강조한다. 그리고 일부 독재 국가에서는 부당한 국가 권력에 맞서는 정치적 반대자들을 제거하기 위한 수단으로 사형 제도가 악용되었음을 지적한다. 또한 사형 판결을 내리는 판사나 배심원*들의 판단이 완전무결*한 것이 아니며, 수사 기관의 수사 역시 잘못될 수 있다고도 지적한다. 실제로 미국에서는 1973년부터 2009년까지 사형이 확정되었으나 이후 무죄가 입증되어 석방된 사람은 139명에 이르며, 심지어 사형 집행 후 무죄로 밝혀진 사람들의 사례들도 있었다는 연구 결과가 나왔다. 사형 제도 폐지론자들은 반인륜적 범죄를 저지른 범죄자는 단죄되어야 한다는 데 동의하지만, 사형 제도가 아닌 다른 방식으로도 충분히 그 범죄자를 처벌할 수 있다고 보는 것이다.

* 함무라비(Hammurabi) 법전: 기원전 1750년 무렵에 바빌로니아의 함무라비왕이 제정한, 세계에서 가장 오래된 성문법. 282조의 법조문이 약 2.25미터의 원기둥꼴 현무암에 음절 문자인 설형 문자로 새겨져 있다.
* 성문: 글자로 써서 나타냄. 또는 그런 글이나 문서.
* 탈리오 법칙: 피해자가 당한 손해를 가해자도 같은 정도로 당하게 한다는 보복의 원칙.
* 괴리: 서로 어그러져 동떨어짐.
* 배심원: 법률 전문가가 아닌 일반 국민 가운데 선출되어 심리(審理)나 재판에 참여하고 사실 인정에 대하여 판단을 내리는 사람.
* 완전무결: 충분히 갖추어져 있어 아무런 결점이 없음.

0 이 글을 바탕으로 할 때, 사형 제도로 인해 생길 수 있는 아이러니한 결과를 충분히 이해한 후에 보인 반응으로 가장 적절한 것을 고르세요.

① 어떠한 상황에서도 흥분하지 않는 마음가짐이 중요해. ☐
② 편견과 선입견 없이 상대방을 대하는 태도를 가져야 해. ☐
③ 자신의 판단이 틀릴 수도 있다는 점을 항상 명심해야 해. ☐
④ 옳다고 생각하는 바를 끝까지 지키려는 의지가 있어야 해. · ☐
⑤ 지난 일에 대한 후회는 무의미하므로 현재에 충실해야 해. ☐

1 이 글에 대한 설명으로 가장 적절한 것은 무엇인가요?

① 특정 제도가 발생한 역사적인 근원을 밝힌 다음, 그 제도의 전개 과정을 통시적으로 보여 주고 있다.

② 특정 제도를 일정한 기준에 따라 나눈 다음, 각 하위 제도들이 지닌 장점과 단점을 비교·분석하고 있다.

③ 특정 입장의 주장과 근거를 제시한 다음, 이를 반대하는 입장의 구체적 반박 내용을 상세하게 설명하고 있다.

④ 특정 제도에 대한 상반된 주장을 차례대로 제시한 다음, 이에 대한 새로운 대안을 심도 있게 모색하여 제시하고 있다.

⑤ 특정 제도가 언제부터 시행되었는지를 살펴본 다음, 그 제도에 대한 논쟁을 소개함으로써 제도의 필요성을 강조하고 있다.

하나의 주장인 정(正)에 모순이나 대립되는 **다른 주장인 반(反)**이,
더 높은 **종합적인 주장인 합(合)**에 통합되는 과정이 바로 변증법이야.

2 〈보기〉에 대해 ㉠과 ㉡이 보일 반응으로 적절하지 않은 것은 무엇인가요?

┤보 기├

(가) 우리나라의 경우, 1995년부터 2012년 5월까지 재판을 받은 강력 범죄 중 1심에서 유죄를 받았지만, 2심에서 무죄 판결을 받은 경우가 540여 건에 이르는 것으로 조사되었다.

(나) 2004년 미국에서 사형 제도가 있는 주의 평균 살인 사건 발생률은 인구 10만 명당 5.71건이었는데 비해, 사형 제도가 없는 주에서는 인구 10만 명당 4.02건으로 조사되었다.

① ㉠은 (가)에 대해 사법 체계가 합리적 판단을 해 나가는 과정으로 판단하겠군.

② ㉠은 (나)를 사형 제도가 사회 안정성을 높일 수 없다는 사례로 제시하겠군.

③ ㉡은 (가)를 재판 결과가 완전무결한 것은 아니라는 근거로 삼으려 하겠군.

④ ㉡은 (가)에 대해 사형 집행 후 무죄로 밝혀지는 사례와 무관하지 않다고 여기겠군.

⑤ ㉡은 (나)를 사형 제도와 범죄 억제율 사이의 상관관계가 없다는 근거로 추가하겠군.

"네가 그쪽으로 가면 나도 따라 갈 수밖에~"
상관관계란 두 가지 가운데 한쪽이 변화하면 다른 한쪽도 따라서 변화하는 관계다!

3 이 글의 내용과 일치하지 <u>않는</u> 것은 무엇인가요?

① 우르남무 법전은 가장 오래된 법전임에도 그 사실이 잘 알려지지 않았다.
② 우르남무 법전과 함무라비 법전에서 탈리오 법칙이 적용된 내용을 확인할 수 있다.
③ 사형 제도 찬성론자들은 '눈에는 눈, 이에는 이'를 실현하는 것을 정의라 믿고 있다.
④ 사형 제도 반대론자들도 반인륜적 범죄에 대해서만큼은 사형이 가능하다고 보고 있다.
⑤ 미국에서는 범죄를 저지르지 않았음에도 불구하고 억울하게 처벌을 받은 사례가 있었다.

4 이 글을 읽은 학생이 〈보기〉의 여론 조사 결과를 접한 뒤 내린 판단으로 가장 적절한 것은 무엇인가요?

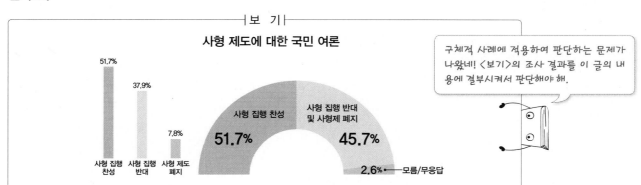

구체적 사례에 적용하여 판단하는 문제가 나왔네! 〈보기〉의 조사 결과를 이 글의 내용에 결부시켜서 판단해야 해.

2019년 사형 제도에 대한 찬반을 묻는 여론 조사 결과, 전체 응답자 500명 중 사형 집행 및 사형 제도에 찬성하는 사람은 전체 응답자의 51.7%로 나타났다. 그리고 사형 제도는 유지하되, 그 집행을 반대하거나 사형 제도 자체를 폐지하자는 사람들은 전체 응답자의 45.7%로 나타났다. 이 조사 결과는 약 2년 전에 했던 동일한 조사에 비해 찬성 비율은 1.1% 하락하고, 반대 비율은 3.5% 상승했다. 또한 찬성 비율이 특정 지역, 특정 연령대, 그리고 특정 정치적 성향을 지닌 사람들에게서 더 높게 나타났다.

① 사형 집행을 반대하는 비율이 이전 조사에 비해 높아진 것을 보니, 얼마 지나지 않아 사형 제도 폐지 여론이 절반 이상을 차지하게 되겠군.
② 사형 집행을 찬성하는 비율이 반대하는 비율보다 높은 것을 보니, 사형 제도로 인해 발생할 수 있는 아이러니한 상황에 대한 인식 정도가 높군.
③ 사형 집행은 반대하지만 사형 제도 폐지에 대한 비율이 낮은 것을 보니, 사형 제도를 통해 사회적 정의를 세울 수 있다고 믿는 여론이 매우 강하군.
④ 사형 집행에 대한 찬성 비율이 이전 조사에 비해 낮아진 것을 보니, 경제적인 이유를 들어 사형 제도를 유지하자는 주장에 대한 설득력이 강화되고 있군.
⑤ 사형 집행에 대한 찬성 비율이 지역, 연령, 정치적 성향에 따라 다른 것을 보니, 지역, 연령, 정치적 성향에 따라 사람들이 추구하는 사회적 정의의 수준이 다르군.

Q 다음은 생각을 읽을 수 있는 지문 구조도를 퍼즐로 나타낸 것입니다. 앞에서 읽은 글의 내용을 떠올리며 생각읽기 1~6에 해당하는 퍼즐을 선으로 연결해 보세요.

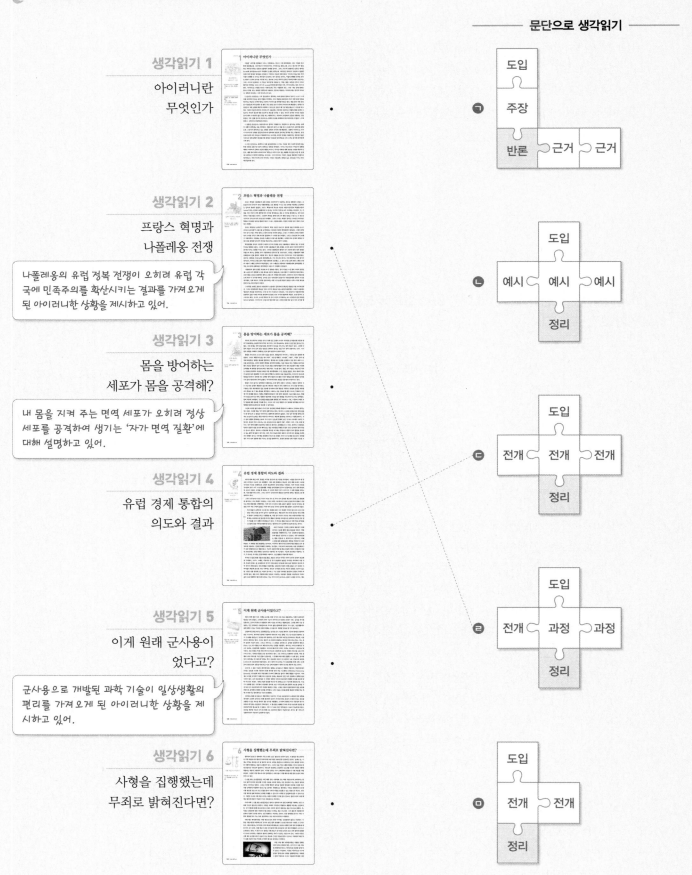

문단으로 생각읽기

생각읽기 1
아이러니란 무엇인가

ㄱ
도입 / 주장 / 반론 - 근거 - 근거

생각읽기 2
프랑스 혁명과 나폴레옹 전쟁

나폴레옹의 유럽 정복 전쟁이 오히려 유럽 각국에 민족주의를 확산시키는 결과를 가져 오게 된 아이러니한 상황을 제시하고 있어.

ㄴ
도입 / 예시 - 예시 - 예시 / 정리

생각읽기 3
몸을 방어하는 세포가 몸을 공격해?

내 몸을 지켜 주는 면역 세포가 오히려 정상 세포를 공격하여 생기는 '자가 면역 질환'에 대해 설명하고 있어.

생각읽기 4
유럽 경제 통합의 의도와 결과

ㄷ
도입 / 전개 - 전개 - 전개 / 정리

생각읽기 5
이게 원래 군사용이 었다고?

군사용으로 개발된 과학 기술이 일상생활의 편리를 가져 오게 된 아이러니한 상황을 제시하고 있어.

ㄹ
도입 / 전개 - 과정 - 과정 / 정리

생각읽기 6
사형을 집행했는데 무죄로 밝혀진다면?

ㅁ
도입 / 전개 - 전개 / 정리

1 사람들의 의도·기대·예상 등에 반하는 말이나 상황, 또는 결과를 지칭할 때 사용하는 □□□□는 연극에서 언어적·상황적·극적 아이러니의 형태로 사용된다.

2 나폴레옹의 정복 전쟁은 유럽 각국에 □□□□를 전파하는 결과를 낳았고, 이는 제1차 세계 대전의 원인이 되는 등 이후 유럽 역사에 큰 영향을 끼쳤다.

3 우리 몸의 외부 침입자들을 제거하여 내 몸을 지켜 주는 면역 세포가 우리 몸의 정상 세포를 공격하여 생기는 병을 □□□□□□이라고 한다.

4 유럽의 나라들이 환율 변동에 대응하면서 경제를 안정·발전시키기 위해 시행했던 □□□의 사용과 단일 환율의 적용이 오히려 유럽 경제에는 더 큰 문제를 가져온 아이러니한 원인 중의 하나가 되었다.

5 전쟁에서 이기기 위한 목적으로 개발된 과학 기술 중에는 우리 일상생활을 편리하게 해 주는 기술들도 찾아볼 수 있는데, 이는 □□□ 기술이 생활에 편리함을 주는 아이러니한 상황으로 볼 수 있다.

6 함무라비 법전보다 300년 전에 만들어진 우르남무 법전에도 포함되어 있을 만큼 □□ □□에 대한 찬반 논란은 여전히 계속되고 있다.

우리는 어떻게 아이러니를 설명할까?

"아이러니는 우리 자신과 세상을 다시 보게 한다"

아이러니한 상황은 실제로는 그리 자주 일어나지는 않습니다. 그러나 아이러니한 일이 생기면 사람들은 삶과 세계에 대해 다시 생각해 보게 됩니다. 모든 일의 결과는 자신의 의지와 노력에 의해 만들어진다는 생각에 정면으로 반박하는 현실의 사례가 바로 아이러니이기 때문입니다. 이런 점에서 아이러니는 사람들로 하여금 인생의 의미나 세상의 이치 등에 대한 인식의 폭을 넓혀 주게 됩니다.

당신이 헛되이 보낸 오늘이,
어제 죽은 이가 그토록 바라던 내일이다.
– 소포클레스

06 공존

생각의
발견

공존을 말하다!

흔히 인간은 사회적 존재라 혼자서는 살 수 없다고 말합니다. 다른 사람들과 함께 어우러져 살아가야 개인도 사회도 만족스러운 삶을 살아갈 수 있습니다. 이렇게 함께 살아가는 것을 공존이라고 하지요. 공존은 인간뿐만 아니라 문화, 자연, 생물 등 세상의 모든 요소에서 찾아볼 수 있습니다. 결국 우리가 어떻게 살아야 할 것인가의 문제는 다른 것들과 어떻게 공존할 수 있을까를 고민하는 것과 같다고 할 수 있습니다. 공존의 의미와 그 방법을 찾을 수 있다면 우리가 어떤 선택을 하며 살아가야 할지 그 방향을 알 수 있지 않을까요?

문명은 충돌할 것인가 공존할 것인가

세계화와
국제 사회의 공존

Q 뮐러가 문명의 충돌이 생기는 원인으로 제시한 것은 무엇인가요?

1990년대 초, 구소련이 해체되면서 자본주의와 공산주의의 대립은 자유 진영의 승리로 끝났다. 또한 세계화가 이루어지면서 세계는 평화와 번영의 시대를 맞이하는 듯했다. 하지만 각종 내전과 테러 같은 국지적*인 전쟁과 갈등이 세계 곳곳에서 증가하고 있다. 미국의 정치학자 ㉠헌팅턴은 이처럼 세계화에도 계속되는 대립과 갈등을 문명 간의 충돌로 보았다. 과거에는 자본주의와 공산주의처럼 '이념 갈등에 의한 분쟁'이 많았지만 앞으로는 서로 다른 '문명의 충돌'이 세계적인 분쟁의 핵심이 될 것이라고 본 것이다. 여기서 문명이란 언어·종교 등 여러 가지 문화적인 특징이 모인 덩어리로 나라나 민족, 지역에 형성되어 있는 문명권을 말한다.

헌팅턴에 따르면 세계는 종교에 따라 기독교권, 이슬람권, 유교권, 불교권, 힌두권 등으로 나눌 수 있다. 그는 공통의 문화를 가진 민족, 국가들은 핵심국으로 통합되는 반면, 서로 다른 문명권에 속한 나라와는 분열하고 반목*할 것이라고 보았다. 거대 종교들로 나뉜 세계는 서로 다른 종교, 문화적 이질감에 의하여 다른 문명권과 갈등을 일으키게 된다는 것이다. 따라서 그는 문명들이 나뉘어 있다는 것을 인정하고 그에 따른 국제 질서의 안정을 추구해야 한다고 주장하였다. 특히, 그는 국제 질서를 안정시키는 데 있어서 각 종교 문화권에서 핵심국의 역할을 강조하였다. 만약 핵심국이 제 역할을 다하지 못할 경우 서구의 기독교권과 이슬람권, 중화권 사이의 갈등은 더 커질 것이라고 예상하였다. 서구는 국제 관계에서 그동안 유지해 왔던 강대국으로서의 패권*을 지키기 위해 정치·경제적 압박을 지속할 것이며, 이슬람권과 유교권은 이에 대한 반발로 서구와 적대적 위치에 놓일 것이라고 본 것이다.

그런데 과연 문명은 충돌하기만 하는 것일까? 독일의 정치학자 ㉡뮐러는 헌팅턴과는 다른 관점에서 세계 질서를 살펴보았다. 헌팅턴이 문명권 간의 대립과 갈등을 강조하였다면, 뮐러는 문명권 간의 평화와 공존이 가능하다는 방향으로 논의를 이끌어 나갔다. 뮐러는 종교와 문명을 분쟁의 원인으로 지적한 헌팅턴의 주장이 너무 단편적이고 획일적인 것이어서 현실과 다르다고 보았다. 헌팅턴과 같은 접근 방법은 국제 정치의 본질을 국가 간의 권력 투쟁으로만 이해하는 것으로서 결국 기존 냉전 이론의 연장선으로 볼 수 있다. 하지만 실제로 역사는 이웃 문명의 문화를 새롭게 접하고, 서로 간의 낯선 문화를 공유하면서 발전해 왔다. 그는 헌팅턴이 문화의 이질성을 강조하는 것은 각 문명 간의 차이점만을 부각하여 분쟁을 ⓐ일으킬 뿐이며, 국제 분쟁이 일어나는 원인은 서로 문화가 다르기 때문이 아니라 서로 소통하지 않아 다른 문화를 이해하지 못하기 때문이라고 보았다. 따라서 뮐러는 국제 분쟁을 극복하기 위해서는 무엇보다 문명의 다양성을 수용하면서 상호 간의 소통과 이해의 폭을 넓히는 자세가 필요하다고 주장하였다. 모든 문화권에서 통용될 수 있는 자유, 평등, 인권, 관용, 공동체에 대한 헌신 등의 정신적 가치 체계에 대한 합의와 공유를 모색하는 노력을 한다면 인류 문화의 진보를 이룰 수 있다고 본 것이다.

물론 이러한 뮐러의 주장은 다소 이상주의적이며 낙관적인 측면이 있다는 비판을 받기도 한다. 사실상 아직도 국제 사회는 일부 강대국들의

입김에 따라 흘러가는 경향이 있으며, 국가 간의 복잡한 이해관계 속에서 대화로 문제가 해결되는 과정이 순탄치만은 않다. 하지만 오늘날의 세계화는 문명의 상호 의존성을 높이고 교류를 다양화시켰으며, 국제 관계의 역동성을 가속화하는 계기가 되었다. 세계화는 서로를 경쟁적인 민족 국가에서 상호 의존적인 교역 국가로서의 전환을 요구하였고 비정부 기구*들의 다양한 활동은 국가에 집중되어 있던 권력을 분산시키고 있다. 즉, 세계화는 문명의 충돌보다 공존의 조건이 된다고 볼 수 있다. 따라서 우리가 다양성과 개방성을 수용하며 문명 간의 대화를 모색할 때 문명의 공존은 가능해질 것이다.

* 국지적: 일정한 지역에 한정된. 또는 그런 것.
* 반목: 서로서로 시기하고 미워함.
* 패권: 국제 정치에서, 어떤 국가가 경제력이나 무력으로 다른 나라를 압박하여 자기의 세력을 넓히려는 권력.
* 비정부 기구: 정부 간의 협정에 의하지 아니하고 민간의 국제 협력으로 설립된 조직. 유네스코, 유니세프 등이 있다.

0 **이 글에서 글쓴이가 궁극적으로 말하고자 하는 것을 고르세요.**

① 문명이 공존할 수 있다는 것은 현실성이 떨어지는 주장이다. ☐
② 문명 간의 소통은 복잡한 이해관계를 극복해야 하므로 쉽지 않다. ☐
③ 세계화 속에서 문명 간 소통을 위해 노력하면 문명의 공존은 가능하다. ☐
④ 정치 이념에 따른 냉전은 끝났지만 세계에는 여전히 많은 대립과 갈등이 존재한다. ☐
⑤ 문명이 충돌할 것인지 공존할 것인지에 대해서는 여러 학자들의 의견이 분분하다. ☐

글쓴이가 궁극적으로 말하고자 하는 것은 글을 통해 전달하고자 하는 핵심, 곧 주제를 말해.

꽃가루가 여기저기 갈피를 못 잡고 휘날리는 것처럼 다양한 의견들이 분분하게 날리는 모습을 상상해 봐!

1 이 글에 대한 설명으로 적절하지 <u>않은</u> 것은 무엇인가요?

① 용어의 개념을 밝히면서 내용을 전개하고 있다.

② 질문을 던지는 형식으로 독자의 관심을 유도하고 있다.

③ 권위자의 주장을 인용하여 통념의 오류를 지적하고 있다.

④ 차이점을 중심으로 화제에 대한 두 가지 견해를 설명하고 있다.

⑤ 기존 견해의 문제점을 지적하며 새로운 사고방식의 필요성을 주장하고 있다.

2 ㉠과 ㉡에 대한 이해로 적절하지 <u>않은</u> 것은 무엇인가요?

① ㉠은 ㉡과 달리 문명을 나누는 기준을 종교에서 찾는다.

② ㉠은 ㉡과 달리 문명권 간의 이질성으로 인한 갈등을 강조한다.

③ ㉡은 ㉠과 달리 문명 간의 소통을 통해 문명의 공존이 가능하다고 여긴다.

④ ㉡은 ㉠과 달리 국제 분쟁이 일어나는 주요 원인을 문명 간의 문화 차이 때문이라고 본다.

⑤ ㉠과 ㉡은 모두 각 문명을 서로 인정하거나 존중하면 문명 간의 갈등을 완화할 수 있다고 생각한다.

충돌할 때는 쿠션이 필요하지~
갈등을 완화시킬 때도 마찬가지야!

3 이 글을 참고하여 〈보기〉의 관점을 이해한 내용으로 적절한 것은 무엇인가요?

─────────| 보 기 |─────────

　　문명 간의 갈등은 소통의 단절에서 비롯된다. 교류를 통한 세계의 역동성은 다양한 낯선 것들과 접해야 하기 때문에 거부 본능을 자극하기도 한다. 하지만 정치와 무관하게 대화를 추진하는 사회적·경제적 노력을 통해 문명 간 가치들의 교집합을 확대시켜 소통의 단절을 극복하게 할 것이다.

'소통 단절'이나 '세계의 역동성', '문명 간의 가치들의 교집합'을 보면 이 글에 제시된 두 가지 관점 중 연관성이 있는 것을 알 수 있을 거야.

① 국제 교류의 확대를 통해 문명 간 소통의 길을 열 수 있겠군.
② 국제 분쟁의 근본 원인은 결국 정치 이념의 차이에서 오는 것이겠군.
③ 국제 분쟁의 원인을 진정시키기 위해서는 핵심국들의 중재가 필요하겠군.
④ 문명 간 소통을 통해 개별 문명을 넘어 단일 문명의 실현을 추구해야겠군.
⑤ 문명의 다양성을 배제하고 동일성을 추구해야 문명 간의 갈등이 사라질 수 있겠군.

〈보기〉의 관점과 이 글의 연결 고리를 찾아야 해.
〈보기〉에 제시된 단어들에 주목해 봐!

4 ⓐ와 바꿔 쓸 수 있는 말로 가장 적절한 것은 무엇인가요?

① 생성(生成)할
② 조정(調停)할
③ 유발(誘發)할
④ 고조(高調)시킬
⑤ 발전(發展)시킬

Q 패러독스의 의미를 한마디로 나타내면 무엇인가요?

패러독스 경영, 조화를 추구하다

과거 기업 경영에서는 어느 한 가지만 잘하면 경쟁력을 가질 수 있었다. 예컨대 낮은 원가와 제품의 차별화처럼 상충*되는 것을 동시에 추구하는 기업은 진퇴양난의 위기에 빠지는 어리석음을 범할 수 있다고 보았다. 결국 상충되는 대안들 중에서 자신이 처한 상황에 가장 적합한 하나를 선택하여 그것을 일관성 있게 실천하는 것이 최적의 방식이었다. 그러나 최근의 급속한 기술 변화와 경쟁 상황은 기업의 경영 환경을 더욱 복잡하게 만들고 있다. 기업이 상대해야 하는 경쟁자의 범위가 무한히 넓어졌고, 산업 간 경계도 불분명해지고 있으며, 무엇보다도 소비자의 기호가 다양화되고 있다. 이와 같은 경영 환경에서 기업이 어느 한 가지 경쟁 능력만을 고집한다면, 그 회사는 일류 기업은 고사*하고 시장에서 도태될 수밖에 없다. 즉 이제 양자택일의 시대는 끝나고, 상호 배타적이고 모순적 특징들이 동시에 존재할 수 있다는 패러독스의 관점이 필요한 때이다.

패러독스의 의미를 한마디로 나타내면, '상반된 상호 의존'이다. 동양 철학은 세계의 구성 요소를 음과 양으로 본다. 빛과 어둠, ㉠무거움과 가벼움, 남성과 여성 등 모든 것이 음양으로 구성되어 있다. 그런데 중요한 것은 음과 양이 단순한 대립 관계가 아니라는 점이다. 빛은 어둠이 있어야 그 존재가 드러나며, 그 반대도 마찬가지이다. 즉 음과 양은 서로를 필요로 하는 관계인 것이다. 패러독스는 바로 동양 철학에서의 음과 양처럼 두 가지 구성 요소가 대립하는 것처럼 보이지만 실제는 서로를 포함한다는 의미로 이해할 수 있다. 한 가지만으로는 완벽하지 않으며, 두 가지가 함께할 때 그 존재를 완전하게 이해할 수 있기 때문이다.

패러독스 경영이란 상충되는 요소들이 한 조직 내에서 서로 조화를 이루면서 공존할 수 있도록 관리하는 것이다. 차별화와 낮은 원가, 창조적 혁신과 효율성, 글로벌 통합과 현지화, 규모의 경제*와 빠른 속도 등 양립이 불가능해 보이는 요소들을 동시에 달성하여 경쟁력을 강화하는 것이 바로 패러독스 경영의 목표이다. 패러독스 경영에 성공한 기업들을 보면 대규모 투자를 통해 규모의 경제를 달성하고 원가에서 우위를 확보했다. 또한 글로벌한 차원에서 효율적인 공급자망 관리* 등을 구축하여 원가 효율성을 더 강화한 후 품질을 높이는 차별화 전략과 혁신을 실행하였다. 또한 세계화와 함께 다국적 기업이 초국적 기업으로 변신하고 있다. 다국적 기업이란 본국에서 창출한 기술력이나 브랜드 파워를 바탕으로 해외 시장에서 경쟁하는 기업을 말한다. 다국적 기업은 본사에서 외국 자회사로 기술과 인력, 자금 등 자원을 일방적으로 이전해 해외 현지에서의 불리함을 극복하였다. 하지만 초국적 기업은 본국의 자원만 활용하지 않는다. 본국보다 우수한 자원을 해외에서 적극 조달해 활용하며 범세계적인 경쟁 우위를 창출한다. 과거에는 전 세계적으로 표준화한 제품을 공급하는 '글로벌 통합'과 현지 특성에 맞게 상품과 서비스, 경영 시스템을 변형한 '현지화'의 양립이 어려웠다. 하지만 글로벌 기업이 초국적 기업으로 발전하면서 글로벌 차원에서 전략을 수립하되 현지 특성에 맞게 실행하게 되었다.

이렇게 고정된 사고에 매이지 않고 다양한 시각으로 접근하는 패러독스 사고는 경영의 토대인 현실을 정확하게 보는 것이며 세상을 있는 그대로 보려는 태도이다. 하나의 조직에는 상충하는 가치와 요소들이 많다. 그래서 이러한 것들을 그대로 인정하고 통합적인 사고로 해결책을 찾는 것이 필요하다. '또는'이 아니라 '그리고'의 사고가 바로 공존과 조화의 사고로, 양면적인 것들을 슬기롭게 추구해 나가는 방법인 것이다.

* 상충: 맞지 아니하고 서로 어긋남.
* 고사: 어떤 일이나 그에 대한 능력, 경험, 지불 따위를 배제함.
* 규모의 경제: 생산량이 늘어남에 따라 생산하는 데 평균적으로 드는 비용이 줄어드는 현상.
* 공급자망 관리: 제품이 공장에서 만들어져 도매상과 소매상을 거쳐 소비자에게 전달되는 제조–유통–판매의 전 과정을 관리하는 것.

0 이 글의 논지를 반영하여 표제와 부제를 정하려고 할 때, (   )에 들어갈 단어로 적절한 것은 무엇인가요?

패러독스 경영의 시대
– (   ) 요소들의 조화를 통한 경쟁력 강화

① 개별적인　　　　② 상충되는　　　　③ 공통되는
④ 표준화된　　　　⑤ 차별화된

표제와 부제에 대해서는 배웠지?
이 글의 주제와 핵심어에 주목해
봐!

1 이 글에서 언급한 내용으로 적절하지 <u>않은</u> 것은 무엇인가요?

① 경영에서 패러독스 사고의 중요성
② 기업의 경영 환경을 복잡하게 만드는 요인들
③ 패러독스 경영에 성공한 기업들 간의 차이점
④ 동양 철학에서 찾을 수 있는 패러독스의 의미
⑤ 경쟁력 획득을 위한 과거와 현재의 기업 경영 방식 차이

2 이 글을 참고하여 〈보기〉에서 패러독스 경영에 해당하는 사례를 모두 고른 것은 무엇인가요?

─────────| 보 기 |─────────
ⓐ A 화장품 기업은 품질이 다소 떨어지는 원료를 사용하고 대량 생산을 통해 화장품의 가격을 낮추어 구매자들의 부담을 낮추는 데에 목적을 두었다.
ⓑ B 컴퓨터 회사는 당시엔 불가능하다고 여겼던, 대량 생산 방식이면서도 개인 맞춤형을 추구한 혁신적인 사업을 통해 불과 15년 만에 세계 개인용 컴퓨터 시장을 장악하였다.
ⓒ C 항공사는 직원 교육에 대한 과감한 투자를 지속적으로 진행함으로써 낮은 인건비로 우수한 인력을 확보하였다.
ⓓ D 시계 기업은 높은 기술력을 이용해 차별화된 시계를 생산하되, 판매 수량을 한정하여 희소성을 높이고 가격을 높게 매겨 판매한 결과 소수의 마니아층의 고객을 확보할 수 있었다.

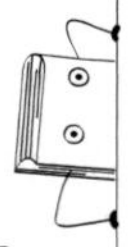

사례는 '실제로 일어난 예'를 의미해. 따라서
1. 구체적인 내용인지
2. 묻는 내용과 관련성이 있는지 모두 확인해야겠지?

① ⓐ, ⓑ   ② ⓐ, ⓓ   ③ ⓑ, ⓒ   ④ ⓑ, ⓓ   ⑤ ⓒ, ⓓ

3 이 글을 읽고 다음 선생님의 질문에 답한 내용으로 가장 적절한 것은 무엇인가요?

> 선생님: 이 글에서 알 수 있는 '패러독스 경영'의 의의는 무엇인가요?
> 학 생: _____

① 어떠한 변화에도 흔들리지 않는 강한 신념을 구성원과 공유하게 한다는 점입니다.
② 성공이 검증된 경영 방식을 모방하며 자신만의 방식을 찾는 데 필요하다는 것입니다.
③ 이윤을 극대화하기 위해 양자택일의 상황에서 더 유리한 한 가지를 선택한다는 것입니다.
④ 이분법적 사고에서 벗어나 통합적 관점에서 경영하여 기업의 경쟁력을 높일 수 있게 한다는 것입니다.
⑤ 기업들이 서로 다른 가치를 추구하기보다는 하나의 가치를 일관성 있게 추구하도록 돕는다는 것입니다.

'의의'는 대상이 지니는 중요성이나 가치를 말해. '의의'를 파악할 때는 그것의 역할이나 영향, 필요성과 관련된 내용이라고 보면 돼.

4 〈보기〉를 참고할 때, ㉠과 의미 관계가 유사한 것은 무엇인가요?

───────┤ 보 기 ├───────

두 단어가 서로 상대되는 의미를 가지고 있는 관계를 뜻하는 반의 관계는 등급적 반의 관계, 상보적 반의 관계, 방향적 반의 관계로 세분화할 수 있다. 등급적 반의 관계는 두 단어가 정반대의 가치로 대립되는 관계로 두 단어 사이에 양쪽 어디에도 속하지 않는 중간 단계나 정도를 나타내는 단어가 존재한다. 상보적 반의 관계는 두 단어의 개념적 영역이 서로 배타적이어서 한쪽을 부정하는 것이 다른 쪽을 긍정하는 관계를 이루는 것으로 두 단어 사이에 중간 단계나 정도를 나타내는 단어가 존재하지 않는다. 마지막으로 방향적 반의 관계는 방향이나 이동의 측면에서 대립을 이루는 단어들의 의미 관계를 말한다.

① 살다 – 죽다
② 출발 – 도착
③ 길다 – 짧다
④ 합격 – 불합격
⑤ 들어가다 – 나가다

두 단어의 의미 사이에 겹치는 부분이 생기는 걸 중간항이 있다고 말해!
이렇게 중간항이 있는 관계를 반의 관계라고 하지.

경쟁 배타의 원리로 보는 생태계

(가) 어떤 환경에서 개개의 종이 차지하는 위치를 '생태적 지위'라고 하는데 이는 서식 장소, 먹이 사슬 등의 생태적 환경에 의해 형성되는 지위를 말한다. 예를 들어 열대 지역의 나무도마뱀의 생태적 지위는 견딜 수 있는 온도 범위, 서식할 수 있는 나뭇가지의 크기, 먹이가 되는 곤충의 종류 등 많은 요소들로 이루어진다. 그런데 생태적 지위가 유사한 개체군이 한 서식지에서 생활하게 되면 이들 사이에서 치열한 경쟁이 일어난다. 결국 생활 양식이 서로 비슷하면 두 개체군*이 같은 장소에서 함께 살지 못하는데 이러한 원리를 경쟁 배타의 원리, 혹은 가우스의 법칙이라고 한다.

(나) 1930년대 러시아의 생물학자인 가우스는 두 종의 짚신벌레를 배양하며 두 종 간의 경쟁을 조사하였다. 두 종의 짚신벌레가 각각 독립적으로 같은 조건에서 배양되었을 때는 두 종 모두 빠르게 성장하여 개체군을 이루었다. 그러나 일정하게 유지되는 환경에서 두 종이 함께 혼합 배양되었을 때는 한 종의 짚신벌레가 모든 공간과 먹이를 차지하고 다른 종은 결국 사라지는 것이 관찰되었다. 이 실험 결과는 생태적 지위가 동일하거나 유사한 개체군은 경쟁 배타 원리에 의해 같은 장소에서 살 수 없다는 것을 보여 준다.

(다) 경쟁 배타의 원리에 의하면 두 종의 생태적 지위가 겹칠수록 경쟁이 심해져서 경쟁력이 약한 종은 큰 피해를 입거나 사라져야 한다. 그런데 일반적으로 경쟁은 서로에게 피해를 입히는 과정으로 경쟁력이 큰 종이나 약한 종 모두 손해를 입히는 상호 작용이다. 따라서 가급적 경쟁을 피하는 방향으로 생태적 지위의 변화나 선택이 일어나기도 한다. 이를테면 어떤 생태계 안에서 생물 A와 생물 B가 모두 먹이 a와 먹이 b를 먹는다면, 서로 생태적 지위가 중복된다. 이러한 상황에서 생물 A와 생물 B가 먹이 a와 먹이 b를 모두 먹으려고 하면 ㉠경쟁이 일어나는 것이고, 생물 A는 먹이 a를, 생물 B는 먹이 b만을 먹는다면 ㉡분서가 일어난다고 한다. 이처럼 분서는 생존에 꼭 필요한 자원을 여러 가지 방법을 통해 나누어 갖는 것을 말하며, 분서에는 장소를 나누어 서식하는 방식, 먹이나 먹이를 먹는 시간대를 달리하는 방식 등이 있다.

(라) 제한된 자원을 둘러싼 경쟁의 결과는 환경에 따른 체형 구조를 비교함으로써도 확인할 수 있다. 예를 들어 A 섬과 B 섬에 각각 살고 있는 조류의 경우 동일한 먹이를 먹어도 종간* 경쟁이 없기 때문에 부리의 크기가 유사하다. 그런데 이들이 동일한 지리적 영역을 이룬 채 살게 되면 서로 다른 크기의 씨앗을 먹도록 부리의 크기가 달라지는 체형의 변화가 일어나게 된다. 이처럼 같은 자원을 두고 다툼을 벌이는 일이 없도록 서로 체형의 구조가 달라지기도 하는데, 이러한 체형 구조의 변화를 ㉢형질 치환이라고 한다.

(마) 이처럼 공존하고 있는 개체군은 서로 경쟁하는 것이 아니므로 ⓐ우리 주변에서 함께 살고 있는 모든 생물종들은 필연적으로 발생할 수밖에 없는 경쟁에 적응하는 과정을 거친 존재들이라고 할 수 있다. 하지만 우리나라 하천에 원래 살지 않던 베스라는 물고기가 들어오면서 기존의 토종 물고기와 경쟁이 일어난 경우처럼 현재 상태에 또 다른 새로운 종이 유입된다면 다시 경쟁이 일어날 수 있을 것이다.

* 개체군: 한곳에서 같이 생활하는 한 종의 생물 개체의 집단.
* 종간: 생물학적 분류의 기초 단위인 종과 종의 사이.

0 이 글을 쓰기 전 글쓴이가 머릿속에 떠올렸을 내용 구조도로 적절한 것은 무엇인가요?

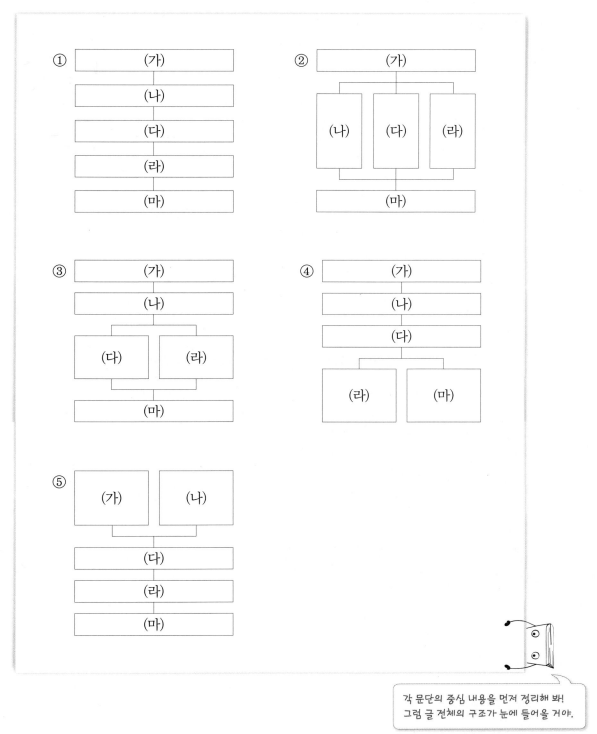

각 문단의 중심 내용을 먼저 정리해 봐!
그럼 글 전체의 구조가 눈에 들어올 거야.

1 (가)~(마)의 중심 내용으로 적절하지 <u>않은</u> 것은 무엇인가요?

① (가): 생태적 지위와 경쟁 배타 원리의 개념
② (나): 경쟁 배타 원리를 보여 주는 실험
③ (다): 경쟁을 피하기 위한 방법인 분서
④ (라): 경쟁을 피하기 위한 방법인 형질 치환
⑤ (마): 경쟁 배타 원리의 예외적 적용

2 ㉠~㉢에 대한 설명으로 가장 적절한 것은 무엇인지 고르세요.

① ㉡은 ㉠의 결과로 이루어진다.
② ㉢은 서식 장소의 변화를 전제로 한다.
③ ㉢은 ㉠과 ㉡이 발생했을 때에만 이루어진다.
④ ㉠과 ㉡은 ㉢을 피하기 위해 이루어진다.
⑤ ㉡과 ㉢은 모두 자원을 분할하기 위한 방식이다.

정보 간의 관계를 묻는 문제는 그 정보들의 공통점과 차이점이나 정보들이 발생한 순서, 정보 간의 인과 관계, 전제나 조건들을 살펴보아야 해.

3 이 글을 바탕으로 〈보기〉에 대해 보인 반응으로 적절하지 <u>않은</u> 것은 무엇인가요?

┤보 기├

㉮ 1,000년 전에 A와 B는 서로 다른 장소에서 살고 있었음.

↓

㉯ 500년 전 B의 서식지가 파괴되어 B가 A의 서식지로 옮겨 옴.

↓

㉰ 현재 A와 B는 같은 서식지를 나누어 살고 있음.

* A와 B는 생태적 지위가 유사한 종이고 자원은 제한적이라고 가정함.

① ㉮의 A와 B는 경쟁 배타의 원리가 작용하지 않았겠군.
② ㉯의 A와 B는 자원을 둘러싼 경쟁이 생겼겠군.
③ ㉯의 상태가 계속 유지된다면 A나 B는 체형의 구조가 달라질 수도 있겠군.
④ ㉰의 A와 B가 먹이를 먹는 시간대를 달리한다면 A와 B는 경쟁을 피하게 되겠군.
⑤ ㉰의 A와 B가 장소를 나누어 서식하는 방식에는 경쟁 배타의 원리가 작용하겠군.

4 ⓐ의 이유를 추측한 내용으로 가장 적절한 것은 무엇인가요?

① 생태적 지위가 유사한 개체군이 경쟁하지 않아도 되는 환경이었기 때문이다.
② 생태적 지위가 다른 개체군도 생존을 위해 경쟁을 하는 경우가 생겼기 때문이다.
③ 생태적 지위가 유사한 개체군이 생활 양식의 변화나 선택을 통해 경쟁을 피하였기 때문이다.
④ 생태적 지위가 다른 개체군은 경쟁 배타의 원리에 따라 생태적 지위를 유지하였기 때문이다.
⑤ 생태적 지위가 유사한 개체군 사이의 필연적인 경쟁을 통해 한 개체군이 그 서식지에서 사라지게 되었기 때문이다.

추측은 상상이란 말과는 달라! 추측에는 근거가 있어야 하거든. 그럼 근거는 어디 있을까? 바로 지문 안에!

숨은 의도, 맥락이 그 단서가 된다

사형장에 4명의 죄수가 있습니다. 벽을 사이에 두고 죄수 A, B, C, D는 앞만 바라볼 수 있습니다. 교도관은 4명의 죄수에게 그림과 같이 모자를 씌워 놓았습니다. 검은색 모자가 2개이고, 흰색 모자가 2개라는 것만 알려준 후, 누구라도 자기 모자 색을 맞히면 모두 살려 주고, 틀리면 모두 사형이라고 했습니다. 자, 답할 기회는 한 번뿐입니다. 물론 벽을 관통해 볼 수는 없습니다. 어느 죄수가 답을 맞힐 수 있을까요?

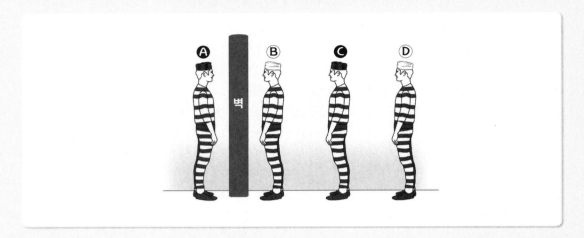

'의도'란 '이루고자 하는 생각이나 계획'을 가리키는 말입니다. 그러니까 '의도'라는 것은 인물이 말이나 글을 통해 궁극적으로 이루고자 하는 목적을 가리키는 말로 생각하면 됩니다. 실제로 모든 언어 자료에는 말하는 이나 글쓴이의 의도가 담겨 있게 마련입니다. 다시 말해 모든 말이나 글에는 그런 언어 활동을 하게 된 배경이나 동기, 상황 등이 있다는 것이지요. 따라서 의도를 추리한다는 것은 글이나 말을 통하여 글쓴이가 궁극적으로 이루고자 하는 바가 무엇인지 파악하는 능력을 의미합니다.

위의 그림에서 답을 맞힐 수 있는 죄수는 누구일까요? 어떻게 추리했죠? 앞뒤 죄수들의 상황을 하나하나 따져 보고 이를 통해 C가 답을 맞힐 수 있음을 알 수 있었습니다. 글을 읽을 때에도 글쓴이가 숨겨 둔 의도를 파악하기 위해 앞뒤 정보들, 즉 맥락을 통해 추리할 수 있어야 합니다.

168쪽 지문

(마) 이처럼 공존하고 있는 개체군은~~~
~~~있는 모든 생물종들은 필연적으로 발~~~
~~~고 할 수 있다. 하지만 우리나라 하천에 ~~~ 돼~~~ 토종 물고기와 경쟁이 일어난 경우처럼 현재 상태에 또 다른 새로운 종이 유입된다면 다시 경쟁이 일어날 수 있을 것이다.

> 추론도 결국엔 글쓴이의 관점 파악의 또 다른 말이다
> 맥락 안에서 글쓴이의 숨은 의도를 파악하자!

독해실전 　**배운 글을 다시 읽고, 물음에 답해 보세요.**

생각독해 Ⅲ 50쪽

> 　이렇게 평범한 사람들의 일상적인 삶을 화폭에 담은 사실주의 화가들은, 귀족들의 화려한 삶과 평범한 사람들의 소박한 삶을 저울질하지 않았다. 삶은 사회적 지위가 높고 낮은지에 따라 평가되고 판단할 수 있는 것이 아니기 때문이다. 삶을 살아가는 주체들이 각자 자신에게 주어진 역할에 충실하며, 자신의 가치를 높이는 과정에서 행복을 찾는다면, 그것이 곧 아름다운 인생이기 때문이다. ㉠미술사에서 사실주의는 이렇게 사람들의 삶에 대한 깊은 철학적 사유를 보여 준다는 점에서도 의의가 있다.

1　㉠을 통해 알 수 있는 사실주의 화가들의 그림에 대한 설명으로 적절하지 <u>않은</u> 것은 무엇인가요?

　① 사실주의의 출현 이전에는 사람이 그림의 주인공으로 등장하지 않았다.

　② 밀레와 쿠르베와 같은 사실주의 작품에는 평범한 사람들이 주인공으로 등장한다.

수능실전 　**아래 글을 읽고, 수능 실전감각을 길러 보세요.**

2010학년도 고1

> 　여백은 상상력을 발휘할 수 있는 바탕이 되기도 한다. 여백은 아무것도 없지만, 오히려 자세히 그린 것보다 더욱 많은 것을 표현해 주고 암시해 준다. 그림에서 선비들이 바라보는 곳에 주목해 보자. 폭포 건너편에 있는 선비들은 그림의 오른쪽에 있는 무언가를 바라보는 모습으로 처리되어 있는데, 작가는 선비들이 바라보는 대상을 여백으로 처리하였다. 선비들이 바라보는 대상은 그림 속 공간 안에 있을 수도 있고, 그림 바깥에 저 멀리 있을 수도 있다. 만약 작품의 오른쪽에 봉우리를 그렸다면 선비들이 봉우리를 바라보고 있는 것으로 단정 짓게 되지만, 여백으로 남겨 두었기 때문에 나무, 집, 바위 등 더 많은 것들을 생각할 수 있다. 그래서 ㉠여백은 일종의 적극적 표현이다.

1　글쓴이가 ㉠과 같이 말한 의도를 가장 잘 파악한 것은 무엇인가요?

　① 화면에 표현된 것 이외의 것들을 상상할 수 있게 해 주기 때문에

　② 경물을 세밀하게 묘사하여 작가의 예술적 능력을 보여 주기 때문에

　　　　　　　　　　　　　　　　　　　　　　맥락 속에 글쓴이의 숨은 생각이 들어 있어!

생각읽기가 수능이다! 　🧠 **[맥락—의도]의 생각 구조**에서 글쓴이의 생각은 어떻게 알 수 있나요?

　실제 수능에서 학생들이 가장 어려워하는 글의 구조 중 하나야. 대개 도입부에서는 맥락을 제시한 다음, 그 맥락을 제시한 이유가 뒤에 나오는 구조이지. 처음에 어떤 상황을 제시하거나 일반적인 통념을 보여 주고, 글을 전개하는 과정에서 글쓴이의 생각이 마지막에 나온다면, 글쓴이의 생각이 있는 뒷부분에 더 주목해서 글을 읽어야겠지?

현실과 가상이 공존하는 증강 현실

증강 현실이란 실제로 존재하는 사물이나 환경에 가상의 사물이나 환경을 덧입혀서, 마치 실제로 존재하는 것처럼 보여 주는 컴퓨터 그래픽 기술을 가리킨다. 쉽게 말하면 실제 세계에 가상의 이미지를 겹쳐서 보여 주는 기술을 뜻한다. 증강 현실이 영화에서 사용되는 CG(Computer Graphic)와 다른 점은 무엇보다 장면이 실시간으로 제공된다는 데 있다. 또한 가상 현실은 보이는 모든 것에 가상의 이미지를 사용하는 것과 달리, 증강 현실은 현실과 가상을 혼합한 형태라는 점에서 훨씬 더 사실적이고 현실적인 느낌을 줄 수 있다. 증강 현실이란 결국 현실과 가상의 경계에서 적절한 상호 작용을 통해 사용자에게 새로운 경험을 제공해 주는 기술이다. 따라서 현실 세계의 영상 안에서 공간의 크기, 각도, 위치 등을 얼마나 잘 파악하여 이를 가상 세계로 연결하는지에 따라 몰입감이 달라진다.

보통 증강 현실은 위치 정보, 전자 나침판, 중력 센서의 기술을 사용한다. 먼저 위치 정보는 사용자의 위치이며, 전자 나침판은 스마트폰이 향하는 방향, 중력 센서는 스마트폰의 기울어진 정도에 대한 정보를 말한다. 이 요소들이 상호 작용하여 증강 현실 화면을 ㉠도출하기 위해서는 먼저 증강 현실의 배경이 되는 대상들을 정확히 ㉡인식하는 과정이 필요하다. 일반적으로 증강 현실 앱을 실행하여 주변 사물을 카메라로 인식하며 스마트폰의 현재 위치, 스마트폰이 향하고 있는 방향과 기울어진 정도에 대한 정보를 확보한다. 이렇게 확보된 정보는 위치 정보 시스템으로 전송된다. 위치 정보를 서버로 전송하는 이유는 현재 위치 정보와 관련된 모든 정보를 스마트폰에 저장해 두는 것이 현실적으로 불가능하기 때문이다. 서버는 스마트폰으로부터 받은 정보와 관련된 다양한 부가 정보를 다시 스마트폰의 증강 현실 앱으로 전송한다. 전송받은 부가 정보를 스마트폰 화면의 카메라 정보에 겹쳐서 보여 주면 증강 현실이 ㉢구현되는 것이다.

증강 현실의 실감 나는 체험을 위해서는 디스플레이 성능도 중요하다. 증강 현실 시스템에서 가장 많이 사용되는 디스플레이로, HMD(Head Mounted Display)가 있다. HMD는 주변 빛을 차단하고 눈앞의 모든 시야를 가득 채운 공간에서 게임을 하거나 사물을 접할 수 있기 때문에 몰입감이 뛰어나다는 장점이 있다. 하지만 항상 고글같이 생긴 장치를 머리에 차고 있어야 된다는 점에서 부담이 된다. 이 같은 문제점을 해결하기 위해 탄생한 것이 바로 Non-HMD 방식이다. Non-HMD는 일반적으로 대형 모니터에 나타나는 3차원의 사물을 입체 안경 같은 특수 안경을 착용한 채 보는 방식인데, 근래에는 모바일 장비의 발달로 핸드 헬드(hand held)형 디스플레이가 주로 사용되고 있다. 핸드 헬드 방식은 스마트폰처럼 휴대성을 강조한 것으로, 무게감이나 장비의 복잡성 때문에 사용자에게 피로감을 주던 기존의 디스플레이와 달리 가볍고 이동이 쉬운 안경과 같은 소형의 장치를 가리킨다.

스마트폰 시장의 성장과 함께 확대되고 있는 증강 현실 서비스는 교육 및 훈련, 게임, 방송 및 광고, 의료, 제조 등 여러 분야에 적용되어 사용자에게 현실감 있는 정보를 제공함으로써 정보 전달 효과를 극대화할 수 있는 기술로 주목받고 있다. 그러나 증강 현실 기술로 인한 맹점*도 ㉣배제할 수 없다. 가상 세계에 완전히 매혹되어 현실과 가상을 구분하지 못하는 상황이 발생할 수도 있기 때문이다. 컴퓨터 온라인 게임에 빠져 정상적인 생활을 ㉤영위하지 못하는 경우와 비슷하다. 또한 증강 현실 기술이 사용자에게 적용될 경우 개인 정보가 무분별하게 노출될 수 있다는 지적도 있다. 본인의 의사와는 무관하게 개인 정보가 쉽게 노출된다면 그로 인한 심각한 문제가 발생할 수 있다. 따라서 언제나 그렇듯 신기술을 개발함과 동시에 그에 따른 잠재적인 부작용도 다각도로 예측하여 사용자에게 피해가 없도록 해야 할 것이다.

* 맹점: 미처 생각이 미치지 못한, 모순되는 점이나 틈.

0 〈보기〉는 이 글의 핵심 내용을 한 문장으로 요약한 것입니다. (　　)에 들어갈 적절한 단어는 무엇인가요?

┤보 기├─

증강 현실은 현실과 가상을 (　　　)하여 정보를 제공하는 컴퓨터 그래픽 기술로, 다양한 분야에서 사용자에게 새로운 경험을 제공해 줄 것으로 기대되고 있다.

① 구분　　　　② 혼합　　　　③ 구별
④ 차단　　　　⑤ 분산

구분은 일정한 기준에 따라 '**어떤 것을 몇 개로 나눈다**'에 초점.
구별은 나누어진 각각의 것들에서 '**차이를 인식한다**'에 초점.

1 **이 글을 읽고 이해한 내용으로 적절하지 않은 것은 무엇인가요?**

① 가상 현실은 증강 현실과 달리 가상의 공간과 가상의 이미지로 이루어진다.

② HMD는 착용에 부담을 주는 단점이 있으나 몰입감이 뛰어나 많이 사용된다.

③ 증강 현실의 몰입도를 높여 주는 디스플레이는 휴대의 편리성을 추구하며 발전하였다.

④ 스마트폰 시장의 성장으로 증강 현실 기술의 부작용도 커지고 있으므로 이에 대한 대책 강구가 필요하다.

⑤ 영화에서 사용되는 CG는 가상의 이미지가 포함된 장면을 실시간으로 보여 주는 것이 아니라는 점에서 증강 현실과는 차이가 있다.

2 **〈보기〉의 선생님의 질문에 대해 학생이 보인 반응으로 가장 적절한 것은 무엇인가요?**

┤ 보 기 ├

선생님: 이 글에 더 추가할 수 있는 내용이 있다면 무엇일까요?

학 생: _____

> 이 글에 추가할 수 있는 내용이 무엇인지 묻는 문제는 선지에서 언급한 내용이 이 글에 제시되어 있지 않은 것이 정답임을 명심해. 이미 있는 내용은 추가할 필요가 없으니까~

① 다른 컴퓨터 그래픽 기술과 비교해 설명하면 증강 현실의 특징이 더 잘 드러나지 않을까요?

② 일상생활에서 사용된 증강 현실의 실제 사례를 제시하면 화제에 대한 친숙도가 더 높아지지 않을까요?

③ 증강 현실이 지닌 부작용에 대해서도 언급하면 글의 내용을 더 객관적으로 전달할 수 있지 않을까요?

④ HMD, Non-HMD, 핸드 헬드가 지닌 각각의 특징에 대한 설명을 보완하면 글에 대한 이해를 도울 수 있지 않을까요?

⑤ 증강 현실을 활용함으로써 얻는 효과나 전망을 밝혀 주면 증강 현실의 가치가 더 명확히 전달되지 않을까요?

3 〈보기〉는 증강 현실의 구현 원리를 간단히 나타낸 것입니다. 이 글을 참고하여 이해한 내용으로 적절하지 <u>않은</u> 것은 무엇인가요?

┤보 기├

| ⓐ위치 관련 정보 획득 | → | ⓑ위치 관련 정보 전송 | → | ⓒ위치 정보 시스템 |

| ⓔ부가 정보 디스플레이 | ← | ⓓ부가 정보 전송 | ← |

학생 1 ⓐ에서는 스마트폰의 카메라를 통해 사용자의 위치와 관련된 정보를 획득하겠군. ··· ①

학생 2 ⓑ에서 전송되는 정보는 위치 정보, 전자 나침판, 중력 센서에 대한 정보가 포함되겠군. ··· ②

학생 3 ⓒ에서는 전송받은 위치 관련 정보에 대한 부가 정보를 파악하는 과정이 진행되겠군. ··· ③

학생 4 ⓓ에서는 위치 관련 정보와 부가 정보의 일치 여부를 판단하는 단계가 포함되겠군. ··· ④

학생 5 ⓔ에서는 전송받은 부가 정보를 스마트폰 화면에 있던 카메라 정보에 겹쳐서 보여 주게 되겠군. ·· ⑤

4 ㉠~㉤의 사전적 의미로 적절하지 <u>않은</u> 것은 무엇인가요?

① ㉠: 판단이나 결론 따위를 이끌어 냄.

② ㉡: 확실히 그렇다고 여김.

③ ㉢: 어떤 내용이 구체적인 사실로 나타나게 함.

④ ㉣: 받아들이지 아니하고 물리쳐 제외함.

⑤ ㉤: 일을 꾸려 나감.

전염병과의 전쟁, 백신과 항생제

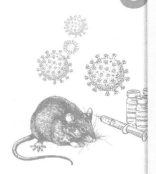

전염병과의
공존과 대응

Q 과학자들이 생각한 백신이
지닌 한계는 무엇인가요?

　넓은 지역에서 집단적으로 발생해 전파되는 감염증을 전염병이라고 한다. 전염병은 인류 역사가 시작된 이래 인류의 생사를 좌우하는 대표적인 원인이 되었고, 전쟁이나 천재지변에 의한 것보다 전염병으로 인한 사망이 훨씬 많았을 정도로 전염병이 인류 역사에 미친 영향은 엄청났다.

　예를 들어 고대 그리스 시대에 아테네와 스파르타 간의 싸움인 펠로폰네소스 전쟁이 한창이던 기원전 430년, 아테네에서 처음으로 역병*이 발병하였다. 이 역병은 오늘날 장티푸스로 추정되는 '아테네 역병'으로 당시 아테네 군인과 민간인 4분의 1이 목숨을 잃었다. 또한 전쟁 초기 스파르타보다 우세했던 아테네는 이 역병의 창궐*로 인해 전력이 크게 약해지며 결국 패전하게 되었다. 전염병이 전쟁의 결과까지 바꾸어 버린 대표적인 사례다. 이보다 더 심한 사례로, 세계 전염병 역사에서 가장 참혹하게 기록된 중세 시대의 페스트가 있다. 유럽 인구의 4분의 1을 몰살시켰던 페스트는 쥐 같은 설치류를 감염시킨 페스트균이 벼룩을 통해 사람에게 전해지며 발병하였는데, 감염되면 온몸이 검게 변해 죽는다고 하여 '흑사병'이라고도 불렸다. 흑사병으로 많은 사람들이 죽어서 유럽 사회의 노동력이 감소하게 되었는데, 이는 당시 사람들로 하여금 인건비 상승, 신분 해방, 노예 무역*으로 눈을 돌리는 계기가 되었다. 결국 흑사병이 봉건 제도의 해체를 가져와 중세를 끝내고 근대의 문을 열어 준 것이다.

　인류는 오랜 세월 자신들을 괴롭혀 왔던 전염병의 정체에 대해 ㉠알지 못했다. 그러다가 17세기 네덜란드의 과학자 레이우엔훅이 현미경으로 미생물의 존재를 발견하면서 여러 가지 병원체가 있음을 알게 되었다. 이후 19세기 생물학자 파스퇴르가 처음 과학적인 방식을 통해 인공적으로 면역 능력을 갖추기 위한 백신을 만들게 되었다. 백신은 병원균을 약하게 만들어 주입함으로써 우리 몸으로 하여금 스스로 면역이 생기도록 하는 것이다. 백신은 사실 세균이지만 약해진 세균, 즉 독성이 없는 세균이다. 하지만 그 형태와 성격이 비슷하므로 우리 몸에 주사하면, 우리 몸속에서 면역 반응에 작용하는 백혈구와 림프구가 세균과 싸워 쉽게 이길 뿐만 아니라 그 세균의 정보까지 몸속에 저장해 둔다. 따라서 나중에 진짜 그 세균이 침입했을 때 우리 몸은 전에 입수한 자료를 활용하여 쉽게 세균을 물리칠 수 있게 되는 것이다. 이는 우리 몸이 스스로 항체를 만드는 것이므로 내성*과는 무관하다. 그런데 백신은 전염병을 예방하는 수단이었기 때문에 이미 전염병에 걸린 사람에게는 소용이 없었다. 그래서 과학자들은 세균을 없앨 수 있는 치료약을 만들고 싶었다.

　20세기에 들어와서는 영국의 미생물학자 플레밍에 의해 세균의 증식을 억제하고 세균을 죽이는 물질, 즉 항생제 페니실린이 발견되었다. 그는 포도상 구균을 배양시킨 접시에 우연히 푸른곰팡이의 포자가 날아와 포도상 구균의 성장을 방해하는 모습을 발견하고 푸른곰팡이에서 페니실린이라는 항균 물질을 추출하였다. 이후 여러 가지 항생제가 발견되었다. 항생제는 세균의 세포막을 파괴시키거나 단백질 합성, DNA 합성, 혹은 엽산 대사*를 차단시켜 미생물이나 종양 세포가 늘어나는 것을 억제하거나 죽이는 물질을 말한다. 그런데 질병을 일으키는 미생물이 항생 물질을 자주 접하게 될 경우에, 다양한 방법으로 내성이 생기게 된다. 이를테면 미생물이 항생 물질이 지닌 활발한 성질을 없애는 효소를 만든다거나, 항생제가 공격할 수 없는 구조로 바뀌는 등 진화를 하는 것이다. 내성이 생길 경우 더 센 약을 쓰지 않으면 병이 낫지 않기 때문에 항생제를 과다 남용하는 것은 좋지 않다.

백신과 항생제의 발견으로 전염병을 방어하게 되면서 최근 전염병의 위세는 크게 약해졌으며, 전반적으로 인류의 평균 수명과 생존율을 높였다. 하지만 전염병은 결코 만만한 상대가 아니다. 가장 간단한 생명체인 그들은 생존을 위해 끊임없이 진화하고 변이한다. 또한 문명은 인간에게 병원체와 싸울 힘도 주었지만 동시에 병원체를 세계 곳곳으로 퍼뜨릴 기회도 확산시켰다. 따라서 전염병과의 전쟁에서 영원한 승리는 어렵다는 현실 인식과 함께, 향후 다가올 새로운 전염병과의 공존 시대에 어떤 대응과 준비를 해야 하는지에 대한 비판적 성찰이 필요한 시점이다.

* 역병: 대체로 급성이며 증상이 온몸에 나타나고 집단적으로 생기는 전염병.
* 창궐: 못된 세력이나 전염병 따위가 세차게 일어나 걷잡을 수 없이 퍼짐.
* 노예 무역: 노예를 상품처럼 사고파는 무역.
* 내성: 약물의 반복 복용에 의해 약효가 저하하는 현상. 또는 세균 따위의 병원체가 화학 요법제나 항생 물질의 계속된 사용에 대하여 나타 내는 저항성.
* 대사: 생물체가 몸 밖으로부터 섭취한 영양물질을 몸 안에서 분해하고, 합성하여 생체 성분이나 생명 활동에 쓰는 물질이나 에너지를 생 성하고 필요하지 않은 물질을 몸 밖으로 내보내는 작용.

0 **이 글의 핵심 논지로 가장 적절한 것을 고르세요.**

① 전염병의 엄청난 위력 ☐
② 항생제와 백신이 지닌 한계 ☐
③ 역사 속 전염병의 다양한 사례 ☐
④ 전염병을 극복할 미래 의학의 방향 ☐
⑤ 전염병과의 공존 시대에 필요한 자세 ☐

논지란 주장하는 말이나 글의 취지를 의미해. '주제'나 '핵심 내용'과 같다고 볼 수 있지.

1 이 글의 논지를 전개하는 방식으로 적절한 것은 무엇인가요?

① 전염병이 지닌 다양한 특징들을 나열하여 설명하고 있다.
② 전염병에 대한 통념을 제시한 후 이와 다른 새로운 견해를 소개하고 있다.
③ 백신과 항생제가 지닌 문제점을 소개한 후 그에 대한 대안을 제시하고 있다.
④ 가상적 상황을 설정하여 백신과 항생제의 역할을 구체적으로 설명하고 있다.
⑤ 전염병에 대응하기 위한 백신과 항생제의 개발 과정을 순차적으로 설명하고 있다.

순차적 설명이란 **순서를 따라 차례대로 설명**하는 걸 말해!
대개 설명하는 글에서 대상에 관한 정보를 제시할 때 자주 사용하는 방법 중 하나야!

2 이 글을 통해 알 수 있는 내용으로 적절하지 <u>않은</u> 것은 무엇인가요?

① 백신과 항생제는 사용 목적에 차이가 있다.
② 우리 몸은 한 번 방어한 병원균에 대해서 기억할 수 있다.
③ 항생제는 세포 내에서 다양하게 변이하며 세균을 공격한다.
④ 백신과 항생제로 전염병을 완전하게 극복하는 것은 불가능하다.
⑤ 백신은 체내에서 항체가 스스로 만들어지는 원리를 이용한 것이다.

3 이 글을 참고하여 〈보기〉의 글을 학급 신문에 실으려 할 때, 표제와 부제로 가장 적절한 것은 무엇인가요?

─┤보 기├─

'항균 내성에 대한 고찰'이라는 보고서에서 세계적으로 매년 70만 명 이상이 항생제 내성균으로 사망하고 있으며 2050년에는 매년 천만 명이 사망할 것이라고 경고하였다. 우리나라의 경우 가벼운 감기에도 항생제를 처방받는 경우가 많다. 하지만 항생제는 세균을 죽일 수 있을 뿐 바이러스는 죽일 수 없다. 감기 같은 바이러스성 질환은 항생제 없이도 치료가 되는 경우가 많은데 사람들이 체내에서 면역 작용이 일어나는 동안 발생하는 열, 콧물, 가래 등을 참지 못해 항생제를 처방받는 일들이 반복되면서 내성이 생기는 것이다. 물론 치료를 위해서 반드시 항생제가 필요한 경우도 있다. 이 경우에 증상이 좋아지는 것 같다고 임의로 항생제 복용을 중단하면 세균이 완벽히 사라지지 않은 상태에서 오히려 내성이 생기게 된다. 따라서 반드시 전문가의 처방에 따라 정해진 방법과 기간을 준수하여 항생제를 복용해야 한다.

① 양날의 칼, 항생제 – 적정 사용으로 내성을 예방하자
② 세균 증식을 억제하는 항생제 – 바이러스 질환에는 무용지물
③ 예방적 차원의 항생제 처방 – 인류의 평균 수명을 연장시키다
④ 세균성 전염병에 강한 항생제 – 내성균으로 더 큰 질병 유발하다
⑤ 항생제에 대한 오해와 진실 – 항생제, 오히려 면역 체계를 파괴하다

4 문맥상 의미가 ㉠과 가장 가까운 것은 무엇인가요?

① 그들은 이미 서로 알고 지내는 사이였다.
② 이 문제는 당신이 알아서 처리해야 한다.
③ 밖으로 나와서야 날씨가 추운 것을 알았다.
④ 그도 인생에 대하여 알 만한 나이가 되었다.
⑤ 그 사람은 공부만 알지 세상 물정을 통 모른다.

문맥적 의미가 유사한 것을 찾을 때는 그 단어의 대상이 되는 것이 비슷한지, 또는 그 대상의 문장 성분이 비슷한지 등을 고려해야 해.

다양한 상들의 공존, '상평형'

고체, 액체, 기체의
공존

Q '상평형'이란 물질의 어떤
상태를 의미하나요?

물질의 상(相)이란 물질이 어떤 상태인지를 뜻하는 것으로 대표적으로는 기체, 액체, 고체 세 가지의 상이 있다. 상변화란 물질의 상태를 고체, 액체, 기체로 분류할 때 주변의 온도나 압력 변화에 의해 물질이 이전과 다른 상태로 변하는 것을 의미하는데, 얼음이 물이 되거나 물이 수증기가 되는 것 등이 이에 해당한다. 이러한 상태의 변화는 분자의 속성이 변하는 것이 아니라, 물질의 분자 자체는 유지하되 이러한 분자가 공간 내에서 어떻게 위치하는지 또는 어떤 움직임을 가지는지에 따라 결정되는 것이므로 화학적인 변화가 아니라 물리적인 변화로 본다.

기체는 분자가 공간을 자유롭게 움직이면서 주어진 부피를 차지하는 상태이며 액체와 고체에 비해 분자 간의 결합력이 가장 약하다. 반면 액체와 고체는 분자가 인접하여 주변 여건에 관계없이 거의 일정한 부피를 지닌다. 다만 고체는 분자 간의 결합력이 가장 강해서 분자의 움직임이 없는 상태이지만 액체는 고체보다 결합력이 다소 약해서 분자들이 움직일 수 있다는 차이가 있다. 그래서 고체는 아무 그릇에 담을 수 없지만, 액체는 담는 그릇에 따라 모양이 바뀔 수 있다. 대부분의 물질은 낮은 온도에서는 고체, 높은 온도에서는 기체로 존재한다. 이는 온도가 높을수록 에너지를 많이 가지고 있으며 그만큼 분자들이 활발해지기 때문이다. 한편 보통 압력이 높을수록 기체는 액체가, 액체는 고체가 된다. 하지만 때론 압력이 높아질수록 기체가 액체를 거치지 않고 바로 고체가 되거나 어떤 물질은 고체에서 액체가 되기도 한다. 이것은 그 물질이 가진 물리적인 특성으로 특정 조건에서 그 물질의 분자가 어떤 움직임을 가지는지 추측할 수 있는 근거가 된다.

이러한 특성을 갖는 물질 중 우리 주변에서 쉽게 찾을 수 있는 물질이 바로 드라이아이스와 물이다. 먼저 아이스크림을 살 때 같이 포장해 주는 드라이아이스는 아이스크림 상자에서 꺼내 보면 하얗게 김만 생길 뿐 녹아서 물이 되는 경우는 없다. 드라이아이스는 이산화 탄소를 얼린 것인데, 이산화 탄소는 우리가 사는 대기압 조건에서는 온도에 따라서 고체와 기체 상태로밖에 존재할 수 없다. 따라서 저온의 드라이아이스를 밖으로 꺼내면 이산화 탄소인 기체로 바뀌는데, 이는 저온에서는 인력*에 의해서 강하게 서로 고정되어 있던 이산화 탄소 분자들이 온도가 올라가면서 에너지를 많이 가지게 되어 서로 거리가 멀어져 버리기 때문이다. 또한 보통 대기압에서 물은 분자들이 서로 고정이 되는 고체 상태일 때 분자 사이의 거리가 액체일 때보다 조금 멀어지는 독특한 성질이 있다. 즉, 액체일 때보다 고체일 때 부피가 더 커지며, 얼음에 압력을 가하면 녹아서 물이 되려는 성질이 있다.

이처럼 모든 물질은 특정한 온도와 압력에서 각각의 고유한 상태 특성을 갖는다. 비록 형태는 유사하다 할지라도 구체적인 온도와 압력에 따른 정확한 상태는 각각의 물질마다 다르다. 이는 각 물질을 이루는 분자의 상호 작용이 각 물질의 고유한 특성에서 비롯되기 때문이다. 따라서 흔히 물질별로 어떤 온도와 압력에서 어떤 상태로 존재하는지를 그래프로 나타내어 표현하는데, 이를 '상평형 그래프'라고 한다. [그림]은 물의 상평형 그래프를 간략히 나타낸

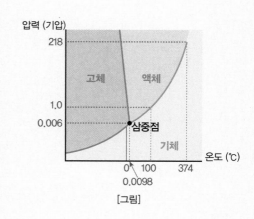

[그림]

것이다. '평형'이라는 말을 사용하는 것은 그래프에서 표시된 선이 바로 상의 평형을 의미하기 때문이다. 평형이란 균형을 이루고 있다는 의미이며, 기체와 액체 사이의 선은 기체와 액체가, 액체와 고체 사이의 선은 액체와 고체가 공존할 수 있는 압력과 온도를 뜻한다. 또한 이러한 영역은 두 상태가 균형을 이루어 같이 존재할 수 있다는 것을 의미하며, 삼중점은 세 상태가 모두 존재할 수 있는 곳을 의미한다.

[A]   일상생활에서도 상평형은 쉽게 찾아볼 수 있다. 보통 대기압 조건에서는 100℃에서 물이 끓기 시작하고 김이 나기 시작한다. 김은 바로 물이 기체로 변한 것으로 이때 냄비에는 끓고 있는 물이 존재하고 있는데, 이것이 바로 두 상태가 공존하고 있는 것이다. 한동안은 계속 냄비를 가열해도 물이 끓는 기화열*에 의해 100℃가 유지될 것이고, 이 동안은 계속 물의 액체와 기체 상태 간의 평형을 관찰할 수 있다. 물이 완전히 끓어서 다 증발해 버리면 냄비의 온도는 비로소 100℃를 초과하게 될 것이고 물이 하나도 남지 않게 되며, 이는 바로 평형을 지나치게 된 상태를 의미하는 것이다.

* 인력: 공간적으로 떨어져 있는 물체끼리 서로 끌어당기는 힘.
* 기화열: 액체가 기체로 변할 때 외부로부터 흡수하는 열량.

0   **이 글의 핵심 화제로 가장 적절한 것을 고르세요.**

① 드라이아이스의 특징 ☐
② 기체와 고체의 차이점 ☐
③ 물이 지닌 독특한 성질 ☐
④ 물질의 상과 상평형의 의미 ☐
⑤ 물질의 상변화가 생기는 원인 ☐

1 이 글에서 다룬 내용으로 적절하지 <u>않은</u> 것은 무엇인가요?

① 물질의 상과 상변화의 개념
② 기체, 액체, 고체 상태의 차이점
③ 온도와 분자 움직임과의 상관관계
④ 드라이아이스가 물로 녹지 않는 이유
⑤ 물질의 분자 속성을 변화시키는 화학적 요인

2 이 글을 통해 알 수 있는 내용으로 적절하지 <u>않은</u> 것은 무엇인가요?

① 대부분의 물질은 액체에서 고체가 될 때 부피가 감소한다.
② 대부분의 물질은 고체 상태를 가열하면 액체를 만들 수 있다.
③ 대부분의 물질은 기체에 압력을 가하면 액체로 만들 수 있다.
④ 대부분의 물질은 분자 간 인력이 기체일 때보다 고체일 때 크다.
⑤ 대부분의 액체 상태의 물질은 기체 상태가 될 때 에너지를 방출한다.

이 글을 통해 알 수 있다는 것은 이 글에서 언급된 내용이라는 의미야. 그렇다면 결국 내용 일치 문제!

3 [A]에 대한 이해로 적절한 것을 〈보기〉에서 골라 묶은 것은 무엇인가요?

┤보 기├

ㄱ. 물이 냄비에서 끓는 동안 물의 물리적인 변화가 일어난다.

ㄴ. 냄비가 가열되어 물이 수증기가 되는 현상은 추운 겨울에 언 빨래가 마르는 것과 같다.

ㄷ. 물은 끓는 100℃에서는 온도 변화는 없지만 열을 계속 흡수하므로 에너지의 이동이 있다.

① ㄱ   ② ㄱ, ㄴ   ③ ㄱ, ㄷ   ④ ㄴ, ㄷ   ⑤ ㄱ, ㄴ, ㄷ

4 이 글을 참고하여 〈보기〉에 대해 이해한 내용으로 적절하지 <u>않은</u> 것은 무엇인가요?

┤보 기├

〈자료 1〉

압력

B

C

액체

고체

A   T   기체

온도 (℃)

〈자료 2〉

동결 건조는 물질을 얼린 후 주위의 압력을 낮춰 얼음 상태의 수분이 바로 기체로 승화하는 성질을 이용한 건조 방법이다. 승화된 얼음 결정체들은 공간을 남기기 때문에 건조된 물질은 무수히 많은 틈을 지니게 되어, 수분을 만났을 때 수분을 쉽게 흡수할 수 있다.

① 〈자료 1〉의 T점에서는 얼음, 물, 수증기가 평형 상태를 이루겠군.

② 〈자료 1〉의 선 BT는 얼음에 압력을 가하면 얼음이 녹는 현상과 관련 있겠군.

③ 〈자료 2〉의 현상은 드라이아이스에서 일어나는 현상과 유사하다고 볼 수 있군.

④ 〈자료 2〉의 내용과 관련이 있는 곡선은 〈자료 1〉의 곡선 CT로 볼 수 있겠군.

⑤ 〈자료 2〉에서 압력을 낮춘다는 것은 〈자료 1〉의 T점보다 낮은 온도에서 압력을 낮춘다는 것이겠군.

Q 다음은 생각을 읽을 수 있는 지문 구조도를 퍼즐로 나타낸 것입니다. 앞에서 읽은 글의 내용을 떠올리며 생각읽기 1~6에 해당하는 퍼즐을 선으로 연결해 보세요.

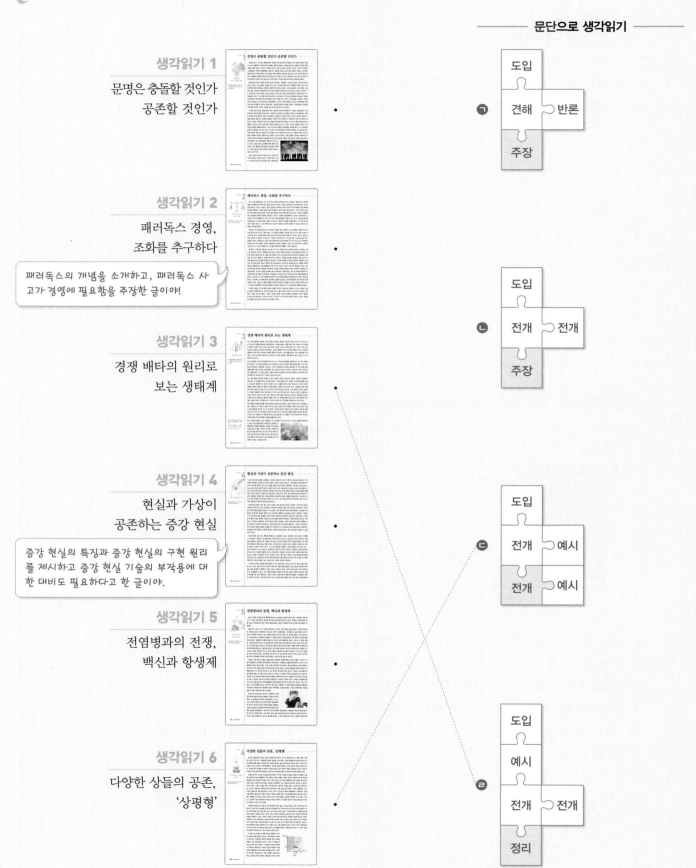

문단으로 생각읽기

생각읽기 1

문명은 충돌할 것인가 공존할 것인가

생각읽기 2

패러독스 경영, 조화를 추구하다

> 패러독스의 개념을 소개하고, 패러독스 사고가 경영에 필요함을 주장한 글이야!

생각읽기 3

경쟁 배타의 원리로 보는 생태계

생각읽기 4

현실과 가상이 공존하는 증강 현실

> 증강 현실의 특징과 증강 현실의 구현 원리를 제시하고 증강 현실 기술의 부작용에 대한 대비도 필요하다고 한 글이야.

생각읽기 5

전염병과의 전쟁, 백신과 항생제

생각읽기 6

다양한 상들의 공존, '상평형'

ㄱ

도입

견해 — 반론

주장

ㄴ

도입

전개 — 전개

주장

ㄷ

도입

전개 — 예시

전개 — 예시

ㄹ

도입

예시

전개 — 전개

정리

1 문명의 충돌을 주장한 헌팅턴의 견해에 대해 뮐러는 문
명의 □□ 을 주장하며 문명 간의 소통을 강조하였
다.

2 현대 사회에서 기업들은 상충된 요소들의 공존과 조화
를 통해 고정 관념에서 벗어난 □□□□ 경
영이 필요하다.

3 생태계에는 생태적 지위가 유사한 두 개체군이 경쟁에
의해 한 개체군이 사라지는 □□□ □□의 원
리가 작용하지만, 분서와 형질 치환과 같은 방식을 통
해 경쟁을 피함으로써 두 개체군이 공존하게 된다.

4 현실과 가상을 혼합한 형태인 □□ □□ 은
스마트폰과 서버 간의 구현 원리를 통해 체험할 수 있
는데, 이때 디스플레이의 성능이 증강 현실 구현에 중
요한 요소가 된다.

5 전염병을 예방하기 위한 수단으로 백신이, 치료하기 위
한 수단으로 □□□ 가 개발되었는데, 이와 함
께 앞으로 전염병과의 공존 시대에 대한 대응과 준비도
필요하다.

6 물질의 상은 기체, 액체, 고체가 있으며 온도와 압력
에 의해 상변화가 일어나는데, 이 물질의 상들이 특
정 조건에서 서로 균형을 이루어 공존하는 상태가
□□□ 이다.

우리는 어떻게 공존하며 살아갈까?

"세상의 모든 존재는 공존하며 살아간다"

세상에 존재하는 모든 것은 혼자만으로는 그 가치를 알 수
없습니다. 삶의 가치는 죽음을 통해 알 수 있으며, 기쁨은
슬픔을 통해 그 의미를 알 수 있습니다. 이처럼 우리를 둘
러싼 모든 것들은 다른 것들과의 공존을 통해 그 가치와 의
미를 알 수 있는 것입니다.

우리 주변에 공존하는 다양한 것들에 대해 알고, 어떻게 공
존할 수 있을까를 고민하다 보면, 앞으로 우리가 어떤 선택
을 하며 살아가야 할지 삶의 방향도 알게 되지 않을까요?

> 두려움은 희망 없이 있을 수 없고,
> 희망은 두려움 없이 있을 수 없다.
> — 스피노자

07 한계

생각의
발견

한계를 말하다!

'모든 것에는 다 끝이 있다'는 말이 있습니다. 이 말은 한편으로는 맞지만, 다른 한편으로는 틀린 말이기도 합니다. 대부분은 끝이 있지만, 우주 혹은 여러분의 상상과 같이 어떤 것들은 끝이 없는 것도 있기 때문입니다. 그런데 '끝이 있다/없다'를 생각하는 것 자체는, '끝', 즉 '한계'의 존재를 생각하는 것과 같은 것입니다. '한계가 있을까? 있다면 어디까지가 한계인가? 없다면 혹시 한계를 찾지 못해서가 아닐까?' 등은 지금까지도 끊임없이 이어져 내려온 질문 중 하나입니다. 여러분의 생각은 어떤가요? 한계란 과연 존재할까요?

Q '제논의 역설'은 무엇을 가정했을 때 생기는 역설인가요?

무한대, 수의 한계를 뛰어넘다

우리는 한없이 커지는 상태를 '무한하다'라고 한다. 그리고 그렇게 계속 커지는 상태를 기호 '∞'로 나타내며 '무한대(infinity)'라고 읽는다. 'infinity'는 '끝'을 나타내는 라틴어인 'finio'를 어원으로 하는데 이 단어에 부정을 뜻하는 접두어 'in'을 붙여서 '끝이 없음'을 나타내는 말이 되었다.

'∞' 기호를 처음 사용한 사람은 영국의 수학자 월리스이다. 이 기호가 무엇을 모티브*로 만들어졌는지에 관해서는 두 가지 이야기가 있다. 하나는 1,000을 나타내는 고대 로마 기호 CIƆ를 참고하여 만들었다는 것이다. 당시에는 1,000이 상당히 큰 수였기 때문에 1,000이라는 수에서 무한대의 기호를 착안했다고 전해진다. 또 다른 이야기는 그리스 알파벳의 마지막 글자인 오메가의 소문자 'ω'의 모양을 본떠서 만들었다는 것이다. 'ω'가 마지막 철자인 것처럼 무한대는 수의 끝을 의미하는 것으로 받아들여졌다는 주장이다.

기원전 약 450년에 철학자 제논은 ㉠무한을 암시하는 역설*을 주장하였는데, 다른 말로는 아킬레스와 거북이의 역설이라고도 부른다. 하루는 아킬레스와 거북이가 달리기 시합을 하였다. 아킬레스는 그리스 신화에 나오는 전사로서 달리기가 빠르기로 유명한 만큼 거북이보다 100배 빠르게 달릴 수 있다고 하자. 거북이가 무척 느리다는 것을 감안해 거북이는 출발선의 100미터 앞에서 출발하도록 하였다. 아킬레스가 거북이가 서 있던 위치에 도달하면 거북이는 아킬레스가 이동한 100미터의 1/100인 1미터 앞에 있을 것이다. 아킬레스가 다시 거북이의 위치에 도달하면 거북이는 0.01미터 앞에 있을 것이다. 아킬레스가 다시 거북이의 위치에 도달하면 거북이는 0.0001미터 앞에 있을 것이다. 이렇게 아킬레스가 거북이를 따라잡으려고 해도 거북이는 아주 조금이라도 아킬레스의 앞에 있을 수밖에 없기 때문에 아킬레스는 영원히 거북이를 앞지를 수 없다. 이것은 시간이나 공간이 무한히 분할할 수 있는 연속성을 가지고 있다고 가정하였을 때 생기는 역설이다. 당연히 실제 시합에서는 아킬레스가 거북이를 따라잡을 것이다. 하지만 이 역설은 제논이 제시한 지 2,000년이 지나서야 ㉡허점이 발견되어 해결될 수 있었다.

아리스토텔레스는 무한을 '실무한'과 '가무한'으로 구분하였다. 실무한이란 무한의 실체가 존재한다는 의미로서의 무한을 의미하고, 가무한이란 끝없이 계속 나아가는 무한을 의미한다. 아리스토텔레스는 가장 큰 자연수*를 생각할 수 없기 때문에 자연수는 하나의 완결된 형태로 존재하지 않는 가무한으로 보았다. 지금은 0.333…=1/3로 쓰고 있지만 무한히 3을 써야 하는 계속되는 과정을 1/3이라는 하나의 정수*로 인정하는 것은 쉬운 일이 아니었다. 실제로 직관주의* 수학자들의 경우 실무한을 받아들이지 않았다. 실무한을 받아들이지 않는 수학자들은 π=3.14159265358…와 같은 무한 소수*를 하나의 수로 인정하지 않고 어떠한 값에 가까워지는 과정으로 생각하였던 것이다. 아리스토텔레스는 가무한을 시간 위에서 끝없이 전개되는 무한으로 설명하였고 실무한은 동시적으로 존재하는 무한으로 설명하였다. 아리스토텔레스가 가무한의 입장을 지지하였기 때문에 그 영향을 받은 당시 수학자들은 가무한의 입장을 지지하는 쪽이 더 많았다. 그런데 19세기 칸토어가 『집합론』을 통해 무한을 논리적으로 명확하게 규정하고 계산 방법을 형식화하면서 실무한을 지지하는 입장이 우세해졌다.

* 모티브: 회화, 조각, 소설 따위의 예술 작품을 표현하는 동기가 된 작가의 중심 사상.
* 역설: 일반적으로는 모순을 야기하지 아니하나 특정한 경우에 논리적 모순을 일으키는 논증. 모순을 일으키기는 하지만 그 속에 중요한 진리가 함축되어 있는 것으로 간주한다.
* 자연수: 1부터 시작하여 하나씩 더하여 얻는 수를 통틀어 이르는 말. 1, 2, 3 따위이다.
* 정수: 자연수, 자연수의 음수 및 영(0)을 통틀어 이르는 말. 즉 ……, -2, -1, 0, 1, 2, …… 따위의 수이다.
* 직관주의: 형식 논리적인 공리주의에 반대하여 직관을 수학의 필연적인 발전 형식이라고 주장하는 주의.
* 무한 소수: 소수점 이하의 유효 숫자가 한없이 계속되는 소수.

0 **이 글에서 언급한 내용이 <u>아닌</u> 것을 고르세요.**

① 무한대 기호 '∞'의 유래 ☐
② '무한대(infinity)'의 어원 ☐
③ 제논의 역설에 대한 반론 ☐
④ '실무한'과 '가무한'의 차이점 ☐
⑤ 자연수를 '가무한'으로 보는 이유 ☐

> 글의 내용과 일치하지 않는 것을 찾는 문제네. 글에 해당 내용이 나와 있는지를 확인하면서, 글에 나와 있지 않은 내용을 선택하면 돼.

秋夕

어원 ➡ 가을 추 + 보름달이 뜨는 저녁 석

유래 ➡ 중국의 중추(中秋), 월석(中秋)에서 단어 일부를 따왔다.

어떤 말이 생겨난 근원을 '어원'이라 하고
그 말이 전하여 온 내력을 '유래'라고 해!

1 이 글의 내용 전개 방식에 대한 설명으로 가장 적절한 것은 무엇인가요?

① 무한대와 관련된 이론을 바탕으로 무한대의 한계를 제시하고 있다.

② 무한대를 나누는 방법이 수학사의 흐름에 미친 영향을 분석하고 있다.

③ 무한대와 관련된 이론에 대한 평가가 시대에 따라 달라지는 원인을 설명하고 있다.

④ 무한대 용어와 기호의 유래를 유형별로 나눠서 살펴보고 각 유형이 지닌 장단점을 설명하고 있다.

⑤ 무한대 용어와 기호의 유래를 살펴보고 관련 이론을 소개한 뒤 무한의 종류를 나누어 설명하고 있다.

2 〈보기〉의 Ⓐ와 Ⓑ에 들어갈 무한의 종류를 이 글에서 찾아 쓰세요.

┤보 기├

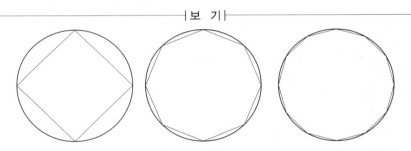

　원에 내접하는 정삼각형, 정사각형, 정오각형을 위의 〈그림〉과 같이 계속 그려 나간다면 점점 원에 가까운 다각형을 그릴 수 있다고 생각할 수 있다. 이와 같이 원에 내접하는 다각형을 계속 그려 나갈 수 있다고 생각할 때의 무한은 ⎣　Ⓐ　⎦이다. 그런데 내접하는 다각형들의 극한을 원이라고 생각한다면, 다시 말해 무한히 많은 변을 가진 다각형을 원이라고 생각한다면 이것은 ⎣　Ⓑ　⎦이다.

3 〈보기〉에서 ㉠에 해당하는 것을 모두 골라 기호를 쓰세요.

――――| 보 기 |――――

ㄱ. 2m 거리에 있는 과녁을 화살로 쏘는 경우, 화살은 2m의 반을 먼저 날아가 1m 지점에 도달하고, 남은 1m의 반을 날아가서 0.5m 지점에 도달하고, 다시 반을 날아가서 0.25m 지점에 도달하는 방식이 반복된다.

ㄴ. 올림피우스가 달리기를 할 때, 결승점에 도달하기 전에 1/2 지점에 도달해야 한다. 이후 중간점과 결승점의 1/2이 되는 지점에 도달한다. 이후 또 다시 중간점과 결승점의 중간에 해당하는 지점과 결승점의 1/2이 되는 지점에 도달하는 방식이 반복된다.

ㄷ. A에 사는 시민 중 B가 "A에 사는 사람은 모두 거짓말쟁이다."라고 말한 경우, B도 A에 사는 시민이므로 거짓말쟁이이고 따라서 B의 말이 거짓말이 되어 A에 사는 사람은 거짓말쟁이가 아닌 것이다. 그렇게 되면 A에 사는 B가 거짓말쟁이가 아니므로 B가 한 말은 참말이 되고, A에 사는 시민은 모두 거짓말쟁이라는 말이 맞게 된다는 방식이 반복된다.

ㄹ. ○○시에 스스로 이발을 하지 않는 사람만 이발을 해 주는 이발사가 있다. 이 이발사 자신은 이발을 어떻게 해야 할까? 자기 스스로 이발을 하지 않는다면 자신이 자신을 이발해야 하고, 역으로 스스로 이발을 한다면 자신이 자신을 이발해서는 안 된다. 자신이 자신을 이발하지 않으면 자신은 자신이 이발해야 하는 방식이 반복된다.

4 이 글과 〈보기〉를 바탕으로 ㉡에 대해 추측한 내용으로 적절한 것은 무엇인가요?

――――| 보 기 |――――

만약 아킬레스가 1초에 1미터를 뛴다고 가정해 보자. 그러면 100미터를 뛰는 데 100초, 그다음 1미터를 뛰는 데 1초, 0.01미터를 0.01초에 뛴다. 아킬레스는 거북이를 따라잡기 위해 100+1+0.01+0.0001+⋯초 동안 뛰게 된다. 그런데 100+1+0.01+0.0001+⋯=10,000/99이므로, 이 역설은 10,000/99초에 대해서만 이야기하고 있다. 10,000/99초가 지나는 순간 아킬레스는 거북이를 지나쳐 앞서 달리게 될 것이다.

① 아킬레스와 거북이가 달리는 거리만 설정하고 속도는 얼마나 차이가 있을지 가정하지 못하였다.

② 인간과 거북이의 달리기를 실제로 실험해 보지 않고 단순히 가정으로만 둘의 시합을 계산하였다.

③ 10,000/99초 동안 일어난 일을 가지고 아킬레스가 거북이를 영원히 앞지를 수 없다고 비약하였다.

④ 실제로는 10,000/99초보다 더 빨리 아킬레스가 거북이를 앞지를 수 있음이 실험을 통해 증명되었다.

⑤ 10,000/99초를 100초, 1초, 0.01초, 0.0001초 등으로 무한히 끊어서 보면 언젠가는 거북이가 앞지를 수 있음을 간과하였다.

귀납에 내재된 논리적 한계

귀납의 한계

Q 귀납의 논리적 한계로는 어떤 것들이 있나요?

귀납과 연역, 어떻게 구분할까
귀납과 연역을 구분하려면 이끌어 내려는 결론이 무엇인지부터 파악해야 해!

► 생각읽기가 수능이다 198쪽

(가) 귀납*은 현대 논리학에서 연역*이 아닌 모든 추론*, 즉 전제가 결론을 개연적*으로 뒷받침하는 추론을 가리킨다. 귀납은 기존의 정보나 관찰 증거 등을 근거로 새로운 사실을 추가하는 지식 확장적 특성을 지닌다. 이 특성으로 인해 귀납은 근대 과학 발전의 방법적 ⓐ토대가 되었지만, 한편으로 귀납 자체의 논리적 한계를 지적하는 문제들에 부딪히기도 한다.

(나) 먼저 흄은 과거의 경험을 근거로 미래를 예측하는 귀납이 정당한 추론이 되려면 미래의 세계가 과거에 우리가 경험해 온 세계와 동일하다는 자연의 일양성*, 곧 한결같음이 ⓑ가정되어야 한다고 보았다. 그런데 자연의 일양성은 선험적*으로 알 수 있는 것이 아니라 경험에 기대어야 알 수 있는 것이다. 즉 "귀납이 정당한 추론이다."라는 주장은 "자연은 일양적이다."라는 다른 지식을 ⓒ전제로 하는데 그 지식은 다시 귀납에 의해 정당화되어야 하는 경험적 지식이므로 귀납의 정당화는 순환 논리에 빠져 버린다는 것이다. 이것이 귀납의 정당화 문제이다.

(다) 귀납의 정당화 문제로부터 과학의 방법인 귀납을 옹호하기 위해 ㉠라이헨바흐는 이 문제에 대해 현실적 구제책을 제시한다. 라이헨바흐는 자연이 일양적일 수도 있고 그렇지 않을 수도 있음을 전제한다. 먼저 자연이 일양적일 경우, 그는 지금까지의 우리의 경험에 따라 귀납이 점성술이나 예언 등의 다른 방법보다 성공적인 방법이라고 판단한다. 자연이 일양적이지 않다면, 어떤 방법도 체계적으로 미래 예측에 계속해서 성공할 수 없다는 논리적 판단을 통해 귀납은 최소한 다른 방법보다 나쁘지 않은 추론이라고 ⓓ확언한다. 결국 자연이 일양적인지 그렇지 않은지 알 수 없는 상황에서는 귀납을 사용하는 것이 옳은 선택이라는 라이헨바흐의 논증*은 귀납의 정당화 문제를 현실적 차원에서 해소하려는 시도로 볼 수 있다.

(라) 귀납의 또 다른 논리적 한계로 어떤 현대 철학자는 미결정성의 문제를 지적한다. 이 문제는 관찰 증거만으로는 여러 가설* 중에 어느 하나를 더 나은 것으로 결정할 수 없다는 것이다. 가령 몇 개의 점들이 발견되었을 때 그 점들을 모두 지나는 곡선은 여러 개이기 때문에 어느 하나로 결정되지 않는다. 예측의 경우도 마찬가지이다. 다음에 발견될 점을 예측할 때, 기존에 발견된 점들만으로는 다음에 찍힐 점이 어디에 나타날지 확정할 수 없다. 아무리 많은 점들을 관찰 증거로 추가하더라도 하나의 예측이 다른 예측보다 더 낫다고 결정하는 것은 여전히 불가능하다는 것이다.

(마) 그러나 미결정성의 문제가 있다고 하더라도 대부분의 ㉡현대 철학자들은 귀납을 과학의 방법으로 인정하고 있다. 이들은 귀납의 문제를 직접 해결하려 하기보다 확률을 도입하여 개연성이라는 귀납의 특징을 강조하려 한다. 이에 따르면 관찰 증거가 가설을 지지하는 정도, 즉 전제와 결론 사이의 개연성은 확률로 표현될 수 있다. 또한 하나의 가설이 다른 가설보다, 하나의 예측이 다른 예측보다 더 낫다고 확률적 근거에 의해 판단할 수 있다는 것이다. 이처럼 확률 논리로 설명되는 개연성은 일상적인 ⓔ직관에도 잘 들어맞는다. 이러한 시도는 귀납의 문제를 근본적으로 해결하는 것은 아니지만, 귀납은 여전히 과학의 방법으로서 그 지위를 지킬 만하다는 사실을 보여 준다.

---

* 귀납: 개별적인 특수한 사실이나 원리로부터 일반적이고 보편적인 명제 및 법칙을 유도해 내는 일.
* 연역: 어떤 명제로부터 추론 규칙에 따라 결론을 이끌어 냄. 또는 그런 과정. 일반적인 사실이나 원리를 전제로 하여 개별적인 사실이나 보다 특수한 다른 원리를 이끌어 내는 추리를 이른다.

* 추론: 어떠한 판단을 근거로 삼아 다른 판단을 이끌어 냄.
* 개연적: 절대적으로 확실하지 않으나 아마 그럴 것이라고 생각되는. 또는 그런 것
* 일양성: 한결같은 성질.
* 선험적: 경험에 앞서서 인식의 주관적 형식이 인간에게 있다고 주장하는 것. 대상에 관계되지 않고 대상에 대한 인식이 선천적으로 가능함을 밝히려는 인식론적 태도를 말한다.
* 논증: 옳고 그름을 이유를 들어 밝힘. 또는 그 근거나 이유.
* 가설: 어떤 사실을 설명하거나 어떤 이론 체계를 연역하기 위하여 설정한 가정.

0 **(가)~(마)의 중심 내용으로 적절하지 <u>않은</u> 것을 고르세요.**

① (가) : 귀납의 개념과 특성 및 논리적 한계 ☐
② (나) : 귀납의 논리적 한계인 정당화 문제 ☐
③ (다) : 귀납의 정당화 문제에 대한 라이헨바흐의 현실적 구제책 ☐
④ (라) : 귀납의 또 다른 논리적 한계인 미결정성의 문제 ☐
⑤ (마) : 귀납을 대체하는 새로운 과학적 추론 방법 ☐

이가 없으면 잇몸으로!
대체한다는 건 이런 거야!

1 이 글의 내용 전개 방식에 대한 설명으로 가장 적절한 것은 무엇인가요?

① 귀납이 지닌 장단점을 연역과 비교하여 설명하고 있다.
② 귀납의 논리적 한계와 그에 대한 해소 방안을 검토하고 있다.
③ 귀납의 위상이 격상되어 온 과정을 역사적으로 고찰하고 있다.
④ 귀납의 여러 입장을 차이점을 중심으로 대조하여 설명하고 있다.
⑤ 귀납의 다양한 유형을 소개하고 각각의 특징을 상호 비교하고 있다.

귀납법은 작은 사례들을 모아 결론을 내리는 논리 방식이야.
하지만 하나의 다른 사례가 나타나면 결론이 틀려 버리는 논리적 허점이 있지.

2 다음은 이 글을 읽고 학생들이 메모한 내용입니다. 이 글의 내용과 일치하는 것은 무엇인가요?

학생 1 많은 관찰 증거를 확보하면 귀납의 정당화에서 나타나는 순환 논리 문
　　　　제는 해소된다고 볼 수 있어. ································· ① ☐

학생 2 일상적인 직관에 잘 들어맞는 확률 논리는 귀납의 논리적 문제를 근본
　　　　적으로 해결한다고 볼 수 있어. ································· ② ☐

학생 3 라이헨바흐는 귀납에 의한 정당화를 필요로 하는 지식에 근거해야 귀납
　　　　의 정당화가 가능하다고 보았어. ································· ③ ☐

학생 4 귀납의 지식 확장적 특성은 이미 알고 있는 사실을 근거로 아직 알지 못
　　　　하는 사실을 추론하는 것임을 알 수 있어. ····················· ④ ☐

학생 5 관찰 증거가 가설을 지지하는 정도는 확률로 표현될 수 있다는 입장은
　　　　귀납의 문제점을 지적하는 것이라고 볼 수 있어. ················· ⑤ ☐

3 다음은 이 글을 읽고 학생들이 ㉠의 논증과 ㉡의 논증에 대해 나눈 대화입니다. 대화의 내용 중 적절하지 **않은** 것은 무엇인가요?

가희 ㉠의 논증과 ㉡의 논증은 모두, 귀납을 과학의 방법으로 사용할 수 있음을 지지하려는 목적에서 시도된 것 같아. ·· ①

나연 맞아. 하지만 ㉠과 ㉡ 모두, 귀납이 지닌 논리적 허점을 완전히 극복한 것은 아니라는 비판의 여지가 있을 수 있어. ·· ②

세정 둘 중에서도 ㉠의 논증은 귀납과 견주어 미래 예측에 더 성공적인 방법이 없다는 판단을 근거로 귀납의 가치를 보여 주고 있지. ································· ③

희원 맞아. 그리고 ㉡의 논증은 확률 논리로 설명되는 개연성이라는 귀납의 특징을 강조하여 귀납의 가치를 보여 주고 있어. ································· ④

지연 그리고 보니 ㉠의 논증과 ㉡의 논증은 모두, 논리적 판단을 활용하여 귀납을 다른 방법과 비교함으로써 귀납을 지지하였구나. ····················· ⑤

개연성은 **앞으로 일어날 가능성이 있다**는 걸 말해!
보통 일 또는 사건이 일어날 가능성이 높을 때, '개연성이 높다'라고들 하지.

4 ⓐ~ⓔ의 사전적 의미로 적절하지 **않은** 것은 무엇인가요?

① ⓐ: 어떤 사물이나 사업의 밑바탕이 되는 기초와 밑천을 비유적으로 이르는 말.
② ⓑ: 결론에 앞서 논리의 근거로 어떤 조건이나 전제를 내세움. 또는 그 조건이나 전제.
③ ⓒ: 어떠한 사물이나 현상을 이루기 위하여 먼저 내세우는 것.
④ ⓓ: 확실하게 말함. 또는 그런 말.
⑤ ⓔ: 대상을 파악하는 데에 있어 개념, 판단, 추리 따위를 들어 밝혀 가는 것.

귀납과 연역은 '결론'부터 파악하라

다음에서 가우스가 문제를 푼 방식은 귀납과 연역 중 무엇일까요?

독일의 유명한 수학자 가우스는 어렸을 때부터 남보다 뛰어난 수학적 재능을 지니고 있었다. 하루는 그가 열 살 때 수학 시간에 선생님이 학생들에게 다음과 같은 계산 문제를 내놓았다.

선생님은 계산 문제를 칠판에 쓰면서 문제가 너무 복잡해 어린 학생들이 풀어 낼 수 있을까 하고 생각하였다. 그런데 뜻밖에도 문제를 다 쓰자마자 얼마 안 있어 한 학생이 손을 들고 일어서더니,

"선생님, 문제의 답은 5050입니다." 하고 대답하였다. 학생들은 모두 의아한 눈으로 가우스를 보았다. 선생님은 가우스에게 어떻게 해서 계산해 내었느냐고 물어보았다.

"1부터 100까지의 수는 한 가지 독특한 특징이 있습니다. 앞과 뒤로부터 차례로 두 수를 더하면, 즉 맨 처음의 1과 맨 마지막의 100, 두 번째 2와 뒤에서 두 번째인 99…… 이런 식으로 더해 나가면 모두 101이 되는데, 이런 수가 모두 50개입니다. 그러므로 이 100개의 수의 합은 101×50=5050입니다."

선생님은 어린 가우스의 천재적인 수학적 재능에 감탄하지 않을 수 없었다.

가우스는 많은 덧셈을 일일이 하지 않고도 어떻게 답을 정확히 구할 수 있었을까요? 그는 머릿속으로 좌우변의 합이 차례로 모두 101이 된다는 사실에 착안하여, 귀납적 증명으로 답을 찾아낼 수 있었습니다. 이러한 귀납적 증명은 꼭 수학에만 적용되는 논리 방법일까요?

연역법과 귀납법의 기본 개념은 다음과 같이 정의할 수 있습니다. 이미 알고 있는 하나 또는 둘 이상의 일반적인 명제(전제)를 중심으로 하여 새로운 명제(결론)를 이끌어 내면 연역법, 특수한 예 또는 개별적인 사실(전제)로부터 일반적인 명제(결론)를 이끌어 내면 귀납법이라고 합니다. **귀납과 연역 같은 추론 방식을 구분하기 위해서는 먼저 결론이 무엇인지 파악하는 것이 중요합니다.** 그 다음 이 결론을 이끌어 내기 위해 어떤 전제를 사용했는가에 따라 귀납법을 사용했는가, 연역법을 사용했는가를 판단할 수 있습니다.

194쪽 지문

(가) 귀납은 현대 논리학에서 연역이 아닌 모든 추론, 즉 전제가 결론을 개연적으로 뒷받침하는 추론을 가리킨다. 귀납은 기존의 정보나 관찰 증거 등을 근거로 새로운 사실을 추가하는 지식 확장적 특성을 가지다. 이 특성으로 인해 귀납은 근대 과학 발전의 방법적 ⓐ토대가 되었지만, 한

딪히기도 한다.

귀납과 연역을 구분하려면,
먼저 이끌어 내려는 결론이 무엇인지부터 파악하라!

독해실전

배운 글을 다시 읽고, 물음에 답해 보세요.

생각독해 Ⅱ 184쪽

> 17세기 영국을 중심으로 발전한 경험주의는 감각적 경험을 통해 얻은 것만을 지식이라고 생각했을 뿐만 아니라 모든 지식은 인간의 경험으로 도출될 수 있다고 믿었다. 그래서 감각적 경험으로 알 수 없는 선험적(先驗的)인 것은 지식으로 인정하지 않는다. 경험주의는 지식을 얻는 방법론으로 주로 ㉠귀납적 방법을 사용하였다. 즉 개별 현상들을 관찰하고 검증함으로써 공통된 특징을 찾아내거나 동일한 관계를 찾아내고, 이를 바탕으로 현상들에 공통되는 법칙을 구성하거나 동일한 개념을 발견하려고 하였다. 그러나 유럽의 백조가 희다고 전 세계의 백조가 희다고 할 수 없는 것처럼 방법론 자체에 문제점을 내포하고 있다.

1 ㉠의 논리 구조와 가장 유사한 것은 무엇인가요?

① 내가 지금까지 먹었던 사과가 달콤하므로 이 세상의 모든 사과는 달콤하다고 말할 수 있다.

② 내가 지금까지 먹었던 사과가 달콤하다고 이 세상의 모든 사과가 달콤하다고 말할 수는 없다.

수능실전

아래 글을 읽고, 수능 실전감각을 길러 보세요.

2012학년도 수능

> 논증은 크게 연역과 귀납으로 나뉜다. 전제가 참이면 결론이 확실히 참인 연역 논증은 결론에서 지식이 확장되는 것처럼 보이지만, 실제로는 전제에 이미 포함된 결론을 다른 방식으로 확인하는 것일 뿐이다. 반면 귀납 논증은 전제들이 모두 참이라고 해도 결론이 확실히 참이 되는 것은 아니지만 우리의 지식을 확장해 준다는 장점이 있다. 여러 귀납 논증 중에서 가장 널리 쓰이는 것은 수많은 사례들을 관찰한 다음에 그것을 일반화하는 것이다. 우리는 수많은 까마귀를 관찰한 후에 우리가 관찰하지 않은 까마귀까지 포함하는 '모든 까마귀는 검다.'라는 새로운 지식을 얻게 되는 것이다.

1 위 글을 통해 추론할 수 있는 내용으로 적절한 것은 무엇인가요?

① 연역 논증은 결론에서 지식의 확장이 일어난다.

② 과학적 지식은 새로운 지식이라는 점에서 연역의 결과이다.

③ 전제에 없는 새로운 지식이 귀납의 논리적인 문제를 낳는다.

> 결론부터 찾아야 해! 그래야 판단 근거가 결론에 포함되는지 아닌지를 구분할 수 있으니까!

생각읽기가 수능이다! 🧠 **[귀납과 연역]의 생각 구조**에서 글쓴이의 생각은 어떻게 알 수 있나요?

실제 시험에서 연역과 귀납인지를 구분하기 위해서는 먼저 결론이 무엇인지를 파악하는 것이 중요해. 그 다음 결론을 이끌어 내기 위해 어떤 전제를 사용했는가에 따라 귀납법을 사용했는가, 연역법을 사용했는가를 판단할 수 있어!

가격 결정과 자원 배분의 효율성

한계 비용

Q 자원이 낭비 없이 효율적으로 배분되려면 가격이 어떻게 결정되어야 하나요?

경제학에서는 가격이 한계 비용과 일치할 때를 가장 이상적인 상태라고 본다. '한계 비용'이란 재화*의 생산량을 한 단위 증가시킬 때 추가되는 비용을 말한다. 한계 비용 곡선과 수요* 곡선이 만나는 점에서 가격이 정해지면 재화의 생산 과정에 들어가는 자원이 낭비 없이 효율적*으로 배분되며, 이때 사회 전체의 만족도가 가장 커진다. 가격이 한계 비용보다 높아지면 상대적으로 높은 가격으로 인해 수요량이 줄면서 거래량이 따라 줄고, 결과적으로 생산량도 감소한다. 이는 사회 전체의 관점에서 볼 때 자원이 효율적으로 배분되지 못하는 상황이므로 사회 전체의 만족도가 떨어지는 결과를 낳는다.

위에서 설명한 일반 재화와 마찬가지로 수도, 전기, 철도와 같은 공익 서비스*도 자원 배분의 효율성을 생각하면 한계 비용 수준으로 가격, 즉 공공요금*을 결정하는 것이 바람직하다. 대부분의 공익 서비스는 초기 시설 투자 비용은 막대한 반면 한계 비용은 매우 적다. 이러한 경우, 한계 비용으로 공공요금을 결정하면 공익 서비스를 제공하는 기업은 손실을 볼 수 있다.

[A]
예컨대 초기 시설 투자 비용이 6억 달러이고, 톤당 1달러의 한계 비용으로 수돗물을 생산하는 상수도 서비스를 가정해 보자. 이때 수돗물 생산량을 '1톤, 2톤, 3톤, …'으로 늘리면 총비용*은 '6억 1달러, 6억 2달러, 6억 3달러, …'로 늘어나고, 톤당 평균 비용은 '6억 1달러, 3억 1달러, 2억 1달러, …'로 지속적으로 줄어든다. 그렇지만 평균 비용이 계속 줄어들더라도 한계 비용 아래로는 결코 내려가지 않는다. 따라서 한계 비용으로 수도 요금을 결정하면 총비용보다 총수입*이 적으므로 수도 사업자는 손실을 보게 된다.

이를 해결하는 방법에는 크게 두 가지가 있다. 하나는 정부가 공익 서비스를 제공하는 기업에 손실분만큼 보조금을 주는 것이고, 다른 하나는 공공요금을 평균 비용 수준으로 정하는 것이다. 전자의 경우 보조금을 세금으로 충당한다면 다른 부문에 들어갈 재원*이 줄어드는 문제가 있다. 평균 비용 곡선과 수요 곡선이 교차하는 점에서 요금을 정하는 후자의 경우에는 총수입과 총비용이 같아져 기업이 손실을 보지는 않는다. 그러나 요금이 한계 비용보다 높기 때문에 사회 전체적인 관점에서는 ㉠자원의 효율적 배분에 문제가 생긴다.

---

* 재화: 사람이 바라는 바를 충족시켜 주는 모든 물건.
* 수요: 어떤 재화나 용역을 일정한 가격으로 사려고 하는 욕구.
* 효율적: 들인 노력에 비하여 얻는 결과가 큰 것.
* 공익 서비스: 사회 전체의 이익을 위한 서비스.
* 공공요금: 철도, 우편, 전신, 전화, 수도, 전기 따위의 공익사업에 대한 요금.
* 총비용: 일정 기간 동안 생산에 들어간 모든 비용.
* 총수입: 재화의 공급에서 생산자가 얻은 화폐 수입의 총액.
* 재원: 재화나 자금이 나올 원천.

0 **이 글의 표제와 부제로 가장 적절한 것을 고르세요.**

① 일반 재화의 가격 결정 방식
  – 평균 비용과 한계 비용의 상관관계를 중심으로 ☐
② 자원을 효율적으로 배분하기 위한 조건
  – 공익 서비스의 문제점과 해결책을 중심으로 ☐
③ 공공요금으로 운영되는 공익 서비스의 의의
  – 공익 서비스와 관련된 예시를 중심으로 ☐
④ 한계 비용을 통한 가격 결정과 자원 배분의 효율성
  – 일반 재화와 공익 서비스의 가격 결정의 차이를 중심으로 ☐
⑤ 가격을 결정하는 바람직한 방법과 그 한계
  – 재화의 가격 결정 요소들의 대립 관계를 중심으로 ☐

1 이 글의 서술상의 특징으로 가장 적절한 것은 무엇인가요?

① 일반 재화의 가격 결정 방법이 지닌 문제점과 그 대안을 제시하고 있다.

② 재화의 가격 결정 방법을 살펴보고 그 현대적 의의를 독자에게 주지시키고 있다.

③ 가격 결정과 관련된 개념을 설명하면서 구체적 사례를 통해 독자의 이해를 돕고 있다.

④ 가격 결정과 관련된 학자들의 여러 견해를 소개하면서 각 입장의 장단점을 설명하고 있다.

⑤ 가격 결정과 관련된 여러 개념을 분류하고 통시적 관점에서 가격 결정 기준의 변화를 설명하고 있다.

주장이 되는 요지나 근본이 되는 중요한 뜻이 주지야.
주지시킨다는 건 주장을 알린다는 뜻이야!

2 이 글의 내용과 일치하지 <u>않는</u> 것은 무엇인가요?

① 자원이 낭비 없이 효율적으로 배분될 때 사회 전체의 만족도가 극대화된다.

② 정부는 공공요금을 한계 비용 수준으로 유지하기 위하여 보조금 정책을 펼 수 있다.

③ 공익 서비스와 일반 재화의 생산 과정에서 자원을 효율적으로 배분하기 위한 조건은 서로 다르다.

④ 가격이 한계 비용보다 높은 경우에는 가격이 한계 비용과 같은 경우에 비해 결국 그 재화의 생산량이 줄어든다.

⑤ 평균 비용이 한계 비용보다 큰 경우, 공공요금을 평균 비용 수준으로 정하면 해당 사업자의 손실이 줄어든다.

3 〈보기〉는 [A]의 내용을 그래프로 나타낸 것입니다. 이 글과 관련지어 〈보기〉를 이해할 때, 다음 학생들의 말로 적절한 것을 고르세요.

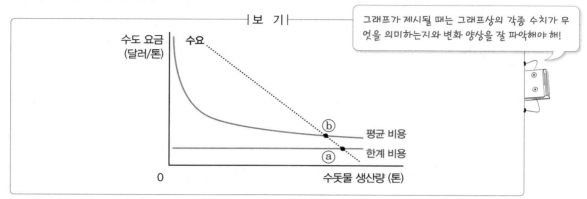

그래프가 제시될 때는 그래프상의 각종 수치가 무엇을 의미하는지와 변화 양상을 잘 파악해야 해!

- 학생 1: ⓐ에서 수도 요금을 결정하면 수도 사업자는 (이익 / 손실)을 보는 거야.
- 학생 2: ⓑ에서 수도 요금을 결정하면 수도 사업자의 총수입과 총비용은 (같다 / 다르다)고 할 수 있어.
- 학생 3: 수돗물 생산량이 증가함에 따라 평균 비용과 한계 비용의 격차가 (늘어난다 / 줄어든다)고 볼 수 있지.
- 학생 4: 수도 요금의 결정 지점이 ⓐ에서 ⓑ로 이동하면 사회 전체의 만족도는 (증가한다 / 감소한다)고 할 수 있어.

4 ㉠의 상황을 다음과 같이 나타낼 때, ㄱ~ㄷ에 들어갈 내용이 알맞게 연결된 것은 무엇인가요?

자원의 효율적 배분에 문제가 생긴다는 것은 가격이 (ㄱ)보다 높아지면 상대적으로 높은 가격으로 인해 (ㄴ)이 줄면서 (ㄷ)이 줄고, 결과적으로 생산량도 감소한다.

	ㄱ	ㄴ	ㄷ
①	투자 비용	거래량	공급량
②	투자 비용	수요량	거래량
③	한계 비용	공급량	수요량
④	한계 비용	수요량	거래량
⑤	한계 비용	거래량	공급량

우주의 시공간적 유·무한성

우주에 대한 질문이라면 누구나 가장 궁금해할 '우주의 시공간적 유·무한성'에 대해서 현대 우주론은 어떤 답을 ⓐ내놓고 있을까? 이 질문은 얼핏 사실 관계에 관한 내용이어서 과학으로 충분히 답할 수 있어 보인다. 그러나 현대 우주론은 이 질문에 대해 명확하게 '답할 수 없다.'라고 말한다. 과학의 많은 발전과 모색이 있었던 지난 수천 년 전부터 지금까지도 여전히 이 질문의 답이 과학의 영역에서 오리무중임은 시사*하는 바가 크다.

㉠현대 과학자들은 위 질문에 대한 답이 과학으로 추구할 수 있는 관찰과 실험이 ⓑ미치는 영역 너머에 있다고 여긴다. 공간적 유·무한성은 우주가 아주 작지 않다면 우주가 팽창하는 동안 빛이 간 거리 너머에 속한 내용일 가능성이 높다. 따라서 경험과 관찰에 기반을 둔 과학이라면 공간적 유·무한성에 대해 답할 수 없다. 시간적 유·무한성 또한 미래가 아직 오지 않았기에 답할 수 없다. 만약 우주의 유·무한성을 ⓒ밝히는 토대가 되는 모형(이론)을 설정한다면, 그에 따른 답이 나올 수도 있다. 하지만 그 모형이 맞는지 검증할 방법이 없다. 시공간의 유·무한성에 대해 어떤 가설을 세워도 결국은 검증될 수 없는 가정으로 귀결된다. 즉, 우주의 시공간적 유·무한성에 대한 질문은 지금의 과학이 답할 수 없는 성질의 질문인 것이다.

그러나 현대 우주론이 시공간의 유·무한성에 대해 답할 수 없다는 한계가 현대 과학의 결점으로 ⓓ여겨져서는 안 된다. 오히려 무엇을 알고 무엇을 모르는지 분명히 아는 것이야말로 진정한 앎이라고 할 수 있기 때문이다. 무지는 앎의 한 형태이며, '무지에 대한 앎(인지)'은 앎의 중대한 국면으로 볼 수 있다. 소크라테스는 "진정한 지혜는 지혜에 한계가 있다는 것을 아는 것이다."라고 말하였다. 『논어』에는 공자가 제자인 자로에게 말한 앎에 대한 경구*가 있는데, 공자는 "우리가 아는 것을 안다고 하고, 모르는 것을 모른다고 하는 것, 이것이 아는 것이다."라고 말하였다. 노자는 "알지 못한다는 것을 아는 것이 최고이고, 이 앎(알지 못함)을 알지 못하는 (즉, 알지 못하면서 안다고 여기는) 것은 병이다."라고 하였다.

이렇듯 우주에 대한 인간의 지식에 근본적 한계가 있다는 사실은 "천상에 대한 연구가 매혹적이고 중요한 것은 단지 그에 대한 우리의 지식이 불완전하다는 사실로 ⓔ유지된다."는 아리스토텔레스의 통찰*에서 위안을 얻을 수 있다. 현대 우주론에서 과학이 발견한 한계는 우주의 한계가 아닌 과학이라는 근대 인간의 발명품이 가진 방법론적 한계에 따른 것일 뿐, 그 점에서 과학은 불완전하지만, 바로 그 이유 덕분에 과학은 열린 체계가 되며 과학에 대한 다양한 질문들을 발생시키고 과학적 방법을 발전시키는 토대가 되는 것이다. 그런 면에서 현대 우주론의 절대적 한계에 대한 인식은 인간 지성*사에서 위대한 성취라고 할 수 있다.

과학의 방법론적 한계

Q '우주의 시공간적 유·무한성'에 대해 현대 우주론이 답을 할 수 없는 이유는 무엇인가요?

가설은 왜 검증의 대상이 될까
검증될 수 없는 가설은
가설에만 머무니까~

► 생각읽기가 수능이다 208쪽

---

* 시사: 어떤 것을 미리 간접적으로 표현해 줌.
* 경구: 진리나 삶에 대한 느낌이나 사상을 간결하고 날카롭게 표현한 말.
* 통찰: 예리한 관찰력으로 사물을 꿰뚫어 봄.
* 지성: 지각된 것을 정리하고 통일하여, 이것을 바탕으로 새로운 인식을 낳게 하는 정신 작용.

0 이 글의 글쓴이가 말하고자 하는 바로 가장 적절한 것을 고르세요.

① 현대 우주론은 가설을 설정하고 관찰과 실험을 통해 가설을 검증하는
과정을 거쳐 우주의 시공간적 유·무한성에 대해 답하고 있다. ☐

② 현대 과학은 과거보다 많은 발전을 이루었으나 아직도 많은 영역에서
방법론적 한계를 가지고 있기 때문에 이를 극복하기 위해 노력해야
한다. ☐

③ 우주의 시공간적 유·무한성에 대해서 현대 우주론으로는 아직 답할
수 없지만, 아는 것과 모르는 것을 분명히 인식하는 자세는 과학 발전
의 토대가 된다. ☐

④ 인간은 인간의 지식에 근본적 한계가 있다는 사실을 깨닫고 현재의 과
학적 자산을 미래의 과학적 발전을 위해 미래 세대에게 전수하려는
자세를 지녀야 한다. ☐

⑤ 우주의 시공간적 유·무한성에 대한 현대 우주론의 대답은 과학의 방
법론적 한계와 인간 지식의 근본적 한계를 드러내는 것이기 때문에
현대 과학과 인간의 결점으로 볼 수 있다. ☐

글쓴이가 말하고자 하는 바는 글의
중심 생각, 즉 주제라고 할 수 있어.
글의 전체 주제를 파악하려면 글의
세부 내용을 통해 중심 내용을 파악
한 후 글쓴이의 의도와 목적 등과
관련지어 이해해야 해.

1 이 글의 내용 전개 방식에 대한 설명으로 적절한 것은 무엇인가요?

① 중심 화제에 대한 질문의 대답을 소개하고 대답이 시사하는 바를 밝히고 있다.

② 중심 화제에 대한 다양한 실제 사례를 제시한 후 이를 유형별로 분류하고 있다.

③ 중심 화제에 대한 이론이 후대의 과학자들에 의해 계승되는 과정을 고찰하고 있다.

④ 중심 화제에 대한 다양한 비판의 타당성을 검토한 후 새로운 이론을 도출하고 있다.

⑤ 중심 화제의 역사적 변천 과정을 제시하며 해당 이론의 현실적 실현 가능성을 검증하고 있다.

꿈, 계획, 기대 따위가 **앞으로 실현될 수 있는 성질, 또는 그럴 가능성**을 의미해.

2 이 글의 내용에 대한 이해로 적절하지 <u>않은</u> 것은 무엇인가요?

① 우주는 공간적으로 빛이 간 거리보다 더 팽창하였을 가능성이 있다.

② 소크라테스, 공자, 노자는 무지에 대한 인지가 중요함을 언급하였다.

③ 경험과 관찰에 기반을 두는 과학으로는 우주의 유·무한성에 대해 논할 수 없다.

④ 우주의 유·무한성에 대해 현대 우주론은 과학의 방법론적 한계를 인식하고 있다.

⑤ 아리스토텔레스는 우주의 한계를 인식함으로써 우주에 대한 연구가 유지된다고 하였다.

3 이 글과 〈보기〉를 읽고, 선생님의 질문에 대한 학생의 대답으로 이 글의 ㉠과 〈보기〉의 ㉡의 인식을 (   )에 쓰세요.

┤보 기├

　　고대의 ㉡아리스토텔레스는 우주의 중심에 지구가 고정되어 움직이지 않고 달, 태양, 행성, 항성 등이 지구 주위를 회전한다는 지구 중심설을 내세웠다. 달, 태양, 행성, 항성 등은 수정과 같이 투명한 천구에 붙박여 있고, 투명한 천구가 회전함으로 인해 인간의 눈에는 태양과 행성 등이 움직이는 것처럼 보인다는 것이다. 즉, 지구는 우주의 중심에 정지하여 있고 안의 천구가 다음 천구를 움직이게 하며 궁극적으로 맨 바깥의 천구인 종천구를 움직이게 한다고 주장한다.

아리스토텔레스의 우주

선생님: 우주가 공간적으로 유한한지 무한한지에 대해 ㉠과 ㉡은 어떻게 인식하고 있나요?

학　생: ㉠은 우주가 공간적으로 (　　　　　　　　　　)고 인식하고 있지만,
　　　　㉡은 우주가 공간적으로 (　　　　　　　　　　)고 인식하고 있습니다.

4 ⓐ~ⓔ의 문맥적 의미를 활용하여 만든 문장이 적절하지 <u>않은</u> 것은 무엇인가요?

① ⓐ: 정부는 연초에 국민들에게 경제 개혁안을 <u>내놓았다</u>.
② ⓑ: 이번 광고는 판매량을 높이는 데에 큰 영향을 <u>미쳤다</u>.
③ ⓒ: 안방에서도 등잔에 불을 <u>밝혔는지</u> 창문이 환해졌다.
④ ⓓ: 그녀가 어제 여기에 다녀간 일이 신기하게 <u>여겨졌다</u>.
⑤ ⓔ: 이 상태로 가다가는 형편이 <u>유지되기도</u> 어려울 것 같다.

검증될 수 없다면 가설에 불과하다

셜록 홈즈는 박물관에서 조각품 하나가 깨져 있는 것을 보았습니다. 이럴 때, 그는 어떤 가설을 세워볼
수 있을까요?

셜록 홈즈의 추리 비밀은 바로 가설 세우기에 있습니다. **가설이란 원인이나 결과를 가정
해서 설명해 보는 것을 말합니다.** 주로 어떤 사실이나 주장이 입증되기 전까지는 정답을
모르기 때문에 보통 여러 개의 가설을 세우게 되는데, 이러한 '가설 세우기'는 미스터리한 사건을
해결할 때뿐만 아니라, 우리의 일상생활에서 무언가를 선택해야 할 때, 혹은 해결해야 할 때에도
유용하게 사용됩니다.

가설은 이렇듯, 하나하나 틀린 내용은 없는지 따져 보는 과정을 거치는데, 독해를 할 때도 이렇
게 여러 가설 중 옳은 것은 무엇인지를 입증하는 구조로 글이 전개되는 경우가
많습니다. 셜록 홈즈가 사건을 해결하기 위해 여러 가설을 세워, 하나하나 따져 보고 자신이 세
운 가설 중 틀린 가설을 지워 가며 사건을 해결해 가는 과정처럼 말이죠.

204쪽 지문

㉠현대 과학자들은 위 질문에 대한 답이 과학으로 추구할 수 있는 관찰과 실험이 ⓑ미치는 영
역 너머에 있다고 여긴다. 공간적 유·무한성은 우주가 아주 작지 않다면 우주가 팽창하는 동안
빛이 간 거리 너머에 속한 내용일 가능성이 높다. 따라서 경험과 관찰에 기반을 둔 과학이라면
공간적 유·무한성에 ~~~~~~~~~~~~~~~~~~~~~~~~~~~~~~~~가 아직 오지 않았기에
답할 수 없다. 만약 우 ┌──────────────────┐ 를)을 설정한다면, 그에
따른 답이 나올 수도 있 │ **글에 나타난 여러 가설 중** │ 시공간의 유·무
│ **입증 과정을 거친 가설만이 살아남을 수 있다!** │
한성에 대해 어떤 가설을 세워도 결국은 검증될 수 없는 가정으로 귀결
된다. 즉, 우주의 시공간적 유·무한성에 대한 질문은 지금의 과학이 답할 수 없는 성질의 질
문인 것이다.

독해실전 **배운 글을 다시 읽고, 물음에 답해 보세요.**

생각독해 Ⅰ 162쪽

> 그러나 빅뱅 이론이 우주의 기원에 대한 절대적인 설명이라고 할 수 없다. 여전히 빅뱅 이론이 갖는 한계를 극복하고 보완하기 위해 다양한 시도들이 나타나고 있으며, 만약 새로운 과학적 증거들이 발견된다면 빅뱅 이론에서 주장하고 있는 내용 역시 수정되어야 하기 때문이다. 지식과 정보가 쌓이면서 창조 신화에서 빅뱅 이론까지 우주의 기원을 설명하는 방식은 다양하게 변화했다. 새로운 과학적 증거들의 발견과 더불어 빅뱅 이론 역시 변화할 것이다. 그리고 이와 같은 변화를 통해 우리는 '우주는 어떻게 시작되었을까?'라는 질문에 대한 답을 하나의 관점과 시각에서 분석하는 것이 아니라 다양한 관점과 시각에서 살펴보게 될 것이다.

1 위 글을 읽고 글의 제목을 붙일 때, 가장 적절한 것은 무엇인가요?

① 우주의 기원에 관한 연구와 그 의의

② 빅뱅 이론의 한계점과 이를 보완하기 위한 시도

수능실전 **아래 글을 읽고, 수능 실전감각을 길러 보세요.**

2011학년도 고3

> 흥미로운 것은 타클라마칸 사막과 인접한 티베트 고원의 건조 지역에서 열대 습윤 환경에서 서식하던 신제3기의 생물 화석이 발견되었다는 점이다. 이로부터 과학자들은 이 지역이 한때는 저지대의 습윤한 지역이었으며, 지각 변동의 영향을 받았을 것이라는 ㉠가설을 세웠다. 기존의 지각 변동 이론에 따르면, 히말라야 산맥은 북쪽으로 이동하는 인도 대륙이 유라시아 대륙과 충돌하면서 융기하였다고 알려져 있는데, 티베트 고원에서 발견된 생물 화석은 이 이론에 잘 들어맞는 듯 보였다. 과학자들은 화석의 탄소 동위원소 분석뿐만 아니라 퇴적 지층에 대한 고지자기(古地磁氣) 측정 결과를 통해, 이 지역이 히말라야 산맥의 형성과 함께 융기하였다는 결론을 내리게 되었다. 따라서 티베트 고원에 인접한 타클라마칸 사막의 형성에는 근원적으로 히말라야 산맥의 형성이라는 지각 변동이 관련되어 있다.

1 위 글에서 사용된 ㉠의 검증 방법을 〈보기〉에서 모두 고르세요.

| 보 기 |

ㄱ. 추가적인 증거를 통해 보강한다.
ㄴ. 적용 가능한 새로운 현상을 찾아본다.
ㄷ. 경쟁 가설보다 설득력이 있는지 비교한다.
ㄹ. 기존 이론에 부합하는지 여부를 검토한다.

입증하지 못하면 한낱 가설일 뿐이지~

생각읽기가 수능이다! **[가설-입증]의 생각 구조에서 글쓴이의 생각은 어떻게 알 수 있나요?**

실제 수능에서 '가설'은 주로 어떤 사실을 설명하거나 어떤 이론 체계를 연역하기 위해 설정한 가정을 말해. 만약 가설로부터 도출된 결과가 관찰이나 실험에 의해 검증되면, 가설의 위치를 벗어나 타당한 '주장' 혹은 '진리'가 되는 거야.

DNA 증거의 탄생

DNA는 살아 있는 모든 유기체* 및 많은 바이러스의 유전적 정보를 담고 있는 실 같은 모양의 핵산* 사슬이다. DNA는 염색체의 주성분으로 유전 정보를 염기* 서열로 암호화하여 저장하고 있다. DNA의 구조는 1953년 제임스 왓슨, 프랜시스 크릭, 로잘린드 프랭클린, 그리고 모리스 윌킨스가 발견하였다.

인간의 몸은 약 100조 개의 세포로 구성되며 각 세포에는 인간의 전체 게놈*, 즉 모든 DNA가 포함되어 있다. DNA는 길게 꼬인 사다리와 같은 형태, 다시 말해 이중 나선 구조를 지니고 있다. 사다리 가로대에는 알파벳 두 개의 이름이 붙는다. A와 T 또는 C와 G가 언제나 짝을 이루는 이 글자들은 아데닌(Adenine), 티민(Tymine), 시토신(Cytosine), 구아닌(Guanine)이라는 화합물을 의미한다. 이런 조합 몇 개가 모이면 유전자가 되는 것이다. 유전자는 단백질을 특정한 방식으로 쌓아 올리라는 명령이다. 그리고 이렇게 특정한 방식으로 단백질을 쌓아 올려 우리의 몸이 만들어진다.

DNA는 발견된 지 몇십 년이 지나서야 범죄 과학에서 제 역할을 하게 되었다. 1980년대, 레스터 대학교의 알렉 프리스는 개인의 DNA 프로파일을 밝힐 수 있는 혈액 검사를 개발한 뒤 이를 범죄 수사에 활용할 것을 제안하였다. 모든 인간의 DNA의 99.9퍼센트가 동일하고, 바로 이 때문에 모든 인간은 서로 비슷한 모습을 지닌다. 하지만 두 명의 사람이 정확하게 똑같지는 않다. 정확하게 똑같은 DNA는 없기 때문이다. 게놈의 같은 구역을 보면, 누군가는 GCAAT와 같은 글자 배열이 다섯 번 반복되는 반면 다른 사람은 열다섯 번 반복된다. 다섯 번 반복되는 일이 스무 명 가운데 한 명꼴로 생긴다고 가정하자. 두 번째 게놈 구역을 검사하였을 때 여기에 그 배열의 특정한 변형이 위치할 확률도 스무 명 가운데 한 명꼴이 되어, 특정한 두 가지 배열이 연속할 확률은 4백분의 1이 된다. 여기에 세 번째 배열까지 더해지면 8천분의 1의 확률이 나온다. 일반적으로 DNA의 열세 개 구역을 검사하는 것이 표준이며, 열세 개 구역이 모두 일치할 확률은 1조분의 1에 해당한다. 1조는 전 세계 인구보다 많은 수이다. 이러한 방법으로 수사관들은 DNA 샘플과 단 한 명의 용의자를 연결할 수 있다.

1994년, 미국에서는 DNA의 전국적인 데이터베이스인 FBI 통합 DNA 인덱스 시스템, 즉 코디스(FBI's Combined DNA Index System, CODIS)가 만들어졌다. 범죄 현장에 남겨진 DNA 유형을 검사한 뒤 이 DNA 프로파일을 코디스에 입력한다. 코디스에는 유죄를 판결받은 모든 사람 혹은 중대 범죄 혐의로 체포되었던 사람들의 DNA 프로파일이 기록되어 있다. 사건 현장에서 발견된 DNA가 데이터베이스에 기록된 DNA와 일치할 경우 코디스에 의해 수사관들에게 이 같은 사실이 자동적으로 통보된다. 이런 과정을 통해 어떤 사건의 용의자로부터 채취한 DNA가 미제로 남아 있던 다른 사건을 해결하는 단초*가 되기도 한다.

2013년 한 해에만 코디스 시스템을 통해 20만 3백 건의 DNA 일치가 발견되었고, 이는 미국 전역에서 19만 2천4백 건의 사건 수사에 도움을 주었다. 기존 수사의 한계를 뛰어넘은 DNA 수사가 사건의 피해자에게 정의를 가져다준 것이다. 또한 DNA 수사는 사건의 피해자뿐만 아니라 무죄임에도 유죄를 판결받은 사람들, 즉 사건의 또 다른 피해자의 결백을 증명하는 데도 도움을 주기도 한다. 이렇듯 DNA 증거를 통한 과학 수사는 범죄 희생자와 그의 가족, 잘못 기소된 사람들, 범죄로 인해 충격을 받은 공동체를 위해 사회의 정의를 구현하는 데 도움이

수사의 한계 극복

Q DNA 검사를 통해 용의자를 찾아낼 수 있는 원리는 무엇인가요?

되고 있다. 범죄자들이 달아나거나 숨을 수 없고 누명 쓴 사람들이 죄인이 되어 잊히지 않는 세상이 오는 데 도움을 주는 것이다.

* 유기체: 생물처럼 물질이 유기적으로 구성되어 생활 기능을 가지게 된 조직체.
* 핵산: 염기, 당, 인산으로 이루어진 뉴클레오타이드가 긴 사슬 모양으로 중합된 고분자 물질. 유전이나 단백질 합성을 지배하는 중요한 물질로, 생물의 증식을 비롯한 생명 활동 유지에 중요한 작용을 한다.
* 염기: DNA나 RNA의 구성 성분인 질소를 함유하는, 고리 모양의 유기 화합물.
* 게놈: 낱낱의 생물체 또는 1개의 세포가 지닌 생명 현상을 유지하는 데 필요한 유전자의 총량. 사람과 같은 진핵생물의 경우 반수(n)의 염색체에 있는 유전자의 총량.
* 단초: 일이나 사건을 풀어나갈 수 있는 첫머리.

0 이 글의 제목으로 가장 적절한 것을 고르세요.

① DNA를 이루는 물질의 종류와 특징 ☐
② DNA를 활용한 범죄 수사 방법과 의의 ☐
③ DNA 연구의 발전 과정과 DNA 연구의 의의 ☐
④ 코디스(CODIS)를 활용한 미국의 범죄 수사 방법 ☐
⑤ DNA를 활용한 범죄 수사와 기존 범죄 수사의 차이점 ☐

1 **이 글의 설명 방식으로 가장 적절한 것은 무엇인가요?**

① DNA 수사 과정을 유추를 통해 설명하고 있다.

② DNA의 모양과 구조를 비유를 통해 설명하고 있다.

③ DNA 수사 과정을 유형별로 분류하여 설명하고 있다.

④ DNA 수사에 대해 전문가의 의견을 인용하여 설명하고 있다.

⑤ DNA를 발견하게 된 과정을 구체적으로 묘사하여 설명하고 있다.

진술 방식은 쉽게 말해 '글의 내용을 전개하는 방식'을 말해. 설명, 묘사, 논증, 서사 등 서술상의 특징 혹은 내용 전개 방식으로 이해하면 되겠지.

비유하자면,
"두상은 밤톨 같고, 코는 오똑하고, 입술은 앵두같네~"

2 **다음은 이 글을 읽고 메모한 내용입니다. 이 글의 내용과 일치하는 것으로만 묶인 것은 무엇인가요?**

ㄱ. 인간을 구성하는 각 세포에는 이중 나선 구조의 DNA가 모두 포함되어 있다.

ㄴ. DNA의 사다리 가로대에는 아데닌과 시토닌 혹은 티민과 구아닌이 항상 짝을 이루어 존재한다.

ㄷ. DNA 수사는 사건의 직접적인 피해자뿐만 아니라 억울하게 유죄를 판결받은 사람들에게도 도움을 준다.

ㄹ. 미국에서는 모든 사람의 DNA 정보가 DNA 데이터베이스인 코디스(CODIS)에 담겨 있어 범죄 수사에 활용되고 있다.

① ㄱ, ㄴ   ② ㄱ, ㄷ   ③ ㄴ, ㄷ

④ ㄴ, ㄹ   ⑤ ㄷ, ㄹ

3 이 글을 읽은 학생이 〈보기〉를 읽고 보일 수 있는 반응으로 적절하지 <u>않은</u> 것은 무엇인가요?

┤보 기├

　　DNA 감식 기술을 이용한 용의자의 외모 추정 기술을 선도하고 있는 네덜란드의 과학자이자 에라스무스 대학의 만프레드 카이저 교수는 "사건 현장 DNA 분석을 통해 용의자의 외모를 최대한 추측할 수 있다."라고 말했다. 현재 DNA 감식 기술은 눈동자와 머리카락, 피부 색깔 등을 추정할 수 있는 단계에까지 발달해 있다. 현 단계에서 DNA를 통해 3가지 눈동자 색깔, 4가지 머리카락 색깔, 5가지 피부 색깔을 구분해 낼 수 있다. 미국이나 유럽 등 다문화 사회에서는 용의자의 인종을 특정할 수 있어 수사에도 큰 도움을 주고 있다.

민석　인간의 DNA에 담겨 있는 유전적 정보에는 눈동자와 머리카락, 피부 색깔 등 인간의 외모에 관한 것이 포함되어 있구나. ……………………………… ①

영진　DNA 감식 기술을 이용한 용의자의 외모 추정 기술 또한 범죄로 인해 상처를 받은 공동체의 정의를 구현하는 데 도움이 될 것 같아. ……………………… ②

경현　보유하고 있는 DNA 데이터베이스에 사건 현장에서 발견된 DNA가 일치하는 자료가 없더라도 용의자의 외모 추정 기술을 통해 용의자를 추정할 수 있겠구나. … ③

진호　눈동자와 머리카락, 피부 색깔 등에 비교적 큰 차이가 없는 우리나라에서는 머리카락이 직모인지 곱슬인지 등 우리에게 맞는 분석 방법에 대한 연구가 필요하겠어. ……………………………………………………………………… ④

우진　모든 인간의 DNA는 공통된 부분이 없기 때문에 사람마다 눈동자와 머리카락, 피부 색깔 등에 차이가 생기는 것인데, DNA 감식 기술을 이용한 용의자의 외모 추정 기술은 바로 이 점을 이용한 것이구나. …………………………………… ⑤

가법 혼합 vs 감법 혼합

색의 한계

Q 신인상주의 화가들이 색의 한계를 극복하기 위해 사용한 방법에는 무엇이 있나요?

색은 빛의 파장에 의해 결정되는데, 우리가 인식할 수 있는 빛의 파장 범위는 380~780nm로 이를 가시광선*이라 한다. 가시광선은 파장 범위에 따라 다양한 색으로 나타나는데, 이를 단순화하면 빨강, 초록, 파랑으로 나타낼 수 있으며 이를 색광의 3원색이라고 한다. [그림 1]처럼 색광의 3원색이 모두 섞이면, 즉 각 영역의 파장이 합쳐지면 흰색이 되고, 색광의 3원색 중 둘이 섞이면 중간색인 자홍, 청록, 노랑이 만들어진다. 이때 두 색을 섞어 흰색이 만들어지는 경우를 보색*이라 한다. 즉 자홍의 보색은 초록, 청록의 보색은 빨강, 노랑의 보색은 파랑이다. 한편 자홍, 청록, 노랑은 색료의 3원색이 되는데, [그림 2]처럼 색료의 3원색이 모두 섞이면 검정이 되고, 둘이 섞이면 중간색인 빨강, 초록, 파랑이 만들어진다. 색료*에서 보색은 두 색을 섞어 검정이 만들어지는 경우이다. 이렇게 색을 만들기 위해 여러 색광을 섞는 방법을 '가법 혼합', 여러 색료를 섞는 방법을 '감법 혼합'이라고 한다.

[그림 1]　　　　　[그림 2]

가법 혼합의 원리는 스크린으로부터 동일한 거리의 세 지점에 있는 프로젝터에서 나온 백색광이 각각 빨강, 초록, 파랑의 필터를 통과하여 흰 스크린의 한 지점을 동시에 비추는 실험으로 이해할 수 있다. 세 대의 프로젝터에서 백색광을 방출할 때, 각 필터를 통과한 광량*이 동일하면 세 가지 색이 섞이는 지점은 흰색이 되고, 두 색이 만나는 지점은 각각 중간색이 나타나게 된다. 이때 3원색의 광량을 달리하면 다양한 색을 만들 수 있다. 2종류 이상의 색광을 혼합할 경우 빛의 양이 증가하기 때문에 명도*가 높아지지만 채도*는 낮아진다.

감법 혼합의 원리는 화가가 빨강과 파랑 물감을 섞는 상황을 가정해 보면 쉽게 이해할 수 있다. 빨강 물감의 입자에 백색광이 비치면 파랑과 초록 파장 영역대의 빛은 흡수되고 빨강 파장 영역대의 빛만 반사되는데, 이때 반사된 빨강 파장 영역대의 빛을 옆에 있는 파랑 물감의 입자가 흡수한다. 파랑 물감에서도 이와 유사한 방식의 흡수와 반사 현상이 일어난다. 이렇게 빨강과 파랑 물감의 입자들은 서로가 반사하는 파장을 흡수하는데, 이 현상이 혼합된 물감 안에서 매우 여러 번 일어나 결국 빨강과 파랑보다 낮은 명도의 색이 나타난다. 이처럼 감법 혼합으로 만든 색은 원래의 색보다 명도가 낮아진다.

인상주의* 화가들은 태양 빛이 만들어 내는 다양한 색을 표현하기 위해 여러 색의 물감을 섞어 사용하였다. 모네는 그의 대표작인 「인상, 해돋이」에서 물감을 섞어 만든 다양한 색으로 아침 안개 속의 태양 빛이 바다를 물들이는 순간적인 광경을 화폭에 담으려 하였다. 그런데 혼합된 물감의 색은 감법 혼합으로 인해 그리 밝지 않았다. 이에 신인상주의* 화가들은 물감을 팔레트 위에서 섞지 않고 화폭에 일정한 크기의 작은 점을 병치*하는 기법을 사용하였다. 인접한 두 색에서 나오는 빛이 우리 눈에서 가법 혼합되어 제3의 색을 느끼도록 하려는 의도였다. 시냐크는 그의 대표작인 「우물가의 여인들」에서 화면에 무수히 많은 원색 점들을 찍어 병치함으로써 중간색을 표현하였지만, 물감으로 그린 그림이므로 크게 밝아 보이지는 않았다. 또한 시냐크는 보색을 나란히 배치하면 대비 효과로 인해 대상이 선명해 보이는 원리도 활용하였지만, 그의 의도와는 달리 멀리 떨어져서 그림을 보면 가법 혼합의 원리에 의해 보색이 혼합되어 오히려 흐릿하게 보였다.

　이처럼 태양 빛이 만들어 내는 다양한 색을 밝고 선명하게 담아내고자 했던 인상주의와 신인상주의 화가들의 노력은 다양한 시도에도 불구하고 한계에 부딪혔다. 하지만 색에 대한 이들의 탐구 정신은 후대의 화가들이 다양한 회화의 표현 방식을 찾는 데 영감을 주었다.

* 가시광선: 사람의 눈으로 볼 수 있는 빛. 등적색, 등색, 황색, 녹색, 청색, 남색, 자색의 일곱 가지가 있다
* 보색: 다른 색상의 두 빛깔이 섞여 하양이나 검정이 될 때, 이 두 빛깔을 서로 이르는 말.
* 색료: 색을 들이는 재료.
* 광량: 발광체가 빛을 내는 양.
* 명도: 색의 밝고 어두운 정도. 색의 삼요소 가운데 하나이다.
* 채도: 색의 선명한 정도. 색의 3요소의 하나로, 유채색에만 있으며, 회색을 섞을수록 낮아진다.
* 인상주의: 19세기 후반 프랑스에서 일어난 근대 미술의 한 경향. 사물의 고유색을 부정하고 태양 광선에 의하여 시시각각으로 변해 보이는 대상의 순간적인 색채를 포착해서 밝은 그림을 그렸다. 드가, 르누아르, 마네, 모네 등이 대표적 작가이다.
* 신인상주의: 1886년 프랑스의 쇠라, 시냐크 등을 중심으로, 인상파의 수법을 더욱 과학적으로 추구하여 일어난 회화의 한 경향.
* 병치: 두 가지 이상의 것을 한곳에 나란히 두거나 설치함.

0　**이 글의 중심 내용으로 가장 적절한 것을 고르세요.**

　　① 색을 혼합하는 여러 가지 방법이 지닌 장단점을 평가하고 있다.　☐
　　② 색을 구분하는 방법이 미술사의 흐름에 미친 영향을 분석하고 있다.　☐
　　③ 색광과 색료의 특징에 대한 평가가 시대에 따라 달라지는 원인을 설명하고 있다.　☐
　　④ 빛의 색을 표현하는 회화 방식에 관한 두 학설의 공통점과 차이점을 밝히고 있다.　☐
　　⑤ 색의 혼합에 관한 원리를 바탕으로 색을 중시한 회화 유파의 한계와 의의를 제시하고 있다.　☐

1 **이 글의 내용과 일치하지 <u>않은</u> 것은 무엇인가요?**

① 색광의 3원색의 보색은 색료의 3원색과 같다.

② 우리 눈에 나뭇잎이 초록으로 보이는 것은 나뭇잎이 초록 파장 영역대의 빛을 반사하기 때문이다.

③ 빨강 물감과 청록 물감을 일대일의 비율로 섞어서 만든 색의 명도는 원색인 청록 물감의 색이 지닌 명도보다 낮아진다.

④ 색광에서 보색은 두 색을 섞어 흰색이 만들어지는 경우이고 색료에서 보색은 두 색을 섞어 검정이 만들어지는 경우이다.

⑤ 파랑 물감의 입자에 백색광이 비치면 파랑 파장 영역대의 빛만 흡수되는데, 이때 반사된 빨강 파장 영역대의 빛은 옆에 있는 빨강 물감의 입자가 흡수한다.

2 **이 글의 글쓴이가 사용한 서술상 특징으로만 묶인 것은 무엇인가요?**

┤보 기├

ㄱ. 예시를 통해 색과 관련된 원리를 설명하고 있다.

ㄴ. 색과 관련된 전문적인 용어들의 개념을 설명하고 있다.

ㄷ. 색과 관련된 원리가 시대에 따라 변천한 과정을 소개하고 있다.

ㄹ. 색과 관련된 현상의 원인을 다양한 측면에서 심층적으로 분석하고 있다.

① ㄱ, ㄴ　　　② ㄱ, ㄷ　　　③ ㄴ, ㄷ　　　④ ㄴ, ㄹ　　　⑤ ㄷ, ㄹ

3 〈보기〉의 밑줄 친 부분에 들어갈 학생의 반응으로 적절한 것은 무엇인가요?

┤보 기├

선생님: 이 글을 읽고 난 후 더 알아보고 싶은 것이 있다면 무엇인가요?

학 생: _____

글을 읽고 난 후에 더 알아보고 싶은 내용도 반드시 글에서 언급된 내용을 바탕으로 찾아야 해. 그리고 글에 이미 제시된 내용은 더 알아볼 필요가 없겠지?

- 인상주의와 신인상주의 화가들의 노력이 한계에 부딪힌 까닭이 궁금해졌어요. ·· ①
- 인상주의와 신인상주의 화가에게 영감을 받은 후대 화가들의 회화 표현 방식이 궁금해졌어요. ·················· ②
- 색광의 3원색을 이용하여 빨강, 초록, 파랑 이외의 다양한 색을 만드는 방법이 궁금해졌어요. ·················· ③
- 모네의 「인상: 해돋이」에서 혼합된 물감의 색의 명도가 낮아진 이유가 무엇인지 궁금해졌어요. ·················· ④
- 시냐크가 「우물가의 여인들」에서 물감을 섞지 않고 화폭에 원색 점들을 찍어 병치한 이유가 무엇인지 궁금해졌어요. ·················· ⑤

4 이 글을 바탕으로 〈보기〉의 ㉮에 대해 이해한 내용으로 가장 적절한 것은 무엇인가요?

┤보 기├

　고흐는 자신의 내면 상태에 따라 달리 보이는 대상의 순간적 모습을 선명하게 표현하려고 하였다. 그래서 이를 위해 물감을 섞어 사용하기보다는 되도록 원색과 중간색만 사용하였다. 그의 작품인 ㉮「아를르의 포룸 광장의 카페테라스」에는 이런 그의 화풍이 잘 담겨 있는데, 별이 빛나는 파란 하늘과 노란 별, 초록의 나뭇잎과 자홍빛 테라스의 대비를 통해 그의 눈에 비친 화려한 밤거리의 순간적인 모습이 드러나고 있다.

고흐, 「아를르의 포룸 광장의 카페테라스」

① 보색 대비를 통해 대상의 모습을 선명하게 드러내려고 의도했던 것 같아.
② 멀리 떨어져서 볼수록 가법 혼합 원리에 의해 그림이 선명하게 보였을 것 같아.
③ 원색 점들을 병치하여 물감의 혼합으로 색이 흐릿해지는 것을 피하고자 했던 것 같아.
④ 원색 점들의 병치를 통해 사용된 물감의 색과는 다른 제3의 색을 인지할 수 있도록 했던 것 같아.
⑤ 물감을 다양하게 섞어 여러 가지 색으로 화려한 밤거리의 순간적인 모습을 표현하고자 했던 것 같아.

Q 다음은 생각을 읽을 수 있는 지문 구조도를 퍼즐로 나타낸 것입니다. 앞에서 읽은 글의 내용을 떠올리며 생각읽기 1~6에 해당하는 퍼즐을 선으로 연결해 보세요.

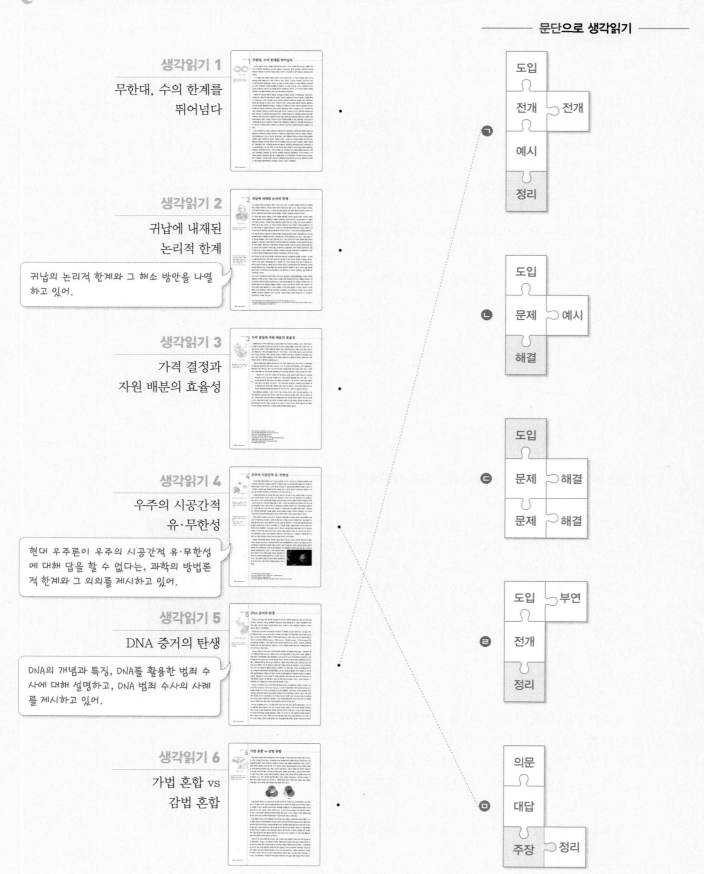

문단으로 생각읽기

생각읽기 1

무한대, 수의 한계를 뛰어넘다

생각읽기 2

귀납에 내재된 논리적 한계

귀납의 논리적 한계와 그 해소 방안을 나열하고 있어.

생각읽기 3

가격 결정과 자원 배분의 효율성

생각읽기 4

우주의 시공간적 유·무한성

현대 우주론이 우주의 시공간적 유·무한성에 대해 답을 할 수 없다는, 과학의 방법론적 한계와 그 의의를 제시하고 있어.

생각읽기 5

DNA 증거의 탄생

DNA의 개념과 특징, DNA를 활용한 범죄 수사에 대해 설명하고, DNA 범죄 수사의 사례를 제시하고 있어.

생각읽기 6

가법 혼합 vs 감법 혼합

ㄱ
도입
전개 ─ 전개
예시
정리

ㄴ
도입
문제 ─ 예시
해결

ㄷ
도입
문제 ─ 해결
문제 ─ 해결

ㄹ
도입 ─ 부연
전개
정리

ㅁ
의문
대답
주장 ─ 정리

1 ▢▢▢ 는 기호 ∞로 나타내는데, 무한대를 암시하는 '제논의 역설'과 아리스토텔레스가 구분한 실무한과 가무한 등에서 무한대에 대한 논의가 전개되었다.

2 귀납의 논리적 ▢▢ 인 정당화의 문제는 라이헨바흐의 현실적 구제책을 통해, 미결정성의 문제는 확률의 도입을 통해 해소하고자 하였다.

3 ▢▢ ▢▢ 곡선과 수요 곡선이 만나는 점에서 가격이 정해질 때 자원이 효율적으로 배분되어 사회 전체의 만족도가 커지는데, 공익 서비스의 경우 한계 비용으로 가격이 결정될 경우 손실이 발생할 수 있다.

4 과학적 ▢▢ 과 실험으로는 우주의 끝이나 미래에 대해 답할 수 없기 때문에 현대 우주론이 우주의 시공간적 유·무한성에 대해 답할 수 없는 한계가 있지만, 이는 결점이 아닌 과학 발전의 토대가 되고 있다.

5 DNA는 유전적 정보를 담고 있으면서 모든 인간 사이에 완전히 일치하는 것이 없다는 점에서 DNA를 통한 ▢▢ ▢▢ 는 범죄와 관련한 공동체의 정의 구현에 도움이 되고 있다.

6 색광의 혼합 방법인 ▢▢ 혼합과 색료의 혼합 방법인 ▢▢ 혼합을 활용해 빛이 만들어 내는 다양한 색을 표현하고자 했던 인상주의와 신인상주의 화가들의 노력은 후대 화가들의 회화 표현 방식에도 영향을 주었다.

우리는 어떻게 **한계**를 극복할까?

"인류의 역사는 한계 극복의 역사이다"

목판 인쇄의 한계를 극복하기 위해 금속 활자를 발명하여 인쇄술을 혁신하였던 구텐베르크. 인간 신체의 한계를 극복하기 위해 역사상 처음으로 동력 비행기를 조종하여 새처럼 지속 비행에 성공한 라이트 형제. 한계를 극복하고자 했던 그들의 노력은 우리 인류의 역사를 앞으로 성큼 나아가게 하였습니다.

우리에게 남겨진 한계가 무엇인지, 그리고 그것이 어떻게 존재하는지 명확히 인식하는 것에서부터 우리 인류의 발전도 시작되지 않았을까요?

> 다른 사람이 당신은 할 수 없다고 하는 것을
> 한 가지만 해라. 그러면 앞으로 당신은
> 그들이 설정한 한계를 신경 쓰지 않게 될 것이다.
> —제임스 쿡

정답과 해설

IV

생각 읽기가 독해다!

생각독해 IV

생각독해 IV
정답과
해설

생각읽기

1 즐거운 것이면 다 좋다?

| 0 ① | 1 ② | 2 ⑤ | 3 ⑤ | 4 ② |

Q 에피쿠로스가 규정한 쾌락의 본질은 무엇인가요?

에피쿠로스는 육체의 고통과 마음의 불안함 그리고 두려움이 없는 상태를 쾌락의 본질로 규정했습니다.

이 글은 에피쿠로스의 쾌락주의에 대해 설명하고 있습니다. 이 글에서는 에피쿠로스가 가난이나 굶주림과 같은 고통으로부터 해방된 상태를 육체적 쾌락의 상태로 보았으며, 원자설에 입각해 신과 죽음에 대한 공포에서 벗어나 정신적 쾌락을 얻는 방법을 제시하였음을 밝히고 있습니다.

■ 문단으로 생각읽기

도입

전개 — 전개

정리

[도입 – 전개 – 전개 – 정리]의 생각 구조

도입 — **오해 제시**
쾌락과 쾌락주의 철학에 대한 편견이나 오해를 제시함. (1문단)

전개 — 전개 — **견해 제시**
에피쿠로스가 규정한 쾌락의 개념과 육체적인 쾌락을 구체화하여 설명함. (2문단)
— **방법 제시**
원자론에 입각하여 에피쿠로스가 주장한 정신적 쾌락을 얻는 방법을 설명함. (3문단)

정리 — **마무리**
에피쿠로스가 제시한 쾌락의 의미를 요약하여 정리함. (4문단)

---

0 1문단을 보면 에피쿠로스의 쾌락주의 철학이 오해를 받아 온 이유는, 쾌락이라는 감정이 공동체가 지향하는 가치와 충돌할 수도 있고, '쾌락주의'라는 말이 도덕·윤리 등의 가치를 무시하고 오직 이기적인 욕망만 추구하는 것 같은 느낌을 주기 때문이라고 하였습니다.

출제 의도 핵심 정보에 대한 이해를 확인하는 문제입니다. 쾌락주의라는 말이 어떤 오해를 불러왔는지를 파악해 보세요.

오답 피하기 ② 쾌락주의가 이기적인 욕망만을 추구한다고 생각하는 것은 오해의 내용일 뿐 원인이 아닙니다.
③ 즐거움, 즉 쾌락을 추구하기 때문에 진지하지 못하다는 것은 이 글과 관련 없는 내용이며, 오해의 이유와도 관련이 없습니다.
④ 정의는 공동체가 지향하는 가치이고 쾌락과 정의가 충돌될 수 있으므로, 쾌락과 정의는 동시에 추구할 수 없다고 할 수 있습니다. 또한 이 글에서 쾌락과 정의를 동시에 추구하는 것에 대한 언급은 하지 않았으므로 오해의 이유로는 적절하지 않습니다.
⑤ 쾌락을 추구하는 사람들의 일반적인 경향은 쾌락주의가 오해를 받은 이유와는 관련이 없습니다.

1 2문단에 따르면 에피쿠로스는 쾌락과 고통을 이분법적으로 보았으며, 고통에서 벗어나는 것이 쾌락의 상태가 되는 것으로 보았습니다. 따라서 에피쿠로스는 쾌락을 느끼지 못하는 상태를 고통이라고 보았음을 알 수 있습니다.

오답 피하기 ① 1문단에서 쾌락은 개인적 감정이기 때문에 공동체가 지향하는 가치와 충돌할 수 있는 문제점이 있다고 하였습니다.
③ 2문단에서 에피쿠로스 자신도 결핍의 상태를 경험했고, 결핍에서 벗어나는 것이 주는 만족감을 누구보다 잘 알았다고 했습니다. 따라서 육체적인 쾌락에 대한 그의 이론은 자신의 경험과 밀접한 관련이 있음을 알 수 있습니다.
④ 3문단에서 에피쿠로스는 인간의 영혼(정신)도 원자들의 결합으로 이루어진 물질적인 존재로 파악했음을 알 수 있습니다.
⑤ 3문단에서 에피쿠로스는 스승 데모크리토스의 원자론을 수용하였다고 했으므로, 에피쿠로스가 만물이 원자로 이루어져 있다는 생각을 처음으로 한 것은 아님을 알 수 있습니다.

2 4문단에서 '아타락시아'는 '아포니아'를 통해 얻을 수 있는 완벽한 마음의 평화 상태라고 설명했는데, 여기서 '아포니아'란 '공포로부터의 자유, 모든 고통으로부터의 해방'을 의미합니다. 따라서 에피쿠로스가 제시한 고통으로부터 벗어날 수 있는 해결책인 ⓐ, ⓑ, ⓒ를 실현해 가면서 '아포니아'의 상태가 되고, '아포니아'를 통해 '아타락시아'에 이를 수 있는 것입니다.

오답 피하기 ① 2문단에서 육체적인 고통을 주는 것은 질병이나 굶주림이라고 했고, 이러한 결핍의 상태에서 벗어나는 것이 육체적인 쾌락의 상태라고 설명했습니다.
②, ③ 3문단에 따르면, 에피쿠로스는 우주 만물은 모두 원자로 이루

어져 있다는 원자론을 바탕으로, 인간의 죽음에 대해 정신(영혼)을 구성하는 원자들이 흩어져 소멸하는 것이라고 했습니다. 영혼의 소멸로 고통과 같은 감각을 느끼지 못하기 때문에, 죽음을 두려워할 필요가 없다고 본 것입니다.

④ 3문단에 따르면, 에피쿠로스는 신은 인간을 심판하지 않으므로, 사후에 신의 심판을 받을까 봐 두려워할 필요가 없다고 했습니다.

3 에피쿠로스는 쾌락을 얻는 것이 행복에 이르는 길이라고 보았지만, 쾌락의 양과 행복의 정도의 관계에 대해서는 언급하지 않았습니다. 2문단에 따르면, 그는 쾌락과 고통을 이분법적으로 보았으므로 육체적/정신적 고통에서 벗어난 상태에 이르는 것이 곧 쾌락의 상태라고 보았습니다. 이와 달리 〈보기〉의 키레네학파는 육체적이고 감각적인 쾌락의 양과 행복의 정도를 비례 관계로 보았습니다. 따라서 ⑤는 에피쿠로스의 견해와 키레네학파의 견해를 반대로 서술한 것입니다.

오답 피하기 ① 2문단에 따르면, 에피쿠로스는 쾌락을 얻는 것이 행복에 이르는 길이라고 했는데 이는 〈보기〉의 소피스트들도 마찬가지입니다.

② 4문단의 '건강을 유지하고 소박한 삶을 살아가며 마음의 평화를 지니며 살아가는 것'이 에피쿠로스가 쾌락을 추구하는 방법에 해당합니다. 이는 세속적인 출세와 성공을 지향하는 소피스트들의 쾌락 추구 방식과는 차이가 있습니다.

③ 2문단에 따르면, 에피쿠로스는 쾌락을 최고의 가치라고 보았습니다. 〈보기〉의 키레네학파도 쾌락을 얻는 것이 최고선을 얻은 것으로 보았습니다.

④ 2문단에서 에피쿠로스는 고통과 쾌락을 이분법적으로 보았으며, 정신적 고통에서 벗어나는 것이 더 중요하다고 여겼습니다. 이와 달리 〈보기〉의 키레네학파는 정신적 쾌락보다는 육체적 쾌락을 우위에 두었습니다.

4 3문단에 따르면, 당시 사람들은 죽으면 영혼이 사후 세계로 간다고 믿었지만, 에피쿠로스는 원자론에 입각하여 인간이 죽으면 인간의 영혼도 소멸한다고 보았습니다. 따라서 ㉠의 근거로는 인간이 죽으면 영혼 역시 소멸하므로 영혼이 가는 곳이라 믿는 사후 세계가 존재하지 않기 때문이라고 추론하는 것이 적절합니다.

오답 피하기 ① 에피쿠로스는 신이 인간을 심판하지도 않는다고 보았습니다.

③ 신이 인간 세계에 영향을 준다고 믿은 것은 당대 사람들의 생각일 뿐이며, 이는 ㉠과 관련이 없습니다.

④ 3문단의 '자신들만의 세계에 따로 존재하는 신들'에서 보듯, 에피쿠로스는 신의 세계는 따로 존재한다고 보았음을 알 수 있습니다.

⑤ 사후 세계 자체가 존재하지 않으므로 사후 세계를 구성하는 원자가 있을 수 없습니다.

0 ②	**1** ④	**2** ④	**3** ⑤	**4** ①

Q 뇌의 보상 회로가 하는 역할은 무엇인가요?

뇌의 보상 회로는 우리가 어떤 행동을 반복하도록 동기를 부여하는 역할을 합니다.

이 글은 즐거움을 느끼는 이유를 뇌의 보상 회로의 작동 과정을 중심으로 설명하고 있습니다. 우리가 즐거움을 느끼는 이유가 뇌에서 분비되는 도파민의 작용 때문이며, 이 도파민이 전달되면서 작동하는 뇌의 보상 회로로 인해 즐거운 감정을 느끼고 행동의 동기가 형성된다는 것을 과학적으로 설명하고 있습니다.

■ **문단으로 생각읽기**

[도입 – 전개 – 전개 – 정리]의 생각 구조

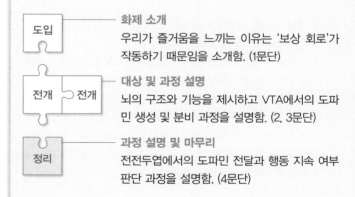

도입 ── **화제 소개**
우리가 즐거움을 느끼는 이유는 '보상 회로'가 작동하기 때문임을 소개함. (1문단)

전개 전개 ── **대상 및 과정 설명**
뇌의 구조와 기능을 제시하고 VTA에서의 도파민 생성 및 분비 과정을 설명함. (2, 3문단)

정리 ── **과정 설명 및 마무리**
전전두엽에서의 도파민 전달과 행동 지속 여부 판단 과정을 설명함. (4문단)

0 이 글은 우리가 즐거움을 느끼게 되는 이유를 뇌 과학의 관점에서 보상 회로의 작동 과정에 따라 상세하게 설명하고 있습니다.

출제 의도 글의 핵심 내용을 파악하고 있는지를 확인하는 문제입니다.

오답 피하기 ① 1문단의 다양한 사례들은 우리에게 즐거움을 주는 것들에 해당하지만, 이 글 전체의 중심 화제로 보기는 어렵습니다.
③ 이 글은 즐거움을 느끼는 이유를 설명한 것이지, 그 반대 상황에 대한 이유를 설명하는 것이 아닙니다.
④ 이 글은 즐거운 상황에서 우리 몸이 어떻게 반응하는가라는 질문에 대한 답으로 볼 수 있습니다.
⑤ 2문단에서 뇌의 구조를 설명한 것은 즐거움을 느끼는 이유인 보상 회로가 어떻게 작동하는지에 대한 이해를 돕기 위해서이지, 뇌의 구조가 즐거운 감정에 미치는 영향을 설명하기 위한 것은 아닙니다.

1 4문단에서 전전두엽에 도파민이 도달하면, 뇌의 여러 부위에서 얻은 정보를 바탕으로 그 행동이 자신에게 이로운지 아닌지를 판단하여 행위의 지속 여부에 대한 결론을 내린다고 설명했습니다.

오답 피하기 ① 1문단의 사례들 중에는 생존에 필수적인 행동(배고플 때 밥을 먹거나 피곤할 때 잠을 자는 것)도 포함하고 있으며, 이렇게 즐거움을 느끼는 이유는 보상 회로가 작동하기 때문이라고 설명했습니다.
② 호흡 작용을 담당하는 부위는 '뇌간'인데, '뇌간'은 대뇌 변연계보다 더 중심부에 자리잡고 있습니다.
③ 쾌락의 감정을 느끼는 것은 도파민이 측좌핵에 전달될 때뿐만 아니라, 편도체에 전달될 때에도 일어나므로, 측좌핵이 손상된다고 하더라도 편도체에서는 쾌락의 감정을 느낄 수 있습니다.
⑤ 4문단에 따르면, 측좌핵이 활성화되어 즐거움을 느끼게 되면, 측좌핵은 VTA에 더 많은 도파민을 요청하게 되고 이로 인해 측좌핵에서의 도파민 양은 증가하게 됩니다. 따라서 VTA에서의 도파민 생성 횟수는 한 번으로 제한되는 것이 아닙니다.

2 A와 B는 모두 햄버거와 치킨에 5점을 부여하였으므로, 두 음식을 먹을 때 A와 B의 VTA에서 분비되는 도파민의 양이 다른 음식을 먹을 때보다 훨씬 많을 것입니다. 이로 인해 측좌핵과 편도체에서 느끼는 쾌락의 감정이 가장 클 것임을 알 수 있습니다. 그런데 이때의 즐거움은 편도체가 아니라 해마에서 기억하게 되므로 ④는 적절하지 않습니다..

오답 피하기 ① 3문단에서 음식에 대한 개인의 선호도에 따라 도파민의 분비량이 다르다고 했으므로, A는 선호도가 높은 음식인 햄버거나 피자를 먹을 때 도파민이 더 많이 분비되고, 측좌핵에 도달하는 도파민도 더 많을 것입니다.
② B는 초콜릿을 받고 먹을 것을 기대하게 되는데, 이는 도파민을 받게 될 것이라고 기대하는 상황에 해당합니다. 3문단에 따르면, 이 때 측좌핵은 도파민이 없음에도 활성화되고, VTA에 도파민을 요청하게 될 것입니다.
③ 피자에 대한 선호도는 A가 더 높으므로, A와 B가 함께 피자를 먹을 때 A의 VTA에서 생성되는 도파민의 양이 B보다 더 많을 것입니다.
⑤ 측좌핵은 도파민을 받게 될 것이라 기대하는 상황에서도 활성화되고 VTA에 도파민을 요청하여 결국 측좌핵에서의 도파민 양은 증가하게 됩니다. 또한 측좌핵에서 도파민의 양과 동기 형성의 강도가 비례하므로(4문단), 짜장면보다 햄버거를 보상으로 받을 때 더 큰 동기가 형성된다고 판단할 수 있습니다.

3 2문단에서 '소뇌'는 신체의 균형 유지 기능을 담당한다고만 설명하고 있을 뿐, 이 글 어디에도 소뇌와 보상 회로 사이의 관련성을 설명한 내용은 없습니다. 따라서 ⓓ '소뇌'는 도파민의 생성 또는 전달 과정과는 관련이 없습니다.

4 〈보기 1〉은 '전전두엽'의 기능을 설명한 6문단의 내용과 관련됩니다. 측좌핵의 '전전두엽'에서 분비한 글루타메이트와 VTA에서 분비한 도파민 중 글루타메이트의 양이 더 많으면 비록 즐거움을 느낄지라도 전전두엽의 판단에 따라 그 행동을 그만둘 것입니다. 〈보기 2〉의 실험 분석 결과 성인 집단이 다른 집단에 비해 전전두엽이 측좌핵보다 더 많이 활성화되었고 연구진은 이 결과가 전전두엽의 발달 과정과 연관될 것이라고 추측했습니다. 따라서 성인 집단 실험 참가자들은 청소년 집단이나 어린이 집단 실험 참가자들에 비해 전전두엽에서 분비되는 글루타메이트의 양이 더 많다고 판단할 수 있습니다.

오답 피하기 ② 어린이 집단은 성인 집단에 비해 측좌핵이 더 많이 활성화되어 있으며, 즐거움을 느끼는 행동을 쉽게 멈추지 못하므로, 측좌핵에서 글루타메이트의 양보다 도파민의 양이 더 많을 것으로 보는 것은 적절합니다.
③ 성인 집단의 전전두엽이 더 많이 발달한 것은 맞지만, 즐거운 행위를 지속하려는 경향은 어린이 집단이 더 강합니다.
④ 도파민은 전전두엽에서 생성되는 것이 아니라 VTA에서 생성되며, 성인 집단 실험 참가자들은 청소년 집단에 비해 글루타메이트의 양이 도파민의 양보다 더 많다고 보는 것이 적절합니다.
⑤ 측좌핵에서는 글루타메이트가 분비되는 것이 아니라 전전두엽에서 보낸 글루타메이트를 전달받습니다.

생각읽기 3 놀이하는 인간, 호모 루덴스

0 ④	1 ③	2 ⑤	3 ⑤	4 ⑤

Q 하위징아가 제시한 놀이의 두 가지 특징은 무엇인가요?

하위징아는 놀이가 무언가를 재현하는 행위이면서 어떤 것을 얻기 위해 경쟁하는 행위라는 특징이 있다고 보았습니다.

이 글은 '호모 루덴스'라는 말을 처음으로 사용한 하위징아의 이론을 소개하고 있습니다. 하위징아는 인류 문명의 발전 과정에서 다양한 문화적·역사적 사례를 고찰하면서 그 속에서 놀이의 요소를 발견하였습니다. 이 글에서는 먼저 놀이의 개념을 정의하고, 놀이의 특징을 두 가지로 제시하고 이들 특징을 분석한 하위징아의 연구 결과를 설명한 다음, 마지막으로 하위징아 이론의 의의와 영향을 소개하면서 글을 마무리하고 있습니다.

■ 문단으로 생각읽기

[주지 – 상술 – 상술 – 정리]의 생각 구조

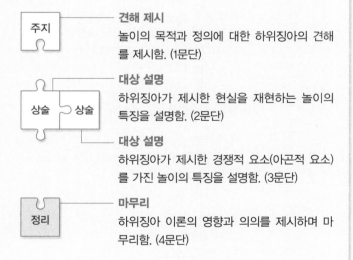

주지 — **견해 제시**
놀이의 목적과 정의에 대한 하위징아의 견해를 제시함. (1문단)

상술 상술 — **대상 설명**
하위징아가 제시한 현실을 재현하는 놀이의 특징을 설명함. (2문단)
— **대상 설명**
하위징아가 제시한 경쟁적 요소(아곤적 요소)를 가진 놀이의 특징을 설명함. (3문단)

정리 — **마무리**
하위징아 이론의 영향과 의의를 제시하며 마무리함. (4문단)

0 1문단에 따르면 하위징아는 즐겁게 놀이하는 것을 인간의 고유한 특징으로 여겼습니다. 이러한 생각에 기반하여 인류 문명에서 놀이의 원리를 발견하려 하였고, 이를 확인하였다고 설명했습니다.

출제 의도 중심 화제에 대한 이해를 확인하는 문제입니다. 중심 화제인 하위징아의 놀이 이론에서 하위징아가 규정한 놀이의 개념과 특징을 파악해 봅시다.

오답 피하기 ① 이 글에 제시된 하위징아의 생각과는 관계가 없습니다.
② '호모 사피엔스(생각하는 인간)'에 해당하는 내용입니다.
③ '호모 파베르(도구의 인간)'에 해당하는 내용입니다.
⑤ 하위징아가 놀이를 즐거운 활동이라고 정의했다는 내용은 언급되었지만, 그것이 주는 긍정적인 영향에 대해서는 연구했는지는 언급하지 않았습니다.

1 1문단을 보면 놀이에 대한 하위징아의 정의가 제시되어 있습니다. 하위징아는 놀이가 '그 자체에 목적이 있다'고 하였는데, 이는 놀이 추구 행위를 통해 현실적인 이익이나 특정한 문제를 해결하려는 등 놀이 이외의 목적이 있는 것은 아니라는 의미입니다. 따라서 놀이 참여자는 놀이 행위를 할 때 현실적인 문제 해결을 목적으로 하는 것이 아니라 놀이 그 자체를 즐긴다고 보아야 합니다.

2 하위징아는 놀이의 경쟁적 요소를 '아곤적 요소'라고 정의했는데, 3문단에 따르면 '승리를 얻기 위한 경쟁, 경쟁 과정에서의 규칙 준수, 경쟁의 승리로 얻는 보상'이 이에 해당합니다. 그런데 무력을 사용해 경쟁하는 아곤적 요소를 지닌 것은 전쟁에만 해당합니다. 재판의 피고와 원고는 무력이 아닌 설득을 통해 판결을 얻기 위해 경쟁하는 아곤적 요소를 지닙니다.

오답 피하기 ① 3문단에 따르면, '승리했을 때 보상을 받을 수 있는 경기'라는 의미의 '아곤'이라는 말에는 '경쟁', '경쟁에서의 승리', '승리하여 얻게 되는 보상'이라는 개념이 담겨 있습니다.
② 3문단에 따르면, 하위징아는 재판, 신화와 같은 문화적 현상과 전쟁이라는 역사적 현상에서 ㉠을 발견하고 규명하려 했습니다.
③ 3문단에 따르면, 신화들 중에서 지혜의 경쟁을 담은 내용은 '수수께끼 시합'에 해당하며, 여기서 아곤적 요소를 발견할 수 있습니다.
④ 과거에는 전쟁을 정의와 명예를 획득하는 신성한 제도로 인식하기도 하였다는 3문단의 설명을 통해 '정의와 명예'가 전쟁의 승리로 얻는 보상이라는 것을 알 수 있고, 이는 ㉠에 해당합니다.

3 하위징아는 문화적 관습인 〈보기〉의 '포틀래치'에서 놀이의 요소, 특히 경쟁적 요소를 발견하려고 할 것입니다. 그런데 〈보기〉의 포틀래치 과정에서 받은 선물에 대한 처리에 대한 설명은 포틀래치가 지닌 경제적 성격을 설명한 것으로,

이는 놀이의 요소 또는 놀이의 경쟁적(아곤적) 요소와는 관련이 없는 내용입니다. 따라서 ⑤는 하위징아의 관점에서 포틀래치를 이해한 것으로 보기에 적절하지 않습니다.

오답 피하기 ① 포틀래치는 상대에게 선물을 하고, 선물을 받으면 상대에게 더 많은 선물로 답례를 해야 하는 선물 경쟁의 규칙이 있습니다. 이는 놀이의 경쟁적 특징을 잘 보여 주는 것입니다.
② 포틀래치에서 이긴 집단은 '더 뛰어나고 관대한 미덕을 가진 존재로 존경받는 명예와 영광'이라는 보상을 얻는데, 이는 비물질적이고 정신적인 성격의 보상에 해당합니다.
③ 포틀래치에서 규칙을 지키지 못하면 그 집단에 속한 사람들의 이름과 명예, 그리고 모든 권리를 인정받지 못하게 된다고 설명했는데, 이는 경쟁 과정에서의 규칙을 준수하지 못하여 받는 처벌에 해당합니다.
④ 포틀래치에서 각 집단은 상대보다 우월함을 과시하기 위해 더 많은 선물을 하게 됩니다. 그리고 이러한 선물 경쟁은 승리(자기 집단의 우월성 입증)를 얻기 위한 노력으로 이해할 수 있습니다.

4 2문단에 따르면, 원시 사회의 의례에서 행해진 춤과 노래, 고대 그리스 문명에서의 의례에서 행해진 연극인 드라마에서 놀이의 재현적 특징을 발견할 수 있다고 했습니다. 그런데 이는 문명 이전 시기와 문명 발달 초기에 대해서만 분석한 것이므로, 그 이후 시기인 중세나 근대 사회에서도 이러한 특징을 발견할 수 있는지 의문을 제기하는 것은 타당합니다.

오답 피하기 ① 하위징아가 제시한 놀이의 개념과 특징은 1문단에서 이미 제시되어 있습니다.
② 4문단을 보면 하위징아의 연구 결과가 영향을 준 다양한 분야들이 제시되어 있습니다.
③ 4문단의 '비록 놀이가 문명을 만들어 낸 것은 아니지만'에서 놀이가 인류 문명을 창조했다고 본 것은 아님을 알 수 있습니다.
④ 3문단에서 놀이를 할 때 규칙을 지키지 않으면 처벌을 받게 된다고 하였습니다.

0 ②	1 ④	2 ⑤	3 ③	4 ⑤

Q 칙센트미하이와 그의 연구팀이 면담 조사와 연구를 통해 얻은 결론 두 가지는 무엇인가요?
몰입 경험을 구성하는 요소가 무엇인지를 밝히고, 몰입에 이르도록 영향을 주는 요인을 분석한 모델을 제시하였습니다.

이 글은 놀이나 휴식을 통한 즐거움이 아니라, 일을 하면서도 몰입하게 되면 즐거움을 느낀다는 것을 밝힌 심리학 이론인 칙센트미하이의 '몰입 이론'을 소개한 글입니다. 몰입 이론이 내적 동기화에 대한 이론임을 밝힌 다음, '몰입 이론'과 관련된 칙센트미하이와 그의 연구진들의 연구 과정을 구체적으로 설명하고, 몰입 경험을 구성하는 요소와 몰입 상태 모델을 차례대로 설명하고 있습니다.

■ 문단으로 생각읽기

[도입 – 주지 – 상술 – 상술]의 생각 구조

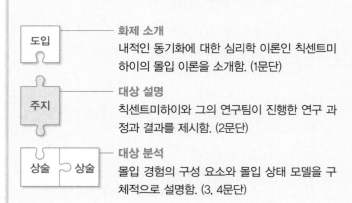

도입 — 화제 소개
내적인 동기화에 대한 심리학 이론인 칙센트미하이의 몰입 이론을 소개함. (1문단)

주지 — 대상 설명
칙센트미하이와 그의 연구팀이 진행한 연구 과정과 결과를 제시함. (2문단)

상술 상술 — 대상 분석
몰입 경험의 구성 요소와 몰입 상태 모델을 구체적으로 설명함. (3, 4문단)

0 2문단의 '그 결과 이들 중 외적 보상에 의한 동기가 클 것이라고 예상한 집단에서도 자기 목적적인 활동이 많다는 것을 확인하였다.'로 볼 때, 연구팀이 집단을 선정할 때 외적 동기가 클 것이라고 예상한 집단과 반대되는 내적 동기가 클 것이라고 예상한 집단이 있었음을 알 수 있습니다. 따라서 연구진은 '체스 게임 선수, 암벽 등반가, 무용수, 작곡가, 야구 선수, 외과 의사'를 경제적 수입과 같은 외적 동기가 클 것이라고 예상한 집단과 상대적으로 내적 동기가 더 클 것이라고 예상한 집단으로 나눈 다음, 각 집단에서의 동기를 비교했을 것으로 추론할 수 있습니다.

출제 의도 세부 내용을 바탕으로 추론할 수 있는지를 확인하기 위한 문제입니다.

오답 피하기 ① ㉠이 미국에서 가장 많은 사람들이 종사하는 대표적인 직업인지는 이 글을 통해서는 확인할 수 없습니다.
③ ㉠의 직업들을 모두 사람들이 일반적으로 재미있다고 여기는 직업이라고 볼 수 있는 근거는 없습니다.
④ ㉠의 직업들이 다른 직업에 비해 심리적 변화를 더 많이 겪는다고 볼 근거는 없습니다.
⑤ 야구 선수는 혼자 일하는 직업에 해당하지 않을 뿐더러 일을 하는 방식에 따라 동기가 잘 드러나는지를 확인하려는 연구로도 보기 어렵습니다.

1 이 글에서는 특정 대상에 대한 구체적 사례를 들어 설명하고 있지 않습니다. 2문단에 제시된 여러 집단은 연구팀의 연구 과정에서 조사한 대상들입니다. 또한 2문단에서 연구 결과를 구체적으로 소개하고 있을 뿐, 특정 대상에 대한 구체적 사례를 든 것은 아닙니다.

2 ⓓ는 몰입 상태에 있는 사람은 자신의 행동뿐만 아니라 주위 환경도 스스로 조절한다고 느끼는 것을 의미합니다. 그런데 ㅁ은 자신의 행동과 주위 환경을 조절하기 보다 경기에 몰입하면 경기 이외의 다른 모든 것들은 생각하지 않는다는 것이므로, ㄱ과 마찬가지로 ⓑ에 해당합니다.

오답 피하기 ① ㄱ은 연습실에서 춤을 추며 몰입할 때 춤 이외의 문제들은 잊어버린다는 것을 '모든 문제는 문밖에 남겨 둔다.'라고 비유적으로 표현하고 있습니다. 따라서 ㄱ은 ⓑ에 해당합니다.
② ㄴ은 체스 게임에 집중할 때에는 지붕이 무너지는 외부적인 자극조차도 인식하지 못한다는 것이므로, ⓐ에 해당합니다.
③ ㄷ은 등산을 하는 이유가 정상에 오르는 것이 아니라 그저 암벽을 오르는 행위에 몰입하기 위한 것이므로, ⓔ에 해당합니다.
④ ㄹ은 작곡을 하며 몰입할 때에는 자신을 망각하는 것과 같으며 이때에 경이롭고 놀라운, 즉 황홀한 경험을 한다는 것이므로, ⓒ에 해당합니다.

3 4문단에서 설명한 '몰입 상태 모델'은 칙센트미하이의 몰입 이론에 포함됩니다. 그런데 몰입 상태 모델은 과제의 난이도(또는 행동 기회)와 과제 수행자의 능력의 상관관계에 따라 몰입 여부가 달라짐을 보여 주는 것으로, 내적인 동기가 없더라도 몰입 활동이 가능하다는 것을 나타냅니다. 따라서 몰입 이론에서는 내적인 동기가 없어도 몰입 활동이 이루어질 수 있다고 봄을 알 수 있습니다.

오답 피하기 ① 자기 목적적인 활동을 하면서 강한 몰입 경험을 한다는 내용을 바탕으로, 몰입 경험을 구성하는 요소를 밝혔다고 설명했습니다.
② 무언가를 창조했을 때 큰 즐거움을 느끼고, 이 즐거움이 내적 동기가 되어 자신의 일을 계속하게 된다고 설명했는데, 이것은 자기 목적적 행위의 동기에 해당합니다.
④ 몰입 이론은 흥미나 즐거움과 같은 내적 동기 요소, 즉 내적 동기화에 대해 연구한 대표적인 심리학 이론입니다.
⑤ 3문단의 마지막 문장에서 몰입 경험의 요소들은 복합적으로 작용한다고 설명했습니다.

4 4문단에서 기존의 몰입 상태 모델이 지니는 의의로 '몰입이 이루어지는 조건을 밝혔다'라고 하였습니다. 즉, 몰입이 이루어지는 조건은 과제의 난도와 과제 수행자의 능력이 균형을 이룰 때인 것입니다. 그러나 과제의 난도와 과제 수행자의 능력이 모두 낮은 경우에는 몰입이 이루어지지 않으므로, 수정된 모델에서는 과제의 난도와 과제 수행자의 능력이 모두 높은 경우(5의 경우)에 '몰입'이 이루어지는 것으로 수정되었습니다. 따라서 수정된 모델에서 '지배감' 항목은 몰입이 이루어지는 조건과는 관련이 없다고 판단할 수 있습니다.

오답 피하기 ① 수정된 모델에서도 기존 모델과 같이 몰입에 영향을 주는 외적 요인으로 '과제의 난도(또는 행동 기회)'와 '과제 수행자의 능력'만을 설정하고 있습니다.
② 수정된 모델에서는 과제의 난도가 낮은 경우, 과제 해결 능력에 따라 '무관심, 느긋함, 지루함'이라는 심리 상태로 나누었습니다. 따라서 기존의 '지루함'에 '무관심'과 '느긋함'을 추가하였고, '불안'이라는 심리 상태를 삭제하였습니다.
③ 기존의 모델에서는 과제의 난도와 과제 수행자의 능력이 모두 낮은 경우 몰입 상태로 표현되었지만, 수정된 모델에서는 '무관심'의 심리 상태를 가진다고 수정하여 문제점을 보완하였습니다.
④ 수정된 모델의 '불안', '걱정', '지루함'은 모두 도전 과제의 난도와 과제 해결 능력 사이의 불균형이 발생했을 때 가지는 부정적 심리 상태이며, 이러한 특성은 기존 모델과 같습니다.

5 게임을 현실 세계처럼 즐기다

0 ⑤	1 ③	2 ⑤	3 ④	4 ③

Q 게임 엔진의 구성 요소인 세 가지 엔진에는 무엇이 있나요?

게임 엔진을 구성하는 요소에는 렌더링 엔진, 물리 엔진, 사운드 엔진이 있습니다.

이 글은 비디오 게임이 마치 현실과 같은 느낌이 들게 만드는 데 사용되는 게임 엔진을 설명하고 있습니다. 게임 엔진은 게임 속 가상 세계를 마치 현실 세계인 것처럼 표현할 수 있는 프로그램들을 묶어 놓은 것입니다. 이 글에서는 게임 엔진의 개념을 먼저 밝힌 다음, 게임 엔진의 대표적인 프로그램으로 렌더링 엔진, 물리 엔진, 사운드 엔진의 개념과 특징을 차례로 설명하고 있습니다.

■ 문단으로 생각읽기

[도입 – 주지 – 상술 – 상술 – 상술]의 생각 구조

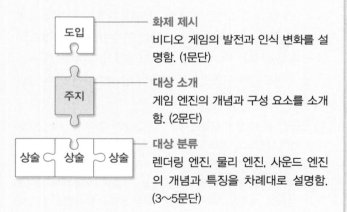

화제 제시
비디오 게임의 발전과 인식 변화를 설명함. (1문단)

대상 소개
게임 엔진의 개념과 구성 요소를 소개함. (2문단)

대상 분류
렌더링 엔진, 물리 엔진, 사운드 엔진의 개념과 특징을 차례대로 설명함. (3~5문단)

생각읽기가 수능이다

독해실전 1 ②

수능실전 1 ②

---

0 2문단에 따르면 게임 엔진은 게임을 만들 때 필요한 기본적이고 공통적인 소스 코드들을 묶어 놓은 것입니다. 따라서 게임 개발자들이 게임을 개발하면 게임 엔진을 사용해 기본적이고 공통적인 게임 속 상황에 대해서는 그대로 활용하면 되므로 새로운 프로그램을 만들 필요가 없어 시간을 절약할 수 있습니다.

출제 의도 설명 대상에 대해 세부적으로 추론할 수 있는지를 확인하는 문제입니다. 게임 엔진을 사용할 때의 장점을 생각해 보면 왜 게임 엔진을 사용하는지 알 수 있습니다.

1 게임 엔진에는 게임 개발에 필요한 프로그램들이 모아져 있는데, 여기에는 시각 정보와 관련된 '렌더링 엔진'과 '물리 엔진'이, 청각 정보와 관련된 '사운드 엔진'이 포함되어 있습니다. 또한 5문단에서 사운드 엔진은 게임 속 가상 상황에서 발생하는 소리를 실감 나게 표현하는 프로그램이라고 하였습니다. 따라서 실감 나는 게임에 사용된 게임 엔진에는 청각 정보와 관련된 프로그램도 포함됨을 알 수 있습니다.

오답 피하기 ① 1문단에서 비디오 게임은 컴퓨터 기술에 비례하여 발전해 왔다고 설명했습니다.
② 2문단에서 게임 엔진은 '게임을 만들 때 필요한 기본적이고 공통적인 소스 코드들을 묶어 놓은 것'이고, '다양한 프로그램들로 이루어진, 크기가 큰 프로그램'이라고 설명했습니다.
④ 5문단에서 사운드 엔진은 방향 등의 소리 정보를 생성하는데 두 대의 스피커에 각기 다른 음향을 재생하여 입체적인 음향을 나타낸다고 설명했습니다. 따라서 좌우에 있는 스피커 중 어느 쪽으로 소리를 재생하느냐에 따라 소리의 방향감을 다르게 느낄 수 있게 됩니다.
⑤ 4문단에 따르면, 부드러운 재질의 고체는 연체에 해당하며, 연체는 '질량–용수철 시스템'을 사용합니다. 연체의 움직임을 더 자세하게 표현하려면, 질점의 수를 늘려야 하기 때문에 물리 엔진의 연산량도 그만큼 많아집니다.

2 ㉠은 물체의 모습을 화면에 표현하는 프로그램이고, ㉡은 물체의 움직임이 어떻게 되는지를 계산하는 프로그램입니다. 이 두 프로그램을 사용하여 물체의 모습과 움직임을 현실감 있게 사실적으로 표현할 수 있습니다.

오답 피하기 ① ㉡은 물체의 움직임을 계산하는 프로그램이므로, 건물과 같은 배경을 표현하는 데 ㉡의 결과는 필요하지 않습니다.
② ㉡은 ㉠과 결합하여 현실적이고 실감 나는 영상을 만들어 냅니다.
③ ㉡은 물체의 움직임을 계산하는 것이지, 물체의 색상과 명암을 표현하는 것은 아닙니다. 색상과 명암은 ㉠에서 표현합니다.
④ 사실적인 이미지와 영상을 구현하는 것을 목표로 하는 것은 ㉠과 ㉡의 공통점이므로 ㉠에만 해당하는 것은 아닙니다.

3 강물은 연체가 아니라 유체에 해당하므로, 유체 시뮬레이션을 사용하여 움직임을 연산해야 합니다. 물체의 표현을 용

수철로 연결된 여러 개의 질점으로 나누고 각 질점의 움직임을 계산하는 복잡한 연산이 필요한 것은, 연체의 움직임을 계산하는 질량–용수철 시스템입니다.

오답 피하기 ① 총알은 딱딱한 고체인 강체이므로, 그 총알의 움직임은 '강체 동역학'으로 연산합니다.
② 총을 쏘았을 때의 총성은 가까이에서 나는 큰 소리이며, 방 안이라는 공간적 특성을 고려하여 표현합니다. 이와 달리 '풍덩' 소리는 상대적으로 먼 거리의 외부에서 나는 소리로 표현합니다.
③ 총알이 커튼을 관통할 때 커튼의 움직임은 질량–용수철 시스템으로 계산하고, 총알의 움직임은 '강체 동역학'으로 계산하는데, 이 둘 모두 관성 등과 같은 물리 법칙이 고려됩니다.
⑤ 커튼은 옷과 같은 천으로 된 물체이며 연체에 해당하므로, 그 움직임은 질량–용수철 시스템으로 계산합니다.

4 물리 엔진은 물체의 움직임을 계산하는 프로그램으로, 여러 물리 엔진이 동시에 작동한다는 것은, 여러 종류의 연산 작업을 동시에 처리해야 한다는 의미입니다. 이러한 물리 엔진의 연산은 CPU에서 담당하며, 이때 CPU의 코어의 수가 많으면 여러 작업의 동시 처리 능력이 높아집니다. 그러나 CPU의 클럭 수치가 높으면 단일 연산 작업의 처리 속도가 높아질 뿐, 여러 작업의 동시 처리 능력이 높아지는 것은 아닙니다. 따라서 여러 물리 엔진이 동시에 작동할 때에는 CPU의 코어의 수가 많아야 합니다.

오답 피하기 ① CPU의 캐시 메모리가 크면 용량이 큰 프로그램 처리에 효율적입니다. 게임 엔진은 여러 프로그램들을 묶어 놓은 크기가 큰 프로그램이므로, 캐시 메모리가 클수록 게임 엔진을 사용하는 데 불편함도 줄어들 것입니다.
② 3문단에서 알 수 있듯이 GPU는 그래픽 카드에 탑재된 처리 장치이고, 그래픽 카드는 렌더링 엔진의 연산을 담당하며, 화면 속 모든 물체들을 동시에 연산합니다. 그런데 〈보기〉에서 코어의 수가 많으면 여러 작업을 동시에 처리하는 능력이 커진다고 했으므로 GPU의 코어 수치가 높으면 렌더링 엔진의 여러 작업을 한 번에 할 수 있다고 판단할 수 있습니다.
④ 유체 시뮬레이션은 복잡한 계산을 해야 하므로 고성능의 CPU가 필요하며 APU를 통합한 장치라고 했습니다. 따라서 복잡한 계산을 해야 하는 유체 시뮬레이션을 사용하기 위해서는 고성능 처리 장치인 CPU나 APU가 필요함을 알 수 있습니다.
⑤ 스마트폰은 컴퓨터보다 크기가 작으므로 스마트폰으로 게임을 하기 위해서는 CPU와 GPU가 통합된 APU를 사용하는 것이 더 효율적입니다.

0 ③	1 ③	2 ①	3 ②	4 ⑤

Q 카니발은 어떤 풍습에서 유래하였나요?
카니발은 중세 시대에 사순절이 시작되기 전에 실컷 먹고 즐겁게 노는 풍습에서 유래하였습니다.

이 글은 카니발이 어떻게 형성되었는지 카니발의 어원을 밝히고, 카니발의 특징과 기능을 설명하고 있습니다. 중세 시대의 카니발은 지역과 도시로 나누어 전개되었으며, 근대에 이르러서는 카니발이 쇠퇴하였고 현대에는 카니발이 상업화되어 남아 있는 상황을 제시하고 있습니다.

■ 문단으로 생각읽기

[도입 – 전개 – 과정 – 주장 – 정리]의 생각 구조

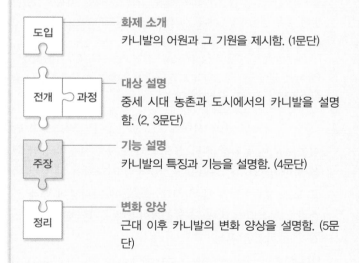

도입 ── 화제 소개
카니발의 어원과 그 기원을 제시함. (1문단)

전개 ─ 과정 ── 대상 설명
중세 시대 농촌과 도시에서의 카니발을 설명함. (2, 3문단)

주장 ── 기능 설명
카니발의 특징과 기능을 설명함. (4문단)

정리 ── 변화 양상
근대 이후 카니발의 변화 양상을 설명함. (5문단)

0 카니발을 우리말로 번역할 때 '사육제'라고 한 이유는 카니발이라는 말의 어원이 '카르네 발레(고기여, 안녕)'라는 점을 고려한 것입니다. 즉, 사순절이 시작되면 고기를 먹지 못하게 되는데, 이를 '고기를 먹는 행위를 그만둔다'라는 의미로 생각할 수 있습니다. 따라서 '그만두다'의 의미로 '사(謝)'자를 사용하고, 고기 '육(肉)'자와 축제를 의미하는 '제(祭)'자를 사용하여 번역한 것으로 판단할 수 있습니다.

출제 의도 중심 화제의 의미를 파악하는 문제입니다. 이 글에서 설명하고 있는 카니발의 의미와 사육제의 한자 의미를 파악할 수 있어야 합니다.

1 3문단에서 알 수 있듯이, ㉡의 경우는 시청이나 부자들의 저택에서 행렬이 멈추고 둥글게 서서 춤을 추었습니다. 그러나 2문단에서 알 수 있듯이, ㉠의 경우는 행진이 끝나면 광장에 모여 축제를 즐겼습니다. 따라서 ③은 ㉠과 ㉡의 공통점으로 보기에 적절하지 않습니다.

오답 피하기 ① ㉠의 경우는 커다란 '카니발의 왕'을 형상화한 마차를 중심으로 행진하였고, ㉡의 경우는 화려하게 장식한 거대한 마차를 중심으로 그 주위로 다양한 복장을 한 사람들이 행렬을 이루었다고 했습니다.
② ㉠에서는 동물 형상의 가면을 쓰거나 변장을 했고, ㉡에서는 세련된 가면이나 각양각색의 가면을 쓰고 있었습니다.
④ ㉠은 풍작과 복을 기원하고 악령을 내쫓고자 하는 목적이 있었던 반면, ㉡은 공동체의 일체감과 화합을 성취하고자 하는 목적이 있었습니다.
⑤ ㉠은 마을의 모든 미혼 청년들이 참여하는 청년회가 주도하였다면, ㉡은 평신도로 구성되어 있고 구역별·직업별·신분별로 따로 조직된 청년 신도회가 주도하였습니다.

2 1문단에 따르면 중세 시대에 기독교인들이 그리스도의 단식을 기리며 고기를 먹지 말자고 하는 것은 사순절 동안 했을 법한 말입니다. 카니발은 사순절이 시작되기 전 실컷 먹고 노는 풍습이므로 중세 시대 사람들은 카니발에 대해 사순절이 시작되기 전에 실컷 즐겨야겠다고 생각했다고 보는 것이 더 적절합니다.

오답 피하기 ② 3문단에 따르면 도시 지역에서의 카니발은 공동체의 일체감과 화합을 성취하고자 했으며, 카니발 행렬은 도시 곳곳에서 멈추어서 ⓑ'구경하고 있던 군중들'도 함께 즐겁게 춤을 추었다고 설명했습니다.
③ 4문단에서 ⓒ'광대'는 축제의 흥을 돋우었고, 사람들을 즐겁게 만들었다고 설명했습니다.
④ 5문단에서 ⓓ'개신교와 가톨릭교회의 지도자들'은 카니발을 방탕하고 타락한 행사로 여겨 금지하려 했다고 설명했습니다.
⑤ 5문단에서 ⓔ'18세기 계몽주의 사상가들'은 카니발이 경제적 비합리성을 보여 주는 관행이라며 비판했다고 설명했습니다.

3 〈보기〉의 니스 카니발은 해마다 정해진 테마에 따라 화려한 마차와 다양한 행렬로 이루어진 퍼레이드가 펼쳐져 화려하고 다양한 볼거리를 제공하고 있습니다. 그러나 관람객은 행렬과 분리되어 있을 뿐만 아니라, 비싼 관람료 때문에 니스 시민들은 참여하지 못하게 되었습니다. 이는 도시 공동체의 화합을 이끌어 내는 카니발 본연의 기능을 잃은 것으로 볼 수 있습니다.

오답 피하기 ① 〈보기〉의 니스 카니발은 5문단에서 설명한 바와 같이 19세기에 상품화하면서 부활한 사례에 해당합니다.
③ 〈보기〉의 리우 카니발에서는 가톨릭 사제가 우스꽝스러운 복장을 하고 있는데, 이는 기존 질서나 관습, 권력자들의 권위를 실추시켜 즐거움을 선사한 카니발의 기능에 해당합니다.
④ 〈보기〉의 리우 카니발 동안에는 며칠 동안 먹고 마시고 춤추는 축제가 지속된다는 점에서, 즐겁게 춤추며 먹고 마시면서 일상에서 억눌린 욕망을 분출시키는 카니발의 기능을 확인할 수 있습니다.
⑤ 중세 도시의 카니발에서 행해진 퍼레이드에서도 화려하게 장식한 거대한 마차와 다양한 복장을 하고 가면을 쓴 행렬이 등장합니다.

4 '소란(騷亂)'은 '시끄럽고 어수선함'을 의미하는 말로, 의미상 ㉰와 바꿔 쓸 수 있습니다.

오답 피하기 ① '난리(亂離)'는 '전쟁이나 병란' 또는 '분쟁, 재해 따위로 세상이 소란하고 질서가 어지러워진 상태.'를 의미합니다.
② '혼미(昏迷)'는 '의식이 흐림. 또는 그런 상태.'를 의미합니다.
③ '혼동(混同)'은 '구별하지 못하고 뒤섞어서 생각함.'을 의미합니다.
④ '혼란(混亂)'은 '뒤죽박죽이 되어 어지럽고 질서가 없음.'을 의미합니다.

생각의 구조화 MIND MAP

생각읽기1 ㉢	생각읽기2 ㉤	생각읽기3 ㉣
생각읽기4 ㉠	생각읽기5 ㉢	생각읽기6 ㉡
1 쾌락	2 보상 회로	3 루덴스
4 몰입	5 게임	6 카니발

02 위기

생각읽기 **1** 벡과 바우만이 본 현대 사회

0 ②	1 ③	2 ③	3 ①

Q 현대 사회에 대한 벡과 바우만의 공통된 견해는 무엇인가요?
자본주의가 발달하면서 개체화 현상이 가속화될 것이라 보고 있습니다.

이 글은 개인이 공동체적 관계로부터 벗어나게 되는 '개체화' 현상을 바라보는 두 학자의 견해를 소개하고 있습니다. 먼저 벡은 현대인들이 개체화되었기 때문에 오히려 전 지구적 위험에 공동으로 대처할 가능성에 주목한 반면, 바우만은 개체화된 개인들이 개인 수준에서 위험에 대처해야 하는 상황으로 인해 소극적 자기 방어에 몰두하게 되면서 현대에 닥친 문제의 해결이 쉽지 않을 것이라고 판단하고 있습니다.

■ 문단으로 생각읽기

[도입 – 전개 – 견해 – 견해]의 생각 구조

도입 ── 화제와 인물 소개
개체화의 개념을 밝힌 뒤, 이를 사회적 위험 문제와 연관시킨 학자 벡과 바우만을 소개함. (1문단)

전개 ── 배경 및 공통점 제시
현대의 개체화 현상에 대해 설명하고, 두 학자의 공통점을 제시함. (2문단)

견해 **견해** ── 견해 제시
현대의 위기를 개체화와는 별개로 보고 현대 사회를 '위험 사회'라고 규정한 벡의 견해를 제시함. (3문단)
── 견해 제시
벡과는 달리 개체화 현상 자체를 위험 요인으로 보고 현대 사회를 '액체 시대'라고 규정한 바우만의 견해를 제시함. (4문단)

0 2문단에서 현대의 개체화 현상은 개인에 대한 국가의 통제력이 현저하게 약화된 상황을 배경으로 발생하는 현상이라고 하였습니다. 따라서 국가의 통제력이 강화되어 개인의 자율성이 약화되면 개체화 현상은 나타나기 힘들다는 것을 알 수 있습니다.

출제 의도 일반적이고 추상적인 진술을 구체적인 진술이나 예로 나타낼 수 있는지 평가하는 문제입니다.

오답 피하기 ① 2문단에서 전 세계적으로 노동 시장이 유연해짐에 따라 노동자들이 다양한 형태로 나뉘어져 계급적 연대를 공유하지 못한다고 하였습니다. 이로 볼 때 현대의 개체화 현상은 노동자들이 계급적 동질성을 갖지 못하게 함을 알 수 있습니다.
③ 2문단에서 현대의 개체화 현상은 핵가족화 추세에 더하여 일인 가구가 급속도로 늘어나는 가족 해체 현상과 밀접한 관련이 있다고 하였습니다. 이를 통해 현대의 개체화 현상이 가족 공동의 거주 공간으로부터 개인의 거주 공간이 분리되는 추세를 포함한다는 것을 알 수 있습니다.
④ 3문단에서 벡은 현대인들이 개체화되어 있다는 조건 때문에 현대인에게 닥친 위기 상황에 초계급적, 초국가적으로 연대할 가능성이 있다고 하였습니다. 이를 통해 벡이 현대의 개체화 현상을 현대인들로 하여금 새로운 방식의 유대를 모색하게 하는 조건으로 본다는 것을 알 수 있습니다.
⑤ 4문단에서 바우만은 협력의 고리를 찾지 못하게 된 현대인들이 위기 상황에서 개인 수준으로 대처해야 하는 상황에 빠져 버렸고, 이로 인해 소극적 자기 방어에 몰두하게 된다고 하였습니다. 이를 통해 바우만이 현대의 개체화 현상을 현대인들로 하여금 서로 연대하기 어렵게 하는 위험 요인으로 본다는 것을 알 수 있습니다.

1 이 글은 현대의 개체화 현상에 대한 두 학자의 견해를 소개하고 있습니다. 벡과 바우만은 개체화가 점점 더 가속화될 것이라는 점에는 공통된 의견을 보이지만, 벡은 현대의 위기가 개체화와는 별개 현상이라고 보았으며 개체화된 개인이 초계급적, 초국가적으로 연대하여 위기에 대응할 가능성에 주목하였습니다. 반면 바우만은 개체화 현상 자체를 위험 요인으로 보며, 개체화된 개인들이 위험에 대한 공포로 인해 소극적 자기 방어에 몰두하게 된다고 하였습니다. 따라서 이 글은 개체화 현상에 대해 벡과 바우만이 제시한 견해의 공통점과 차이점을 설명하고 있다고 할 수 있습니다.

오답 피하기 ① 개체화 현상의 양상들이 제시되어 있지만, 이를 하나의 기준에 따라 분류하고 있지는 않습니다.
② 개체화 현상에 대한 통념이 제시되어 있지 않으며, 통념을 비판하며 개념을 새롭게 규정하고 있지는 않습니다.
④ 개체화 현상이 나타난 배경이 제시되어 있지만, 개체화 현상의 역사적 기원을 언급하고 있지 않습니다. 또한 다양한 가설이나 그 한계와 의의도 나타나 있지 않습니다.
⑤ 개체화 현상의 개념을 정의하고 있지만, 이를 유사한 사회적 개

념들과 비교하고 있지 않습니다.

2 벡은 현대 사회를 '위험 사회'라고 보았는데, 이 사회에서는 전 지구적 위험에 의한 불안에 대응하기 위해 초계급적, 초국가적으로 연대할 가능성이 있다고 보았습니다. 따라서 ⊙이 유연한 인간관계의 확장 가능성을 비관적으로 보는 것은 아닙니다. 그러나 바우만은 '액체 시대'에서는 개체화된 개인들이 현대의 위험에 대해 소극적 자기 방어에 몰두하게 된다고 보았기 때문에 유연한 인간관계의 확장 가능성을 비관적으로 보고 있음을 알 수 있습니다.

오답 피하기 ① '위험 사회'라는 말은 과거와는 달리 핵무기와 원전 방사능 누출 사고, 환경 재난 등과 같이 국가와 계급을 가리지 않고 파괴적으로 영향을 미치는 현대 사회의 위험 요인에 주목하여 만들어 낸 말입니다.
② 바우만은 현대 사회에서 개체화된 개인들이 삶의 불확실성 속에서 살고 있음에 주목하여 '액체 시대'라고 정의하였는데, 이는 가변적이고 유동적인 액체의 성격으로부터 유추하여 만들어 낸 말입니다.
④ 벡과 바우만은 예측 불가능한 재난이 언제든지 일어날 수 있는 가능성에 주목하여 현대를 '위험 사회'와 '액체 시대'로 규정하고 있습니다.
⑤ 벡과 바우만은 현대 사회가 직면하고 있는 위험이 특정한 공간에 국한되는 것이 아니라 전 지구적으로 확장될 가능성이 있음에 주목하여 현대를 각각 '위험 사회'와 '액체 시대'로 규정하고 있습니다.

3 '방치(放置)'의 사전적 의미는 '내버려 둠.'입니다. '쫓아내거나 몰아냄.'을 의미하는 단어는 '축출(逐出)'에 해당합니다.

0 ①	**1** ②	**2** ⑤	**3** ③	**4** ④

Q 위기 상황에서 인체에는 왜 특별한 능력이 나올까요?
우리도 모르는 사이에 생명을 유지하기 위한 본능이 발동되기 때문입니다.

이 글은 목숨을 위협받는 위기 상황에서 나타나는 우리 몸의 변화를 전투에 참여했던 사람들의 경험을 바탕으로 알기 쉽게 설명하고 있습니다. 전체적으로 첫 문단에서 제기한 질문에 대한 답을 찾아 나가는 과정으로 글이 구성되어 있으며, 지각적인 측면과 기억의 측면에서 변화 양상을 구분하여 서술하고 있습니다. 특히 3문단에서는 특별한 능력이 발휘되는 원인이 아드레날린임을 밝힌 다음, 아드레날린의 작용을 나열함으로써, 신체적 측면에서의 변화 양상을 설명하고 있습니다.

■ **문단으로 생각읽기**

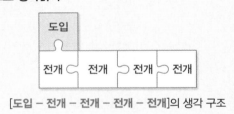

[도입 – 전개 – 전개 – 전개 – 전개]의 생각 구조

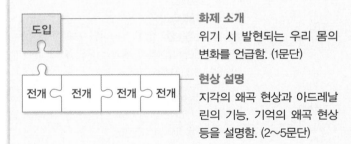

— **화제 소개**
위기 시 발현되는 우리 몸의 변화를 언급함. (1문단)

— **현상 설명**
지각의 왜곡 현상과 아드레날린의 기능, 기억의 왜곡 현상 등을 설명함. (2~5문단)

0 3문단에 따르면 극단적인 위기 상황에서 특별한 신체 능력을 발휘하게 되는 것은 아드레날린이라는 호르몬 때문입니다. 그리고 5문단을 통해 위기 상황에서 아드레날린이 분비되는 이유는 우리 몸이 생명을 유지하기 위한, 즉 생존을 위한 본능이 발동되기 때문임을 알 수 있습니다.

오답 피하기 ② 이 글에서 위기 상황에만 작동하는 유전자에 대해서는 설명하지 않았습니다.
③ 위기 상황에서 초능력과 같은 초인적인 능력이 발현되기는 하지만, 이는 평소에는 경험하지 못하는 능력입니다.
④ 아드레날린의 분비는 뇌의 의식적인 작용과 관련이 없습니다.
⑤ 위급 상황에서는 경험과는 무관하게 선천적인 본능으로 특별한 신체 능력이 발휘됩니다.

1 5문단에서 전투 상황과 같이 목숨을 위협받는 심각한 위기 상황에서는 기억의 상실 및 왜곡 현상이 발생한다는 사실만 설명했을 뿐, 이러한 현상을 일으키는 원인이 호르몬 때문이라고 하지 않았습니다. 따라서 기억의 상실 및 왜곡을 일으키는 호르몬이 무엇인지는 이 글을 통해 답할 수 없습니다.

오답 피하기 ① 이 글에서는 지각의 왜곡 현상을 시각적인 것과 청각적인 것으로 구분하고, 각각에 해당하는 구체적 현상들을 설명하고 있습니다.
③ 3문단에는 아드레날린의 작용을 나열하고 있으며, 부신이라는 내분비샘에서 분비된다고 설명했습니다.
④ 3문단에서 '시각적 선명도 향상 현상', '슬로우 모션 현상'을 포함하여 아드레날린 분비로 발휘되는 초인적 능력들을 설명하고 있습니다.
⑤ 2문단의 '터널 시야 현상'과 4문단의 '청각적 터널 시야 현상'의 개념 정의를 통해 두 대상의 차이점을 파악할 수 있습니다.

2 〈보기〉에 따르면 금지 약물인 '암페타민'을 복용할 경우 노르에피네프린과 엔도르핀 분비량이 증가하게 되고 이는 아드레날린과 거의 같은 작용을 한다고 했습니다. 신체적 각성이 일어나고 집중력이 향상되는 것은 아드레날린의 분비 효과에 해당합니다. 특히 3문단에서 아드레날린은 근육으로 가는 혈류량을 증가시켜 평소보다 뛰어난 신체 활동이 가능하게 만든다고 했습니다. 따라서 만일 어떤 선수가 '암페타민'을 복용했다면, 그는 경기 중에 자신의 몸 안에서 아드레날린이 분비되기를 원했기 때문이며, 이것은 위기 시에 일어나는 신체 반응이 나타나도록 인위적으로 유도한 것으로 판단할 수 있습니다.

오답 피하기 ① 암페타민이 분비를 촉진시키는 노르에피네프린과 엔도르핀은 기억의 상실과 관련이 없습니다.
② 암페타민을 복용하면 엔도르핀의 분비량은 증가하지만, 엔도르핀은 정서적인 안정감을 주는 호르몬입니다.
③ 암페타민을 복용하면 노르에피네프린과 엔도르핀 분비량이 증가하는 것이지, 아드레날린 분비량이 증가하는 것은 아닙니다.

④ 암페타민을 복용하면 일시적으로 평소와는 다른 신체 반응을 보이게 되지만, 상황에 대한 집중력이 떨어지는 것은 아닙니다. 노르에피네프린은 아드레날린과 거의 같은 작용을 한다고 했으므로, 오히려 집중력이 향상된다고 판단할 수 있습니다.

3 3문단을 보면, ㉠ 중에서 '시각적 선명도 향상 현상'과 '슬로우 모션 현상'은 아드레날린으로 인한 것으로, 이는 아드레날린이 분비되면 뇌와 안구 및 시신경으로 가는 혈류량이 증가하여 시각 능력이 급격하게 상승하게 되어 발생한다고 했습니다. 따라서 ㉠은 감각 기관인 '안구(눈)'와 '시신경'과 연관된다는 것을 알 수 있습니다. 이와 달리, ㉡은 청각 기관의 작용과 무관한 뇌의 인식 작용이라고 4문단에서 설명하고 있습니다.

오답 피하기 ① ㉠과 ㉡은 모두 지각이 왜곡되는 현상으로, 어떤 감각 기관과 연관되느냐에 따라 구분됩니다.
② ㉡은 뇌에서 특정한 감각만 걸러 내어 인식하는 작용, 즉 감각의 여과 과정으로 인해 발생합니다.
④ 이 글을 통해 ㉠과 ㉡의 발생 빈도를 비교하기는 어렵습니다.
⑤ 이 글을 통해 ㉠과 ㉡의 전투에서의 몰입감 정도를 비교하기는 어렵습니다.

4 B가 전투 도중 동료에게 접근하는 적을 먼저 발견한 이유를 직접적으로 판단할 만한 근거는 〈보기〉에 제시되어 있지 않았습니다. 다만, 그가 전투에 집중했기 때문이라고 합리적인 추론을 할 수 있습니다. 그리고 그가 전투에 집중한 것은 그의 체내에서 아드레날린이 분비되어 집중력이 향상되었기 때문이라고 볼 수 있습니다. 그러나 '터널 시야 현상'은 전체 시야 중 일부분에만 초점이 맞추어져 시야가 좁아지는 현상을 의미합니다. 만일 B가 '터널 시야 현상'을 겪었다면, 오히려 측면에서 접근하는 적을 발견하지 못했을 가능성이 더 높습니다. 따라서 B가 적을 발견할 수 있었던 것과 '터널 시야 현상'은 관련이 없습니다.

오답 피하기 ① '슬로우 모션 현상'은 실제로는 빠른 속도를 가진 물체가 매우 느리게 움직이는 것처럼 보이는 현상이므로, A는 '슬로우 모션 현상'을 경험한 것입니다.
② 전투를 경험한 병사들에게 전투 중에 일어났던 일의 일부를 전혀 기억하지 못하는 '기억의 상실 현상'이 발생하는 것처럼, A 역시 사고 순간을 기억하지 못하여 사고의 원인을 설명하지 못하고 있습니다.
③ B는 전투가 시작되었을 때 자신의 총성만 듣지 못하고 다른 소음들만 들었습니다. 이것은 그가 무의식적으로 특정 소리만 듣거나, 특정 소리만 듣지 못하게 되는 현상인 '청각적 눈 깜박임 현상'을 경험한 것에 해당합니다.
⑤ B가 전투 도중 통증을 느끼지 못한 것은 아드레날린의 진통 작용으로 인한 결과로 볼 수 있으며, 전투가 끝난 후에 통증을 느낀 것은 아드레날린의 분비가 줄어들었기 때문이라고 판단할 수 있습니다.

생각읽기 **3** **사회 보험이 왜 필요할까**

0 ③	1 ②	2 ③	3 ④

Q 국가가 개인이 위험에 대처할 수 있는 안전망으로 제공하는 것은 무엇인가요?

사회 보험

이 글은 인간이 살아가면서 불가피하게 마주치는 사회적 위험에 대비하기 위해 사회 보험이 필요함을 언급한 뒤, 사회 보험의 개념을 설명하고 그 종류에는 국민 건강 보험, 국민연금, 고용 보험, 산업 재해 보험 등이 있음을 제시하고 있습니다. 그리고 사회 보험이 지니는 강제성과 국가의 개입에 대해 문제를 제기하는 사람들의 견해를 소개한 다음, 이에 대해 반박하고 있습니다. 마지막으로 국가는 개인들의 위험에 대처할 수 있는 안전망을 마련하기 위해 어느 정도의 강제성을 가질 수밖에 없음을 강조하며 글을 마무리하고 있습니다.

■ **문단으로 생각읽기**

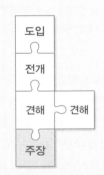

[도입 – 전개 – 견해 – 견해 – 주장]의 생각 구조

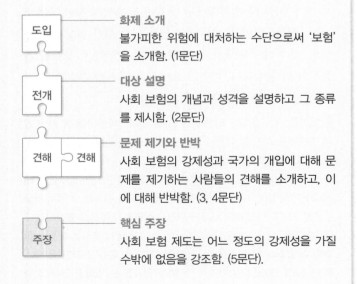

도입 ── **화제 소개**
불가피한 위험에 대처하는 수단으로써 '보험'을 소개함. (1문단)

전개 ── **대상 설명**
사회 보험의 개념과 성격을 설명하고 그 종류를 제시함. (2문단)

견해 견해 ── **문제 제기와 반박**
사회 보험의 강제성과 국가의 개입에 대해 문제를 제기하는 사람들의 견해를 소개하고, 이에 대해 반박함. (3, 4문단)

주장 ── **핵심 주장**
사회 보험 제도는 어느 정도의 강제성을 가질 수밖에 없음을 강조함. (5문단).

0 사회 보험은 선택적으로 가입하는 것이 아니라 의무적으로 가입하는 것입니다. 따라서 새로 추진하고 있는 국민연금법의 취지는 강제적 방법을 동원해서 보험료 납부를 유도하는 것이지, 민간 보험에서 사회 보험으로의 가입을 유도하려는 것은 아닙니다.

출제 의도 글의 내용을 이해하고 다른 상황에 적용할 수 있는가를 묻는 문제입니다. 〈보기〉에서 지문의 내용과 관련성이 있는 것을 파악해야 합니다.

오답 피하기 ① 개정될 국민연금법의 적용 대상자는 고의적인 고액·상습 체납자입니다.
② 개정될 국민연금법의 취지는 강제적 방법을 동원하여 사회 보험의 추진 의지를 보여 주는 것입니다.
④ 3문단에서 사회 보험은 공동체 구성원 사이의 사회적 연대라는 특성이 있다고 했으므로, 고의로 미납하는 상습 체납자는 사회적 연대 의식이 부족하다고 볼 수 있습니다.
⑤ 상습적 체납자는 고의로 국민연금 보험료를 미납하는 것이므로, 사회 보험 제도에 동의하지 않거나 협조하지 않는 것으로 볼 수 있습니다.

1 3문단에 따르면 고소득자는 수익률이 낮을 수 있고, 보험료를 높게 납부하는 데 비해 상대적 손실을 입게 되고 저소득자는 혜택을 보게 된다고 하였으므로 사회 보험이 국민들에게 균등한 금전적 이익을 주는 것은 아닙니다.

오답 피하기 ① 1문단에서 민간 보험 상품은 개인의 자발적 선택에 의해 가입하는 것이라고 하였습니다.
③ 2문단에서 인간은 행운의 확률을 과대평가하고 불행의 확률을 과소평가하는 불합리한 존재라서 현재의 욕구를 위해 소득의 대부분을 지출해 버리는 개인이 나타나게 되고, 이들은 위험에 직면하게 된다고 하였습니다.
④ 5문단에서 국가는 개인들이 위험에 대처할 수 있는 안전망을 마련하기 위한 장치로서 사회 보험 제도를 도입한다고 하였습니다.
⑤ 1문단에서 사람들은 불가피하게 위험에 빠질 가능성을 안고 살아가기 때문에 2문단에서 그 위험에 대비하기 위해 국민 건강 보험, 국민연금, 고용 보험, 산업 재해 보험 등과 같은 사회 보험이 있다고 하였습니다. 이러한 보험은 노후 생활 자금, 지병, 실업, 산업 재해 등의 위험에 대비하기 위한 것입니다.

2 4문단에 따르면, 민간 보험사는 다른 사람의 실업이 증가할수록 나의 실업 확률도 커지는 상호 의존적 위험에 대해서는 보험 상품을 제공하지 않는다고 하였습니다. 따라서 연쇄 부도로 실직된 회사에서 A를 위해 민간 보험사는 고용 보험 상품을 제공하려 하지 않을 것입니다.

오답 피하기 ① 실직은 질병, 장애, 노령, 산업 재해 등과 같은 사회의 전형적인 위험에 해당합니다.
② A는 국민 건강 보험에 의해 치료가 가능하였다고 볼 수 있습니다.

④ 4문단에서 언급한 것처럼 한 회사가 부도나면 그와 관련된 회사에도 영향을 미쳐 연쇄적 부도로 이어지고 그에 따라 실업 역시 연쇄적으로 발생하는 상호 의존적인 것으로 볼 수 있습니다.

⑤ A가 생계비를 지원받은 것은 국가가 마련한 사회 안전망이라고 볼 수 있습니다.

3 ㉠의 '직면하다'는 '어떠한 일이나 사물을 직접 당하거나 접하다.'라는 의미입니다. ④의 '부딪히다'는 '예상치 못한 일이나 상황 따위에 직면하게 되다.'라는 의미를 지니므로 ㉠과 바꾸어 쓸 수 있습니다.

오답 피하기 ① '겪다'는 '어렵거나 경험될 만한 일을 당하여 치르다.'라는 의미로 목적어를 필요로 하므로 ㉠과 바꾸어 쓸 수 없습니다.
② '치르다'는 '무슨 일을 겪어 내다.'라는 의미입니다.
③ '당하다'는 '좋지 않은 일 따위를 직접 겪거나 입다.'라는 의미입니다.
⑤ '마주하다'는 '마주 대하다.'라는 의미입니다.

---

0 ①   **1** ③   **2** ⑤   **3** ①

Q 저항형 센서의 성능을 평가하는 세 가지 요소에는 무엇이 있나요?
응답 감도, 응답 시간, 회복 시간이 있습니다.

이 글은 인간이 위험 가스의 미세한 농도를 감지하는 것이 불가능하다고 전제한 뒤, 이를 극복하기 위해 개발되어 널리 사용되고 있는 저항형 센서의 작동 원리와 평가 요소에 대해 설명하고 있습니다. 산화물 반도체 물질을 이용한 저항형 센서는 가스가 산화물 반도체 물질에 흡착해 저항값을 변화시키는 원리를 이용하며, 이 센서의 성능을 평가하는 주요 요소로는 '응답 감도', '응답 시간', '회복 시간' 등이 있음을 제시하고 있습니다.

■ **문단으로 생각읽기**

[도입 – 전개 – 전개 – 전개]의 생각 구조

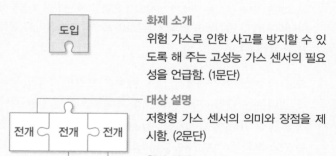

화제 소개
위험 가스로 인한 사고를 방지할 수 있도록 해 주는 고성능 가스 센서의 필요성을 언급함. (1문단)

대상 설명
저항형 가스 센서의 의미와 장점을 제시함. (2문단)

원리 설명
저항형 가스 센서의 작동 원리를 설명함. (3문단)

평가 요소
저항형 가스 센서의 평가 요소를 설명함. (4문단)

생각읽기가 수능이다

독해실전   **1** 제어부
수능실전   **1** 모터

0 3문단에서 산화 가스는 산화물 반도체로부터 전자를 받으면서 흡착하여 산화물 반도체의 저항값을 증가시키고, 환원 가스는 산화물 반도체 물질에 전자를 주면서 흡착하여 산화물 반도체의 저항값을 감소시킨다고 하였습니다. 따라서 산화물 반도체 물질은 산화 가스나 환원 가스가 흡착될 때 그 가스와 전자를 주고 받는다는 것을 알 수 있습니다.

출제 의도 문단의 핵심 내용을 파악해야 글의 세부 내용도 제대로 파악할 수 있습니다.

오답 피하기 ② 1문단에서 인간의 후각은 미세한 가스 농도를 감지하지 못한다고 하였습니다.

③ 4문단에서 센서는 반복적으로 사용해야 하므로 정상 상태로 흡착된 가스를 가능한 한 빠른 시간에 탈착시켜 처음 상태로 되돌려야 한다고 하였습니다. 따라서 회복 시간이 짧아야 센서를 반복적으로 사용할 수 있음을 알 수 있습니다.

④ 3문단에서 산화물 반도체 물질에 흡착되는 가스의 양은 늘어나다가 일정하게 유지되는 정상 상태(定常狀態)에 도달한다고 하였습니다.

⑤ 3문단에서 산화 가스는 산화물 반도체로부터 전자를 받으면서 흡착하여 저항값을 증가시키고 환원 가스는 산화물 반도체 물질에 전자를 주면서 흡착하여 저항값을 감소시키는데, 저항형 가스 센서는 이러한 저항값 변화로부터 가스를 감지한다고 하였습니다. 따라서 저항형 가스 센서는 가스가 탈착되기 전과 후에 변화한 저항값이 아니라 가스가 흡착되어 변화된 저항값으로부터 가스를 감지함을 알 수 있습니다.

1 응답 시간은 가스 센서가 특정 가스를 감지하고 반응하는 데 걸리는 시간입니다. 〈보기〉의 그래프를 보면 t_1을 지난 시점(특정 가스가 흡착되는 때)부터 A 물질의 저항값과 B 물질의 저항값이 R_s(저항값이 일정해지는 상태)에 이르기까지 걸리는 시간이 다릅니다. 이는 A를 이용한 센서와 B를 이용한 센서의 응답 시간이 같지 않음을 나타냅니다.

오답 피하기 ① 이산화 질소와 같은 산화 가스는 산화물 반도체로부터 전자를 받으면서 흡착하여 산화물 반도체의 저항값을 증가시킵니다. 〈보기〉의 그래프에서도 저항값이 증가하고 있으므로 실험에 사용된 가스는 산화 가스임을 알 수 있습니다.

② 응답 감도는 일정 상태로 유지되는 정상 상태의 저항값인 R_s와 특정 가스 없이 공기 중에서 측정된 저항값인 R_{air}의 차이를 R_{air}로 나누어 백분율로 나타낸 것입니다. A를 이용한 센서와 B를 이용한 센서의 R_s와 R_{air} 값이 동일하기 때문에 응답 감도가 같습니다.

④ 특정 가스가 흡착되기 전 공기 중에서 측정된 저항값은 R_{air}를 말합니다. 실제 그래프에서 특정 가스가 흡착하기 전인 t_1 전 단계를 보면 A, B 물질의 저항값(R_{air})이 일치하는 것을 확인할 수 있습니다.

⑤ 그래프에서 t_1 시점을 지나 저항값이 일정하게 유지되는 정상 상태에 도달하기까지 A 물질의 저항값이 B 물질의 저항값보다 큰 것을 확인할 수 있습니다.

2 ⊙ '안정성이 높다'는 것은 '시간이 지남에 따라 반복 측정하여도 동일 조건하에서는 센서의 출력이 거의 일정하다'는 뜻입니다. 이와 대응되는 내용 요소를 갖고 있는 것은 ⑤로, '매일 아침 운동장을 열 바퀴 걸은 직후 맥박을 재어 보니'는 '시간이 지남에 따라 반복 측정한 것'에 해당하고, '항상 분당 128~130회'였다는 것은 '측정 결과값이 거의 일정하다'에 해당합니다.

3 ⓐ '판별'는 '옳고 그름이나 좋고 나쁨을 판단하여 구별함.'이라는 뜻입니다. ①은 열차의 좌석을 흡연석과 금연석으로 나누는 것이므로 '판별'이 아니라 '일정한 기준에 따라 전체를 몇 개로 갈라 나눔.'이라는 뜻을 지닌 '구분'을 활용하는 것이 적절합니다.

오답 피하기 ② ⓑ '용이'는 '어렵지 아니하고 매우 쉬움.'이라는 뜻이므로 문장에서 적절하게 활용되었습니다.

③ ⓒ '흡착'은 '어떤 물질이 달라붙게 됨.'이라는 뜻이므로 문장에서 적절하게 활용되었습니다.

④ ⓓ '산출'은 '계산하여 냄.'이라는 뜻이므로 문장에서 적절하게 활용되었습니다.

⑤ ⓔ '도출'은 '판단이나 결론 따위를 이끌어 냄.'이라는 뜻이므로 문장에서 적절하게 활용되었습니다.

생각읽기 5 배의 흔들림은 어떻게 해결될까

0 ①	1 ⑤	2 ①	3 ③

Q 배의 흔들림 방지를 위해 쓰이는 장치에는 무엇이 있나요?
'빌지킬', '안티롤링 탱크', '핀 안정기'가 있습니다.

이 글은 배의 흔들림 방지를 위한 장치인 '빌지킬', '안티롤링 탱크', '핀 안정기'의 세 가지 장치를 소개하고 각 장치가 어떠한 작동 과정과 원리를 거쳐 배의 흔들림을 줄여 주는지를 설명하고 있습니다. 빌지킬은 물과의 접촉으로 생기는 마찰 저항을 이용하여, 안티롤링 탱크는 U자형 관 안의 물이 이동하는 시간을 이용하여, 핀 안정기는 배 양쪽에 달려 있는 날개의 움직임에 의해 발생하는 양력을 이용하여 배의 흔들림을 줄이는 장치임을 제시하고 있습니다.

📖 문단으로 생각읽기

```
              도입
         전개  전개  전개
```
[도입 – 전개 – 전개 – 전개]의 생각 구조

도입 — **화제 소개**
현재 배의 흔들림을 줄이기 위해 많이 쓰이고 있는 장치에 '빌지킬', '안티롤링 탱크', '핀 안정기'가 있음을 소개함. (1문단)

전개 전개 전개 — **대상 설명**
'빌지킬', '안티롤링 탱크', '핀 안정기'가 배의 흔들림을 줄일 때 작동되는 원리를 설명함. (2~4문단)

---

0 2문단에서 빌지킬이 마찰 저항을 이용하여 배의 흔들림을 줄이는 장치라고 설명하고 있고, 4문단에서는 핀 안정기가 양력을 이용하여 배의 흔들림을 줄이는 장치라고 설명하고 있습니다.

출제 의도 글에 언급된 세부 정보를 파악할 수 있는가를 묻는 문제입니다. 제시된 내용이 글의 어느 부분에 있는지를 확인한 뒤 그 내용이 맞는지를 판단해 볼 수 있습니다.

오답 피하기 ② 2문단에서 빌지킬은 흔들림을 줄이기 위해 가장 많이 쓰이는 장치라고 하였습니다.
③ 3문단에서 안티롤링 탱크는 배의 크기와 상관없이 두루 사용되는 빌지킬과 달리 큰 배들에서 주로 사용한다고 하였습니다.
④ 4문단에서 배의 흔들림을 줄이기 위한 장치 중 핀 안정기는 빌지킬과 안티롤링 탱크와 달리 최근에 개발된 장치라고 하였습니다.
⑤ 3문단에서 안티롤링 탱크는 배가 왼쪽으로 기울어지면 U자형 관 안의 물도 왼쪽으로 이동하는데, 그렇게 물이 이동하는 데 시간이 걸리기 때문에 그동안에는 배가 기울어진 방향과 U자형 관 안의 물이 위치가 반대 방향이 됨으로써 배가 원위치로 돌아가게 하는 원리를 활용한다고 하였습니다. 따라서 안티롤링 탱크는 U자형 관 안의 물이 이동하는 시간을 이용하는 것이라고 할 수 있습니다.

1 〈보기〉에서 선원들은 배가 기우는 반대 방향으로 움직이고 있습니다. 이 글에 제시된 안티롤링 탱크의 U자형 관 안의 물도 배가 기울어지는 방향과 반대쪽에 물이 있게 됨으로써 배의 흔들림을 줄여 줍니다. 따라서 이 글의 U자형 관 안의 물과 〈보기〉의 선원들은 같은 역할을 한다고 할 수 있습니다.

오답 피하기 ① 2문단에서 배가 왼쪽으로 기울기 시작할 때 왼쪽에 있는 빌지킬로 인해 물과의 마찰 저항이 증가하게 됨으로써 원위치로 되돌아가 배의 흔들림이 줄어들게 된다고 하였습니다. 〈보기〉의 선원들은 배가 기우는 방향과 반대로 움직여서 배의 흔들림을 줄일 수 있습니다. 따라서 빌지킬이 있어도 선원들의 움직임과 함께 효과를 내어 배의 흔들림을 줄일 수 있다고 볼 수 있습니다.
②, ③ 핀 안정기는 날개의 움직임으로 인해 발생하는 양력을 이용하는데, 양력은 압력이 높은 곳에서 낮은 곳으로 작용하는 힘입니다. 그런데 선원들의 움직임은 왼쪽과 오른쪽 간의 이동을 이용하는 원리이므로 선원들의 움직임은 양력을 이용하는 핀 안정기의 역할을 한다고 할 수 없습니다.
④ 3문단에서 배기 기울어지는 방향과 U자형 관 안에 있는 물이 같은 방향에 있게 되면 배가 뒤집어질 수 있다고 하였습니다. 선원들이 양쪽으로 고르게 분산됨으로 인해 배가 뒤집어진다는 설명은 적절하지 않습니다.

2 ㉠의 '맞추다'는 '어떤 것을 무엇에 맞도록 하다.'의 뜻이므로 '균형에 맞게 바로잡음. 또는 적당하게 맞추어 나가다.'라는 뜻을 지닌 '조절하다'와 바꾸어 쓸 수 있습니다.

오답 피하기 ② '조성하다'는 '무엇을 만들어서 이루다.' 또는 '분위기나 정세 따위를 만들다.'라는 의미입니다.
③ '조율하다'는 '악기의 음을 표준음에 맞추어 고르다.' 또는 '문제를 어떤 대상에 알맞거나 마땅하도록 조절하다.'라는 의미입니다.
④ '조종하다'는 '비행기나 선박, 자동차 따위의 기계를 다루어 부리다.' 또는 '다른 사람을 자기 마음대로 다루어 부리다.'라는 의미입니다.
⑤ '조치하다'는 '벌어지는 사태를 잘 살펴서 필요한 대책을 세워 행하다.'라는 의미입니다.

3 4문단을 보면 배의 앞쪽에서 바라볼 때 배가 왼쪽으로 기울어지면 왼쪽 핀 안정기의 뒤쪽은 아래로 움직이고, 오른쪽 핀 안정기의 뒤쪽은 위로 움직이는데, 이로 인해 핀 안정기의 아래쪽과 위쪽의 압력차가 생겨 왼쪽 핀 안정기는 위로 양력이 작용하고, 오른쪽 핀 안정기는 아래쪽에 양력이 작용하여 배의 흔들림을 줄일 수 있다고 하였습니다. 〈보기〉에서는 배가 (가) 방향으로 기운다고 하였으므로 배를 원위치로 돌리기 위해서는 ⓐ의 뒤쪽은 아래로 움직이고, ⓑ의 뒤쪽은 위로 움직여야 합니다.

---

6 불확실한 미래에 대처하는 옵션

0 ⑤   **1** ②   **2** ③   **3** ②

Q 경제 현상을 이해하는 데 '옵션'의 특성을 아는 것이 왜 중요한가요?
옵션은 미래의 불확실성에 대처하게 해 주는 위험 관리 수단이 되기 때문입니다.

이 글은 옵션의 정의를 밝힌 뒤, 고대 그리스의 탈레스가 올리브유 압착기에 대한 옵션을 개발한 사례와 '유리하면 행사하고 불리하면 포기한다'는 옵션의 성격이 가장 잘 반영된 주식 시장의 옵션 사례를 제시하여 옵션의 개념에 대한 이해를 돕고 있습니다. 또한 옵션은 수익의 비대칭성으로 인해 미래의 불확실성에 대처하게 해 주는 위험 관리 수단이 된다고 하면서 주주와 경영자의 행동과 다양한 경제 현상을 이해하는 데 중요함을 강조하고 있습니다.

■ **문단으로 생각읽기**

[도입 – 예시 – 예시 – 주장]의 생각 구조

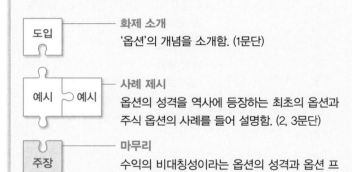

도입 ── **화제 소개**
'옵션'의 개념을 소개함. (1문단)

예시 예시 ── **사례 제시**
옵션의 성격을 역사에 등장하는 최초의 옵션과 주식 옵션의 사례를 들어 설명함. (2, 3문단)

주장 ── **마무리**
수익의 비대칭성이라는 옵션의 성격과 옵션 프리미엄에 대해 설명하고, 주주와 경영자의 행동을 비롯한 다양한 경제 현상을 이해하는 데 이러한 옵션의 특성을 아는 것이 중요함을 강조함. (4문단)

0 탈레스는 파종기 때 미리 수확기에 압착기를 빌릴 수 있는 권리를 사 두었습니다. 이것은 현대의 옵션 개념으로, 옵션은 반드시 행사해야 하는 것은 아닙니다. 풍년이 들어 압착기를 빌리려고 하는 사람이 많아지면 압착기 임대료가 올라가게 되고 탈레스는 압축기를 빌릴 수 있는 권리를 사기 위해 자신이 지불한 돈보다 훨씬 많은 돈을 받고 압착기를 다른 사람에게 빌려줄 수 있으므로 이득을 보게 됩니다. 그러나 흉작이 되면 압착기를 빌리려고 사 둔 권리를 포기하게 되는데, 이는 자신이 압착기를 빌리기 위해 지불한 돈만 날리게 될 뿐 더 큰 손해는 없게 됩니다. 즉, 압착기를 빌려줌으로써 벌어들일 수 있는 돈이 자신이 압착기를 빌릴 수 있는 권리를 계약한 비용과 임대료보다 낮아지기 때문입니다.

[출제 의도] 상황에 대한 원인을 추론하는 문제입니다. 원인은 앞뒤 문맥을 통해 파악할 수 있습니다.

1 4문단을 보면, 옵션은 반드시 행사하는 권리가 아니라 유리하면 행사하고 불리하면 포기해 버릴 수 있는 선택권이라는 특징이 있습니다.

[오답 피하기] ① 1문단과 4문단을 보면, 주식 옵션은 일정한 시기가 되었을 때 살 수 있습니다.
③ 1문단을 보면, 옵션의 행사 가격은 미리 정해지는 것이고, 그 뒤 일정한 시기에 옵션을 행사할 수 있는 것입니다.
④ 1문단에서 옵션이 주식과 같은 금융 상품에만 해당하는 것이 아니라 우리 주위에 옵션의 성격을 갖는 현상이 많다고 언급하고 있습니다.
⑤ 4문단을 보면, 옵션 프리미엄은 나중에 옵션을 행사할 수 있는 권리인 옵션을 처음 살 때 지불하는 돈이므로 옵션을 행사한 후에 얻는 것이 아닙니다.

2 ⓐ와 ⓑ의 상황을 통해 옵션을 행사할 시기를 짐작할 수 있는데, ⓐ는 주식 가격이 1만 원을 넘었을 때 옵션을 행사하는 것이 유리함을 보여 주고 있습니다. 그러므로 1만 원 이전의 구간에 해당하는 ⓑ에서 옵션을 행사했다는 ③의 설명은 적절하지 않습니다.

[오답 피하기] ① ⓐ는 주식 가격이 1만 원을 넘겨야 이득이 발생할 수 있음을 의미하는 기울기를 보이고 있습니다.
② 주식 가격이 아무리 낮게 정해진다고 하더라도 ⓑ를 토대로 본다면 손실은 처음 투자한 금액인 1천 원을 초과할 수 없습니다.
④ 옵션을 구입할 때의 가격, 즉 옵션 프리미엄이 있으므로 ⓑ는 0보다 아래에 위치하게 되는 것입니다.
⑤ 옵션으로 인한 수익은 크게 늘어날 수 있지만, 옵션으로 인한 손해는 일정 수준을 넘지 않는다는 것이 옵션이 지닌 수익의 비대칭성입니다. 따라서 ⓐ는 수익이 크게 증가할 수 있음을, ⓑ는 손해가 1,000원 이상을 넘지 않을 것임을 보여 주므로 수익의 비대칭을 나타내는 것이라고 할 수 있습니다.

3 회사가 경영자에게 주식 옵션을 지급하는 것은 경영자가 옵션을 지님으로써 옵션 관련 사업을 통해 자신이 관련된 주식 가격이 상승하도록 적극적으로 노력하기를 바라기 때문입니다. 이는 경영자 자신의 이익을 충족시킬 뿐만 아니라 회사의 이익과도 직결됩니다.

[오답 피하기] ① 경영자가 노동자의 복지를 증진한다는 내용은 제시하고 있지 않습니다.
③ 경영자에게 옵션을 주는 것이 사업의 안정화를 위해 덜 위험한 선택을 하도록 하기 위한 것은 아닙니다.
④ 경영자에게 옵션을 주는 것이 사업의 다각화와 어떤 관련이 있는지에 대해서는 언급하고 있지 않습니다.
⑤ 경영자의 사회 공익에 대해서는 제시하고 있지 않습니다.

생각의 구조화 MIND MAP

생각읽기1 ㉡	생각읽기2 ㉣	생각읽기3 ㉠
생각읽기4 ㉢	생각읽기5 ㉤	생각읽기6 ㉤
1 개체화	2 호르몬	3 사회 보험
4 저항값	5 빌지킬	6 옵션

생각읽기 1 어떤 선택이 도덕적으로 정당할까

| 0 ④ | 1 ② | 2 ① | 3 ⑤ | 4 ④ |

Q 도덕적 선택의 순간에 개인적 선호를 드러내는 것이 도덕적으로 정당한가에 대해 도덕 철학자들은 어떤 태도를 보이나요?

어떤 도덕적 선택을 할 때 상대방에게 개인적 선호를 드러내는 것에 대해, 도덕 철학자들은 대부분 부정적 반응을 보이지만 정당화의 조건으로 공평성을 제시합니다.

이 글은 도덕적 선택의 순간에 직면하였을 때 행위자의 개인적 선호를 드러내는 행동이 과연 도덕적으로 정당한가의 문제를 다루고 있습니다. 그리고 개인적 선호를 드러내는 행동에서 정당화의 근거로 '공평성'을 제시하고, 이에 대한 공평주의자들의 입장을 소개하고 있습니다. 이에 따르면 강경한 공평주의자들은 개인적 선호를 완전히 배제해야 한다고 주장하지만 온건한 공평주의자들은 개인적 선호를 고려할 가능성도 배제하지 말아야 함을 주장하고 있습니다.

📖 문단으로 생각읽기

[도입 – 전개 – 예시 – 분석 – 정리]의 생각 구조

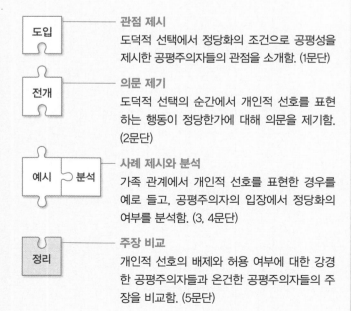

도입 ── **관점 제시**
도덕적 선택에서 정당화의 조건으로 공평성을 제시한 공평주의자들의 관점을 소개함. (1문단)

전개 ── **의문 제기**
도덕적 선택의 순간에서 개인적 선호를 표현하는 행동이 정당한가에 대해 의문을 제기함. (2문단)

예시 분석 ── **사례 제시와 분석**
가족 관계에서 개인적 선호를 표현한 경우를 예로 들고, 공평주의자의 입장에서 정당화 여부를 분석함. (3, 4문단)

정리 ── **주장 비교**
개인적 선호의 배제와 허용 여부에 대한 강경한 공평주의자들과 온건한 공평주의자들의 주장을 비교함. (5문단)

0 이 글은 1문단에서 제시한 것처럼 '도덕적 선택의 순간에 직면하였을 때 상대방에게 개인적 선호를 드러내는 행동이 과연 도덕적으로 정당할까?'의 문제를 다루고 있습니다.

출제 의도 글의 중심 화제를 정확하게 파악하고 있는지를 확인하는 문제입니다.

1 도덕적 선택을 할 때 상대방에게 개인적 선호를 드러내면 개인적 인간관계의 친밀성과 중요성이 작용을 하게 됩니다. 그렇게 되면 누군가가 특권을 누리거나 또는 차별을 받게 되므로 사람들 간의 차별을 인정하지 않는 공평주의자들은 ㉠에 대해 도덕적으로 정당화되기 어렵다고 판단할 것입니다.

2 철수는 밀항의 혐의자가 자신의 하나밖에 없는 친형임을 알고 놓아주는 행동을 합니다. 친형이라는 이유로 놓아주는 선택을 한 것은 개인적 선호가 작용한 것이기 때문에 철수의 행동은 도덕적으로 정당화되기 어렵습니다.

오답 피하기 ② 밀항의 혐의가 분명한가의 문제는 ㉡과 직접적인 관련이 없습니다.
③ 친형을 체포하는 방법에 관한 문제는 ㉡과 직접적인 관련이 없습니다.
④ 철수가 근무 중에 함부로 이동한 것은 ㉡과 직접적인 관련이 없습니다.
⑤ 친형의 밀항 혐의를 밝히는 것은 ㉡과 직접적인 관련이 없습니다.

3 5문단으로 보아, 강경한 공평주의자들은 개인적 선호를 완전히 배제하려는 입장을 지니고 있습니다. 따라서 강경한 공평주의자들은 돈을 갚는 우선순위를 결정할 때 모든 개인적 선호를 배제해야 한다고 반박할 것입니다.

4 5문단으로 보아, 온건한 공평주의자들은 상황적 조건이 동일한 경우에 한해 개인적 선호를 허용할 수 있다고 주장하고 있습니다. 따라서 〈보기〉의 '훈이'가 온건한 공평주의자라면 먼저 상황적 조건의 동일성 여부를 따질 것입니다. 상황이 동일하다면 개인적 선호에 따라, 상황이 동일하지 않다면 도덕적 판단에 따라 행동할 것입니다. 그런데 두 마을이 처한 상황이 동일하지 않은 만큼, 훈이는 일손이 많이 부족한 A 마을을 선택하게 될 것입니다.

오답 피하기 ①, ⑤ 온건한 공평주의자들은 상황적 조건이 동일한 경우에 한해 개인적 선호를 허용하는 입장이기 때문에 두 마을의 상황적 조건을 먼저 따질 것이므로 적절하지 않습니다.
②, ③ 온건한 공평주의자인 '훈이'는 두 마을의 상황적 조건이 동일한 경우에만 개인적 선호를 허용하여 봉사를 자주 다녀서 더 친한 A 마을 사람들을 돕겠지만, 두 마을은 일손 면에서 동일한 조건이 아니므로 행동의 이유가 적절하지 않습니다.

생각읽기 **2** 합리적 개인 vs 비합리적 사회

0 배려, 의사소통   **1** ③   **2** ⓐ 비합리적인 결과를 초래할 것, ⓑ 장기적으로는 이익이 된다는 것

3 ⑤   **4** ②

Q 개인의 합리적 선택이 사회 전체적으로 비합리적인 결과를 초래하는 경우를 설명한 이론은 무엇인가요?

죄수의 딜레마 이론

이 글은 개인의 합리적 선택이 사회 전체적으로는 비합리적인 결과를 낳게 되는 죄수의 딜레마 이론을 설명하고 있습니다. 죄수의 딜레마와 같은 현상을 극복하고 사회적인 합리성을 확보하기 위해서는 개인적으로는 도덕심을 고취하고, 사회적으로는 의사소통 과정을 원활하게 해야 함을 제시하고 있습니다.

■ 문단으로 생각읽기

[도입 - 주장 - 반박 - 예시 - 대답]의 생각 구조

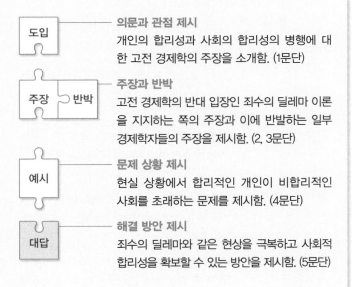

도입 ─ 의문과 관점 제시
개인의 합리성과 사회의 합리성의 병행에 대한 고전 경제학의 주장을 소개함. (1문단)

주장 반박 ─ 주장과 반박
고전 경제학의 반대 입장인 죄수의 딜레마 이론을 지지하는 쪽의 주장과 이에 반발하는 일부 경제학자들의 주장을 제시함. (2, 3문단)

예시 ─ 문제 상황 제시
현실 상황에서 합리적인 개인이 비합리적인 사회를 초래하는 문제를 제시함. (4문단)

대답 ─ 해결 방안 제시
죄수의 딜레마와 같은 현상을 극복하고 사회적 합리성을 확보할 수 있는 방안을 제시함. (5문단)

생각읽기가 수능이다

독해실전　**1** ①

수능실전　**1** ②

---

0 5문단에서 죄수의 딜레마와 같은 현상을 극복하고 사회적인 합리성을 확보하는 방안은 개인적으로는 도덕심을 고취하고, 사회적으로는 의사소통 과정을 원활하게 하는 것이라고 하였습니다. 즉 각 개인들이 자신의 욕망을 적절하게 통제하고 남을 배려하는 태도를 지니면 죄수의 딜레마 같은 현상에 빠지지 않고도 개인의 합리성을 추구할 수 있을 것이라고 보았습니다. 또한 서로 간의 원활한 의사소통을 통해 공감의 폭을 넓히고 신뢰감을 형성하며, 적절한 의견 수렴 과정을 거친다면 개인의 합리성이 보다 쉽게 사회적 합리성으로 이어지는 길이 열릴 것이라고 하였습니다. 따라서 군비 경쟁에 나선 나라들을 염두에 둔다면 서로 간에 배려하는 태도와 원활한 의사소통을 통해 군비 경쟁을 막아야 한다는 내용의 제목이 적절합니다.

　출제 의도 글의 전체 내용을 포괄적으로 이해하고, 핵심 내용을 잘 파악하고 있는지 확인하기 위한 문제입니다.

1 고전 경제학에서는 개인의 합리성을 기초로 사회 전체의 합리성을 이룰 수 있다고 주장하는데, 이에 반대하는 입장에서는 '죄수의 딜레마' 이론을 근거로 고전 경제학의 주장을 반박하고 있습니다. 즉 죄수의 딜레마 이론에 따르면 서로 의사소통을 할 수 없도록 격리된 두 용의자가 각각 개인 수준에서 가장 합리적으로 내린 선택이 오히려 집합적인 결과에서는 두 사람 모두에게 비합리적인 결과를 초래할 수 있다는 것입니다. 따라서 고전 경제학에서 죄수의 딜레마 이론을 바탕으로 한다는 ③은 적절하지 않습니다.

2 ⓐ는 서로 의사소통을 할 수 없도록 격리된 두 용의자가 각각 개인 수준에서 가장 합리적으로 내린 선택이 오히려 집합적인 결과에서는 두 사람 모두에게 비합리적인 결과를 초래할 수 있다고 설명하고 있습니다. 이로 보아 ⓐ는 〈보기〉의 A국이나 B국처럼 개별 국가적 차원의 합리성만을 강조하여 감산 합의에 비협조적으로 행동한다면 산유국 전체적으로는 비합리적인 결과를 초래할 것이라고 주장할 것입니다. 한편 ⓑ는 ⓐ의 주장에 반발하며 사람들이 의외로 약간의 손해를 감수하더라도 협동을 하는 모습을 보여 주는데, 그 이유는 상대방과 협조를 하는 행동이 장기적으로는 이익이 된다는 것을 알기 때문이라고 설명하고 있습니다. 그러므로 A국이나 B국이 비협조적으로 행동하더라도 감산 협의가 장기적으로는 이익이 된다는 것을 알기 때문에 협조를 하게 될 것이라고 주장할 것입니다.

3 ㉠은 각 개인이 합리적으로 행동하면 사회 전체적으로도 합

리적인 결과를 얻을 수 있다는 고전 경제학의 입장입니다. 개인이 합리적으로 행동하면 사회 전체가 합리적이 된다는 주장은 대상의 부분적인 요소만 보고 전체가 그 성질을 가지고 있다고 판단하는 합성의 오류에 해당합니다. ⑤에서도 홍길동이 우리나라 최고의 축구 선수이기 때문에 그가 속한 팀도 최고라는 결론을 내리는 것으로 보아 ㉠과 같은 오류에 해당함을 알 수 있습니다.

오답 피하기 ① 같은 내용을 말만 바꾸어서 되풀이하는 데서 생기는 오류인, 순환 논증의 오류에 해당합니다.

② 부적합한 근거, 대표성이 결여된 사례, 제한된 정보 등을 이용하여 특수한 사례들을 성급하게 일반화하는 데서 생기는 오류인, 성급한 일반화의 오류에 해당합니다.

③ 상대방의 동정심이나 연민에 호소하여 자신의 논지를 받아들이게 하는 오류인, 동정에 호소하는 오류에 해당합니다.

④ 일반적으로 그렇다고 해서 특수한 경우에도 그러한 것으로 잘못 생각하는 오류, 즉 상황에 따라 적용해야 할 원칙이 다른 데도 이를 혼동하여 생기는 오류인, 원칙 혼동의 오류에 해당합니다.

4 ㉡은 자신의 이익만을 최우선적으로 고려하는 행위를 나타낸 것이므로, '신의를 돌보지 않고 자신의 이익만을 꾀한다'라는 의미의 속담인 ②가 가장 적절합니다.

오답 피하기 ① '부지런히 하느라고 하는 데도 자꾸 더 빨리하라고 독촉함'을 나타냅니다.

③ '옳지 못한 일을 저질러 놓고, 엉뚱한 수작으로 남을 속여 넘기려 하는 일'을 나타냅니다.

④ '비밀은 결국 지켜지지 않는다는 뜻으로, 늘 말조심을 해야 함'을 나타냅니다.

⑤ '자신과 상관없는 일에 공연히 간섭하고 나섬을 비꼬아 이르는 말'을 나타냅니다.

생각읽기 **3 사진의 추상성**

| 0 ④ | 1 ⑤ | 2 ① | 3 ① | 4 ③ |

Q 추상 사진이 외형을 놓아둔 채 외형을 뛰어넘는다는 것은 무슨 의미인가요?

사진에서 외형상 현실적 사물의 형태는 유지하지만, 작가가 사물에 대한 해석을 바탕으로 새로운 의미를 재창조하는 일을 말합니다.

이 글은 현대 사진이 기록성에서 벗어나 점차 추상화되어 가고 있다는 점을 밝히면서 사진의 추상화의 의미를 상세하게 설명하고 있습니다. 사진의 추상화는 사진 매체의 특성으로 볼 때 모순적 현상으로, 사물의 외형을 유지하면서도 사물에 대한 작가의 새로운 해석을 바탕으로 의미를 재창조하는 것입니다. 형태를 벗어날 수 없는 사진 매체가 형태를 극복하여 추상화되는 것은 외형을 뛰어넘는 의미의 창조를 통해 주제 의식을 드러내는 일이라는 점을 설명하고 있습니다.

■ **문단으로 생각읽기**

[도입 – 전개 – 분석 – 분석 – 해결]의 생각 구조

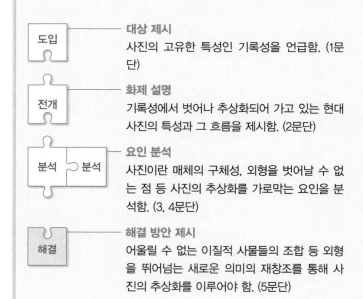

도입 ── 대상 제시
사진의 고유한 특성인 기록성을 언급함. (1문단)

전개 ── 화제 설명
기록성에서 벗어나 추상화되어 가고 있는 현대 사진의 특성과 그 흐름을 제시함. (2문단)

분석 분석 ── 요인 분석
사진이란 매체의 구체성, 외형을 벗어날 수 없는 점 등 사진의 추상화를 가로막는 요인을 분석함. (3, 4문단)

해결 ── 해결 방안 제시
어울릴 수 없는 이질적 사물들의 조합 등 외형을 뛰어넘는 새로운 의미의 재창조를 통해 사진의 추상화를 이루어야 함. (5문단)

0 (라)에서는 사진이 외형을 벗어날 수 없는 매체라는 점을 제시하고 어떤 사진이 추상 사진으로 분류될 수 있는가를 설명하고 있습니다. ④의 '화학적 추상을 방지하기 위한 작가의 노력'은 이 글의 논지에도 맞지 않을 뿐 아니라 (라)에서도 전혀 언급되지 않은 내용입니다.

출제 의도 문단별 요지를 찾는 문제는 글의 전체적인 흐름을 놓치지 않고 이해할 수 있는지를 확인하기 위해서 출제됩니다.

1 (라)를 보면, 초점이 흐리거나 떨린 사진은 기계적 조작에 의해 상이 왜곡된 것으로, 사물의 외형에서 추출되어 걸러진 상이 아니므로 추상 사진이 될 수 없다고 하였습니다. 따라서 ⑤의 '초점이 흐리거나 떨린 사진은 기계적 조작을 한 것이므로 훌륭한 추상 사진으로 평가받는다'라는 내용은 적절하지 않습니다.

2 (나)에서 사진은 구체적 사물을 전제하고서야 작품 제작이 가능하다고 언급한 내용을 고려할 때 ㉠의 의미는 사진이 '대상의 구체적 형태를 사실 그대로 찍어 내는' 매체라는 것입니다.

3 회화와 사진은 매체의 성격이 다르기 때문에 추상 회화를 모방하여 기계적 조작으로 상을 왜곡한 것은 진정한 의미의 추상 사진이 될 수 없습니다. 〈보기〉의 사진에서 작가는 자신의 주관적 관념을 시각화하기 위해 '바위'와 '할머니'라는 사물의 원초적 의미를 제2의 의미로 재창조하였지만, '바위'와 '할머니'라는 사물의 외형을 왜곡하지는 않았습니다.

4 ㉡은 전혀 어울릴 수 없는 이질적 사물들을 조합한다는 것입니다. 이를 단어의 형성에 적용해 보면 ③의 '죽을 쑤어'는 사전적 의미만을 나타내므로 이에 해당하지 않습니다.

오답 피하기 ① '입'과 '방아'를 통해 '이러쿵 저러쿵 쓸데없이 입을 놀리는 일'을 나타냅니다.
② '입에'와 '거미줄 치다'를 통해 '가난하여 먹지 못하고 오랫동안 굶다.'를 나타냅니다.
④ '눈에'와 '불을 켜고'를 통해 '몹시 욕심을 내거나 관심을 기울이고', '열심히' 등의 의미를 나타냅니다.
⑤ '귀에'와 '못이 박이도록'를 통해 '같은 말을 여러 번', '오랫동안 계속해서'의 의미를 나타냅니다.

생각읽기 **4** **초상권과 언론 보도**

0 ①   **1** ②   **2** ⓐ 촬영·작성된 초상이 본인의 공표 의도와는 다른 목적으로 이용됨. ⓑ 초상이 함부로 영리 목적에 이용됨.   **3** ③   **4** ④

Q 초상의 법적 개념은 무엇인가요?
법적 개념으로 초상은 사람의 신체적인 특징 등을 포함하여 그것을 통해 그 사람의 동일성을 파악할 수 있게끔 해 주는 일체의 가시적인 개성들을 의미합니다.

이 글은 초상과 초상권의 법적 개념을 제시하고 언론 보도에서 초상권이 침해되는 사례를 소개하고 있습니다. 초상권은 자신의 초상을 함부로 촬영·공표하거나 함부로 영리 목적에 사용하지 못하도록 하는 권리를 나타내는데, 그 위법성이 배제되는 사유도 있습니다. 하지만 초상권은 언론 보도 등에서 침해되는 행위가 많아 법적·윤리적 문제를 일으키기도 한다고 언급하면서 초상권과 관련해 여전히 딜레마가 존재함을 밝히고 있습니다.

■ **문단으로 생각읽기**

[도입 – 전개 – 예시 – 분석 – 정리]의 생각 구조

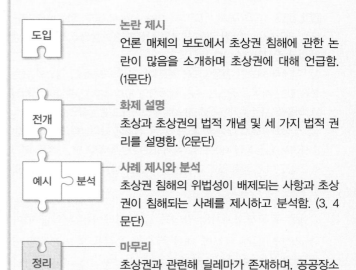

도입   **논란 제시**
언론 매체의 보도에서 초상권 침해에 관한 논란이 많음을 소개하며 초상권에 대해 언급함. (1문단)

전개   **화제 설명**
초상과 초상권의 법적 개념 및 세 가지 법적 권리를 설명함. (2문단)

예시 – 분석   **사례 제시와 분석**
초상권 침해의 위법성이 배제되는 사항과 초상권이 침해되는 사례를 제시하고 분석함. (3, 4문단)

정리   **마무리**
초상권과 관련해 딜레마가 존재하며, 공공장소에서 촬영하는 경우 초상권 침해 여부에 대한 무수한 논쟁이 일어나고 있음을 밝힘. (5문단)

0 이 글은 언론 보도에 나타난 초상권에 대한 보호 및 침해와 관련된 내용을 다루고 있습니다. 이를 위해 초상권의 개념을 제시하는 것은 물론 교내에서 불법으로 개인 지도를 하던 대학 교수의 체포 현장을 취재하던 중 초상권을 침해한 사례를 들어서 초상권 침해를 설명하고 있습니다.

출제 의도 글의 전체 내용을 어떤 방식으로 전개하고 있으며, 중심 내용을 잘 파악하고 있는지를 확인하기 위한 문제입니다.

1 2문단으로 보아, 초상의 법적 개념은 얼굴 또는 용모에 국한되는 개념이 아니라, 사람의 신체적인 특징 등을 포함하여 그것을 통해 그 사람의 동일성을 파악할 수 있게끔 해 주는 일체의 가시적인 개성들을 의미합니다. 따라서 법적으로 초상을 얼굴 또는 용모에 국한시키는 이유를 묻는 질문은 이 글의 내용을 잘못 이해한 것이므로 적절한 질문으로 보기 어렵습니다.

2 2문단으로 보아, 공표 거절권은 촬영·작성된 초상이 본인의 공표 의도와는 다른 목적으로 이용되는 것을 거부할 수 있는 권리를 나타냅니다. 초상 영리권은 자신의 초상이 함부로 영리 목적에 이용되지 않게끔 할 수 있는 권리입니다. 따라서 @에는 '촬영·작성된 초상이 본인의 공표 의도와는 다른 목적으로 이용됨.'이, ⓑ에는 '초상이 함부로 영리 목적에 이용됨.'이라는 내용이 들어가야 합니다.

3 〈보기〉의 '갑'은 공익 목적을 위한 것이라도 대학생 문화를 긍정적으로 방송하겠다는 약속을 어겼으므로 초상권 침해에 해당합니다. 따라서 초상권 침해에 대한 손해 배상을 하게 될 수 있습니다.

오답 피하기 ① [A]에서 '원고의 동의를 구하지 않고, 연습실을 무단으로 출입하여 취재한 것은 원고의 사생활과 초상권을 침해하는 행위'라고 판시하였습니다.
② [A]에서 원고가 현행범으로 체포되는 상황이더라도, 원고의 연습실과 같은 사적인 장소는 수사 관계자의 동의 없이는 출입이 금지되고, 이를 무시한 취재는 원칙적으로 불법이라고 판결하였습니다.
④, ⑤ 〈보기〉에서 대학생 '을'과 '병'은 취재에 동의했다 하더라도 방송사에서 긍정적인 내용으로 취재하겠다는 약속을 어긴 점을 근거로 초상권이 침해된 것에 대한 손해 배상을 방송사를 상대로 청구할 수 있습니다.

4 ㉡에는 공공장소에서의 촬영과 같은 딜레마는 논의할 때마다 초상권 침해 여부에 대한 무수한 논쟁을 일으키지만 쉽게 해결되기 어려운 문제임을 나타내는 말이 들어가야 합니다. 따라서 '중요한 문제이지만 쉽게 다루기 어려운 문제를 비유적으로 이르는 말'인 '뜨거운 감자'가 들어가는 것이 가

장 적절합니다.

오답 피하기 ① 이득이 될 수도 있고, 해가 될 수도 있음을 나타냅니다.
② 긍정적인 면과 부정적인 면을 나타냅니다.
③ 어떤 현상과 그 이면을 나타냅니다.
⑤ 많은 재난의 근원(알면 위험해질 수 있는 비밀)을 나타냅니다.

생각읽기

5 로봇의 노동에 세금을 매겨야 할까

0 로봇세 부과, 찬반   **1** ⑤   **2** ③   **3** ⑤
4 ①

Q 빌 게이츠가 로봇세로 거둔 재원을 어떻게 활용할 수 있다고 했나요?

로봇세로 거둔 재원을 고령자 직업 교육, 학교 확충 등의 복지에 활용할 수 있다고 했습니다.

이 글은 로봇이 인간의 노동을 대체하는 현대 사회에서 로봇세를 부과할 것인가에 관한 찬반 논쟁을 제시하고 있습니다. 로봇세로 거둔 재원을 통해 로봇 기술의 개발과 발전에 사용하고, 로봇의 노동으로 인해 일자리를 잃은 사람들을 위한 기본 소득을 보장할 수 있다고 주장하는 찬성 입장과, 로봇세를 부과하면 로봇 산업의 성장과 발전을 저해하며 진보하는 기술에 값을 매길 수 없다고 주장하는 반대 입장을 소개하고 있습니다. 아울러 로봇세 부과가 결정된다면 고려해야 할 부분(로봇세를 납부하는 주체)과 그에 따른 로봇세 납부 방법 등에 대해서도 제시하고 있습니다.

■ 문단으로 생각읽기

[도입 – 주장 – 반론 – 결론]의 생각 구조

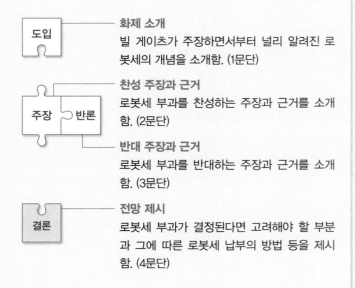

도입 ─ 화제 소개
빌 게이츠가 주장하면서부터 널리 알려진 로봇세의 개념을 소개함. (1문단)

주장 ─ 찬성 주장과 근거
로봇세 부과를 찬성하는 주장과 근거를 소개함. (2문단)

반론 ─ 반대 주장과 근거
로봇세 부과를 반대하는 주장과 근거를 소개함. (3문단)

결론 ─ 전망 제시
로봇세 부과가 결정된다면 고려해야 할 부분과 그에 따른 로봇세 납부의 방법 등을 제시함. (4문단)

0 이 글은 로봇이 인간의 일자리를 대체하는 현상이 대두되면서 논의되고 있는 로봇세 부과에 관한 논쟁, 즉 로봇세 부과를 찬성하는 입장과 반대하는 입장을 소개하고 있습니다.

출제 의도 글의 표제와 부제를 파악하는 문제는 글의 전체 내용은 물론 중심 내용을 이해하고 있는지를 확인하기 위해 출제합니다.

1 이 글은 로봇세 부과를 찬성하는 입장과 반대하는 입장을 소개한 뒤, 로봇세를 부과했을 때 고민해야 할 부분, 즉 부가적인 논의가 필요한 사항을 덧붙이고 있습니다. 따라서 이 글은 대립되는 관점을 소개하고 부가적인 논의가 필요한 사항을 덧붙이는 방식으로 논지를 전개하고 있습니다.

2 1문단에서 로봇세의 개념과 로봇세라는 말이 널리 알려지게 된 계기를 소개하고 있습니다. 그런데 왜 로봇세 부과에 관한 논쟁을 글의 화제로 선택하였는지는 밝히지 않으므로 로봇세 논쟁을 글의 화제로 택한 동기를 서두에 제시하였다면 글을 읽는 독자는 보다 흥미를 가지고 글을 읽게 될 것입니다.

오답 피하기 ① 로봇세를 부과하는 세금의 비율을 제시하는 것과 글의 초점과는 직접적인 관련이 없습니다.
② 로봇세가 무엇을 뜻하는지 그 개념은 1문단에 제시되어 있습니다.
④ 로봇세를 부여하는 과정에 대해 좀 더 상세한 정보를 제시한다고 해서 문제 해결적 글쓰기가 이루어지는 것은 아닙니다.
⑤ 로봇세 부과가 로봇의 소유주에게 어느 정도의 경제적 부담을 주는지에 대한 내용은 이 글의 주제와는 직접적인 관련이 없습니다.

3 3문단의 '진보하는 기술에 값을 매길 수 없다'는 것은 진보하는 기술은 함부로 그 값을 매길 수 없을 정도로 가치가 높다는 의미입니다. 따라서 반대 입장의 논거로 ⓒ는 적절하지 않습니다.

오답 피하기 ① 2문단에 따르면, 로봇세 부과를 찬성하는 입장에서는 로봇세로 거둔 재원을 통해 로봇으로 인해 일자리를 잃은 빈곤층에게 기본 소득을 제공할 수 있다고 주장하고 있습니다.
② 2문단에 따르면, 로봇세 부과를 찬성하는 입장에서는 로봇세를 통해 소득 불평등 문제, 자본 집중화 문제를 해소할 수 있다고 봅니다.
③ 3문단에 따르면, 로봇세 부과를 반대하는 입장에서는 세금 부담으로 인해 로봇 산업의 성장을 저해할 수 있음을 주장하고 있습니다.
④ 3문단에 따르면, 로봇세 부과를 반대하는 입장에서는 로봇의 노동으로 인해 산업 전반에 고용이 증가하여 새로운 일자리가 창출되므로 인간이 일자리를 잃을 염려가 없음을 주장하고 있습니다.

4 ㉠의 '살피다'는 '자세히 따지거나 헤아려 보다.'라는 의미로, 로봇이 창출하는 가치에 세금을 부과하는 방법을 자세히 따지거나 헤아려 본다는 말입니다. 따라서 ㉠은 '생각하고 헤아려 보다.'의 의미인 '고려하다'와 바꿔 쓸 수 있습니다.

② '음미하다'는 '어떤 사물 또는 개념의 속뜻을 새겨서 느끼거나 생각하다.'의 의미입니다.

③ '탐구하다'는 '필요한 것을 조사하여 찾아내거나 얻어 내다.'의 의미입니다.

④ '짐작하다'는 '사정이나 형편 따위를 어림잡아 헤아리다.'의 의미입니다.

⑤ '관찰하다'는 '사물이나 현상을 주의하여 자세히 살펴보다.'의 의미입니다.

6 선별적 복지 vs 보편적 복지

0 ④	1 ③	2 ④	3 ②

Q 선별적 복지론자와 보편적 복지론자가 공통적으로 동의하는 부분은 무엇인가요?

경제 성장을 저해하지 않으면서도 사회적 공공선을 실현해야 한다는 것에는 모두 동의합니다.

이 글은 사회 복지에 관한 두 가지 상반된 모델인 보편적 복지와 선별적 복지의 서로 다른 관점을 제시한 후, 선별적 복지론자들이 말하는 복지 지출 확대의 폐해와 보편적 복지론자들이 말하는 복지 지출 확대의 효과를 대조하여 제시하고 있습니다. 그리고 복지를 둘러싼 의견 차이와 대립은 보다 바람직한 복지 정책을 위한 고민과 노력이 되므로 그 사회를 발전시키는 밑거름이 된다며 보편적 복지와 선별적 복지에 대한 논쟁은 필요하다는 결론을 내리고 있습니다.

■ 문단으로 생각읽기

[도입 – 주장 – 반론 – 결론]의 생각 구조

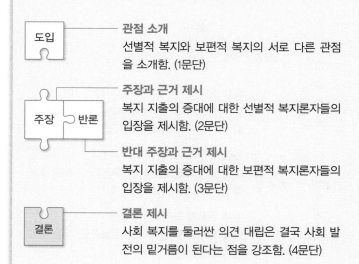

도입 — 관점 소개
선별적 복지와 보편적 복지의 서로 다른 관점을 소개함. (1문단)

주장 — 주장과 근거 제시
복지 지출의 증대에 대한 선별적 복지론자들의 입장을 제시함. (2문단)

반론 — 반대 주장과 근거 제시
복지 지출의 증대에 대한 보편적 복지론자들의 입장을 제시함. (3문단)

결론 — 결론 제시
사회 복지를 둘러싼 의견 대립은 결국 사회 발전의 밑거름이 된다는 점을 강조함. (4문단)

0 3문단에서 보편적 복지론자들은 '사회 복지 지출의 확대가 오히려 수익을 창출하고 재정 확보에도 도움을 준' 결과 '경제 성장에 도움을 주고 궁극적으로는 보편적 복지에 소요되는 재정을 다시금 안정적으로 확보하게 해 줄 것'이라고 주장하고 있습니다. 따라서 소영의 의견이 보편적 복지의 관점에서 〈보기〉의 주장에 대해 가장 적절하게 반론을 제기한 것이라고 볼 수 있습니다.

　출제 의도　 주어진 관점을 적용해 반론을 제기할 수 있는지 묻는 문제입니다. 우선 복지 제도에 관한 두 가지 관점을 비교한 뒤, 주장에 대한 반론의 내용이 적절한지 판단할 수 있어야 합니다.

1 이 글은 사회 복지에 대해 선별적 복지론자들과 보편적 복지론자들의 대립하는 견해를 소개하고 있으므로 ③이 가장 적절합니다.

2 〈보기〉로 보아, B국이 2000년 이후 꾸준히 보편적 복지를 위한 지출을 늘려 나갔고, 그 결과 2000년에 −5%였던 경제 성장률이 2010년에 2%로 높아졌습니다. 그러나 3문단에서 보편적 복지론자들은 사회 복지 지출의 확대가 복지의 적용 대상과 혜택을 늘리게 되고, 그 결과 '경제 주체들은 투자와 같은 위험 감수 행위로 인해 불리한 결과가 발생할 경우에 드는 비용을 줄일 수 있으므로 투자를 늘리게 될 것'이라고 주장하고 있으므로 경제 성장률이 높아진 까닭은 투자 금액을 줄였기 때문이 아니라, 오히려 투자를 늘렸기 때문이라고 보는 것이 적절합니다.

　오답 피하기　 ① 〈보기〉의 A국과 B국은 보편적 복지 지출을 늘려 나갔으므로 복지에 의존해 직업을 구하지 않는 사람들이 많아졌을 수 있습니다. 2문단에서는 '복지 지출이 확대될 경우 경제 주체들로 하여금 생산적 활동보다는 복지에 의존하게 되는 도덕적 해이를 불러올 수 있다.'라고 하였습니다.
② 〈보기〉의 A국과 B국은 보편적 복지 지출을 늘려 나갔으므로 늘어난 세금으로 인해 투자를 줄였을 수 있습니다. 2문단에서는 '확대된 복지 지출을 위한 초기 재원 확보를 위해서는 세금을 더 많이 거두어야 하는데, 이는 경제 주체들로 하여금 생산에 투자할 자본을 줄이게 만들어 생산 활동이 위축될 수도 있다'라고 하였습니다.
③ 〈보기〉의 A국과 B국은 보편적 복지 지출을 늘려 나갔으므로 경기 불확실성이 줄어들었을 수 있습니다. 3문단에서는 '사회 복지 지출이 클수록 경기 불확실성이 줄어듦에 따라 경기 변동으로 발생하는 손실을 미리 막을 수 있다'라고 하였습니다.
⑤ 〈보기〉의 A국과 B국은 보편적 복지 지출을 늘려 나갔으므로 직업 훈련, 구직 활동을 하는 사람이 많아졌을 수 있습니다. 3문단에서는 사회 복지 지출의 확대가 '실업 급여 등을 통해 실업자들에게 소득을 보장하고, 직업 훈련 기회 등을 더 많이 제공함으로써 노동 시장을 더욱 유연하게 만들 것'이라고 하였습니다.

3 1문단으로 보아, 선별적 복지론자들은 빈곤층을 중심으로 필요한 사람들에게만 더 뚜렷한 복지 정책을 펼칠 것을 주장하였으므로, 고소득층과 연계하여 사회 복지 정책을 논의한 ②는 적절하지 않습니다.

생각의 구조화 MIND MAP

생각읽기1 ⓒ	생각읽기2 ㉠	생각읽기3 ⓛ
생각읽기4 ⓒ	생각읽기5 ⓔ	생각읽기6 ⓔ
1 정당	2 딜레마	3 추상화
4 초상권	5 로봇세	4 보편적

04 효율

생각읽기 1 효율에 대한 동서양의 관점

| 0 ③ | 1 ⑤ | 2 ⑤ | 3 ③ | 4 ② |

Q 동양의 효율성에서 가장 강조되는 부분은 무엇인가요?

동양의 효율성은 상황의 흐름을 감지해 내고 그 흐름을 이용하는 것을 강조합니다.

이 글은 효율성의 의미를 밝힌 뒤 동서양의 문화에 따라 효율성의 개념에 차이가 있음을 제시하며, 각 문화에서의 효율성의 개념과 그 한계점을 구체적으로 설명하고 있습니다.

■ 문단으로 생각읽기

[도입 – 전개 – 전개 – 정리]의 생각 구조

도입 ── 화제 소개
효율성의 개념을 밝힌 뒤, 그 개념이 동서양 문화의 차이에 따라 달라짐을 제시함. (1문단)

전개 전개 ── 대상 설명 1
서양의 효율성 개념과 한계점을 설명함. (2문단)

── 대상 설명 2
동양의 효율성 개념을 설명함. (3문단)

정리 ── 비교 및 마무리
서양의 효율성 개념과 비교하여 동양의 효율성에도 한계점이 있음을 제시함. (4문단)

생각읽기가 수능이다

| 독해실전 | 1 ① |
| 수능실전 | 1 ② |

---

0 이 글은 효율성의 개념이 동서양의 문화에 따라 차이가 있음을 설명하고 있습니다.

출제 의도 글의 핵심 내용을 묻는 문제로 핵심 내용은 글에 언급된 내용 중에서 주제와 직접적인 관계가 있는 내용을 말합니다.

1 이 글은 서양과 동양의 효율성의 개념과 특징을 설명하고 각 개념이 지닌 한계점을 지적하고 있으나, 이에 대한 해결 방안은 제시하고 있지 않습니다.

오답 피하기 ① 1문단에서 효율성의 개념을 정의하면서 동서양의 문화에 따른 효율성의 개념 차이라는 화제를 제시하고 있습니다.
② 2문단에서 악기 연주 전에 악보를 보고 이론을 배우는 사례와 전쟁의 사례를 제시하고 있습니다.
③ 2문단에서는 독일의 전쟁 이론가인 클라우제비츠의 이론을 제시하여 글의 내용에 대한 신뢰도를 높이고 있습니다.
④ 3문단은 '동양으로 대표되는 중국에서의 효율성은 무엇일까?'라고 질문을 한 뒤, 이에 대한 답을 하는 방식으로 전개되고 있습니다.

2 서양에서는 효율성을 위한 계획에 변수가 생겼을 때 이를 해결할 수 있는 영웅과 같은 행동의 주체를 필요로 하지만, 동양에서는 행동의 주체가 상황에 개입하기 보다 주어진 상황의 흐름을 이용하는 것을 더 강조하고 있습니다.

오답 피하기 ① 서양의 효율성은 실현하고자 하는 대상을 관념적으로 구상한 뒤 그것을 의지와 행동을 통해 현실에서 구체화하는 전략을 따른다고 하였습니다.
② 동양의 효율성은 공론화 과정이 부재하여 상호 인정과 타협의 과정이 없다는 한계가 있다고 하였습니다.
③ 동양의 효율성은 상황의 흐름을 감지해 내고 그 흐름을 이용하는 능력과 관련된다고 하였습니다.
④ 서양의 효율성은 전쟁과 같이 변수가 많고 우연의 요소가 내포된 상황에서는 계획과는 별개로 모든 변수와 고난을 이겨 낼 영웅을 기대하거나 요구하게 된다는 한계가 있다고 하였습니다.

3 동양의 효율성은 행동의 주체가 아니라 상황을 만드는 것을 강조하므로, 〈보기〉에서 '환경'은 동양의 효율성에서 말하는 '상황'과 의미가 같습니다. 따라서 이와 같은 의미를 지니는 것은 ⓒ, ⓔ입니다. ⓐ, ⓑ, ⓓ은 서양의 효율성과 관련이 있습니다.

4 '임기응변'은 '그때그때 처한 사태에 맞추어 즉각 그 자리에서 결정하거나 처리함.'이라는 의미로 ⓐ와 가장 유사한 의미를 지닙니다.

오답 피하기 ① '견강부회'는 '이치에 맞지 않는 말을 억지로 끌어 붙여 자기에게 유리하게 함.'의 의미입니다.
③ '고장난명'은 '혼자서는 어떤 일을 이룰 수 없음.'의 의미입니다.
④ '궁여지책'은 '난처한 나머지 생각다 못해 짜낸 꾀'를 의미합니다.
⑤ '백척간두'는 '위태로움이 극도에 달함.'을 의미합니다.

생각읽기 2 자원을 효율적으로 배분하려면

0 ②	**1** ②	**2** ①	**3** ①	**4** ④

Q 경제적 효율성을 달성하기 위해 필요한 두 가지 조건은 무엇인가요?
기술적 효율성에 더해 사회적 필요를 최대한 충족시키도록 배분하는 것입니다.

이 글은 자원 배분의 효율성이 필요한 이유를 제시하며, 효율적 자원 배분을 설명하는 이론인 파레토 이론을 소개하고 있습니다. 그리고 파레토 우월과 파레토 최적이라는 개념을 예를 들어 설명하고 있으며, 자원 배분에서는 효율성뿐만 아니라 공평성도 고려되어야 함을 강조하고 있습니다.

■ 문단으로 생각읽기

[도입 – 전개 – 예시 – 정리]의 생각 구조

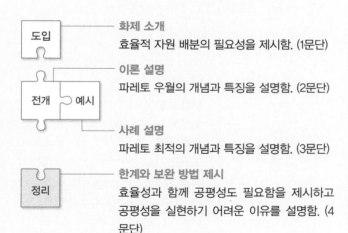

도입 — 화제 소개
효율적 자원 배분의 필요성을 제시함. (1문단)

전개 / 예시 — 이론 설명
파레토 우월의 개념과 특징을 설명함. (2문단)

— 사례 설명
파레토 최적의 개념과 특징을 설명함. (3문단)

정리 — 한계와 보완 방법 제시
효율성과 함께 공평성도 필요함을 제시하고 공평성을 실현하기 어려운 이유를 설명함. (4문단)

0 이 글은 효율적 자원 배분의 필요성을 제시한 뒤, 파레토 이론을 통해 자원 배분의 효율 상태를 설명하고 있습니다. 그리고 자원 배분 시 효율성만 강조하는 것에는 문제점이 있을 수 있음을 지적하며 공평성도 함께 고려되어야 함을 강조하고 있습니다.

출제 의도 제목을 찾는 문제로, 표제는 글의 핵심 화제를, 부제는 표제를 보충하는 역할을 합니다.

1 이 글은 파레토 이론에 대해 설명하고 있지만, 파레토 이론이 발전한 과정에 대해서는 언급하고 있지 않습니다.

오답 피하기 ① 2문단에서 파레토 우월의 개념과 그 특징을 설명하고 있습니다.
③ 4문단에서 파레토 이론에서 제시한 효율성 개념의 한계를 지적하고, 그 보완 방법으로 공평성을 제시하고 있습니다.
④ 3문단에서 영미와 철수의 상황을 예로 들어 파레토 최적의 개념을 설명하고 있습니다.
⑤ 1문단에서 경제생활에서 효율적인 자원 배분이 필요한 이유를 제시하고 있습니다.

2 3문단에 따르면 어떤 사람의 경제생활을 개선하려면 반드시 다른 어떤 사람의 생활을 악화시켜야 하는 상태가 효율 상태인데, 이렇게 더 이상 개선할 여지가 없는 배분을 파레토 최적이라고 하였습니다. 즉 파레토 최적은 자원 배분의 효율성만을 따지는 개념으로 공평성을 포함하는 개념이 아닙니다.

오답 피하기 ② 4문단을 통해 자원 배분 상태를 평가할 때 효율성뿐 아니라 공평성을 기준으로 평가할 수도 있음을 알 수 있습니다.
③ 2문단에서 파레토 우월은 자원 배분을 개선할 수 있다는 뜻으로, 이렇게 개선의 여지를 남겨 둔 실현 가능 배분이라면 자원을 효율적으로 이용한다고 말하기 어렵다고 하였습니다.
④ 1문단에서 경제적 효율성은 기술적 효율성에 더해 사회적 필요를 최대한 충족시키도록 배분하는 것이라고 하였습니다. 사회의 자원이 많이 제한되어 있을수록 사회적 필요를 충족시키도록 자원을 배분하기가 어려워지므로 사회가 달성할 수 있는 경제적 효율성의 수준이 제한된다고 할 수 있습니다.
⑤ 3문단을 보면 파레토 이론에서는 어떤 사람의 경제생활을 개선하려면 반드시 다른 어떤 사람의 생활을 악화시켜야 하는 상태를 효율 상태라고 보고, 더 이상 개선할 여지가 없는 자원 배분 상태를 효율 배분(최적 배분) 또는 파레토 최적(파레토 효율)이라고 한다고 하였습니다.

3 ㉠의 앞에서 영미가 사과와 커피를 모두 차지하는 배분도 효율 상태이고, 철수가 다 가지는 배분도 효율 상태라고 설명하고 있습니다. 이로 보아 효율 상태가 여러 개일 수 있다는 결론을 내릴 수 있습니다.

4 A 정책과 B 정책 모두 파레토 최적이라고 하였으므로 정책을 A에서 B로 바꾸어도 파레토 최적인 것에는 변함이 없습니다. 따라서 사회 전체적인 차원에서 자원 배분의 효율성은 그대로 유지된다고 할 수 있습니다.

오답 피하기 ① A와 B는 모두 파레토 최적이므로 더 이상 개선의 여지가 없는 상태입니다.

② '가'는 B 정책에서 4대의 자동차를 가지는 반면, A 정책에서는 6대의 자동차를 가지게 되었으므로 '가'는 B 정책보다 A 정책을 시행했을 때 더 많은 만족감을 얻게 될 것입니다.

③ A와 B는 모두 파레토 최적이므로 집단 전체적인 측면에서는 효율 상태를 실현한 것으로 볼 수 있습니다.

⑤ A와 B는 모두 최적의 자원 배분 상태를 실현한 것이지만, 만족감 면에서는 각 정책에서 '가'와 '나'가 서로 다른 만족감을 느끼게 되므로 분배 효과 면에서는 차이가 날 수 있습니다.

생각읽기 **3** 생체 컴퓨터를 만들다, DNA 컴퓨팅

0 ③	1 ④	2 ③	3 ⑤	4 ⑤

Q 일반 컴퓨터의 직렬 연산 방식에 대비되는 DNA 컴퓨팅의 장점은 무엇인가요?

DNA 컴퓨팅은 병렬 연산 방식을 통해 일반적인 컴퓨터에 비해 연산 속도를 높일 수 있습니다.

이 글은 DNA 컴퓨팅이 등장하게 된 배경을 제시하고, DNA 컴퓨팅의 원리와 장점을 설명하고 있습니다. 또한 일반 컴퓨터와의 차이점을 언급하며 DNA 컴퓨팅의 가치를 강조하고 앞으로 다양한 분야에 접목될 수 있다는 전망을 나타내고 있습니다.

■ **문단으로 생각읽기**

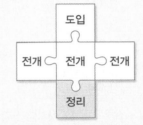

[도입 - 전개 - 전개 - 전개 - 정리]의 생각 구조

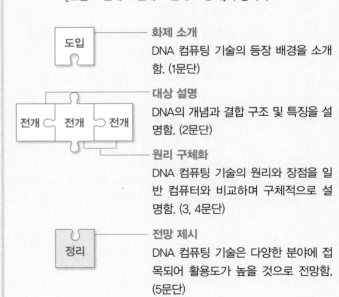

화제 소개
DNA 컴퓨팅 기술의 등장 배경을 소개함. (1문단)

대상 설명
DNA의 개념과 결합 구조 및 특징을 설명함. (2문단)

원리 구체화
DNA 컴퓨팅 기술의 원리와 장점을 일반 컴퓨터와 비교하며 구체적으로 설명함. (3, 4문단)

전망 제시
DNA 컴퓨팅 기술은 다양한 분야에 접목되어 활용도가 높을 것으로 전망함. (5문단)

0 (다)에서는 DNA 컴퓨팅 기술의 개념을 설명하면서, DNA의 염기쌍과 염기 서열의 개념이 컴퓨터의 이진법 및 정보의 저장 및 처리에 대응될 수 있다는 점을 중심으로 설명하고 있습니다. 따라서 이는 DNA와 일반 컴퓨터의 정보 처리의 차이점이 아니라, 공통점에 해당합니다.

<u>출제 의도</u> 글의 문단별 내용을 묻는 문제로 문단의 중심 내용은 각 문단에서 가장 강조하고 싶은 내용을 말합니다.

1 DNA 컴퓨팅은 연산 속도가 매우 **빠르며** 특히 정보량이 많을 경우 일반 컴퓨터보다 연산 속도가 **빠르지만**, 처리할 정보량이 많을수록 처리 속도가 **빨라진다**고 하지는 않았습니다.

2 DNA 컴퓨팅은 물리적 공간이 한정되는 반도체 칩 집적 기술이 지니는 한계를 극복할 수 있는 기술이므로 반도체 칩 집적 기술과는 다른 차원의 기술 발전으로 볼 수 있습니다.

<u>오답 피하기</u> ①, ② DNA 컴퓨팅은 반도체 칩 집적 기술의 한계를 극복하는 새로운 대안이므로, 반도체 칩 집적 기술을 향상시키거나 안정적으로 이어 가는 것과는 관련이 없습니다.
④ DNA 컴퓨팅에 대한 낙관적인 전망만 제시하고 있을 뿐, 위험성에 대한 우려는 제시하고 있지 않습니다.
⑤ 반도체 집적 기술은 물리적 공간이 한정된다는 한계가 있는데, 이를 극복하는 대안이 DNA 컴퓨팅이므로 DNA 컴퓨팅은 물리적 한계가 없다고 볼 수 있습니다.

3 DNA 컴퓨팅 기술은 연산의 속도를 높이고 대용량의 정보를 저장할 수 있는 것이 특징입니다. 따라서 정보량이 많은 경우 일반 컴퓨터보다 연산을 **빠르게** 처리할 수 있지만, 정보량이 많다고 연산의 정확성이 높아지는 것은 아닙니다.

<u>오답 피하기</u> ①, ④ DNA 컴퓨팅은 많은 수의 해를 유지하면서 연산자를 적용한 후 생성된 해 중에서 최종 조건을 만족하는 해를 발견하는 방법을 취합니다. 그러므로 여러 개의 해를 유지하면서 〈보기〉의 여러 경우의 수를 계산할 것이며 그 과정에서 생성된 해 중에서 조건에 맞는 최선의 해를 찾아 문제를 해결할 것입니다.
②, ③ 일반 컴퓨터는 한 번에 하나의 연산을 하는 데 비해 DNA 컴퓨팅은 병렬 연산을 통해 연산 속도를 높일 수 있으므로, 〈보기〉의 여러 경우의 수를 동시다발적으로 연산하여 계산 시간을 일반 컴퓨터보다 단축시킬 것입니다.

4 '비약적'은 '지위나 수준 따위가 갑자기 **빠른** 속도로 높아지거나 향상되는 것'을 뜻하므로 '변화나 발전의 속도가 급하게 이루어지는 것'을 뜻하는 '급진적'과 바꿔 쓸 수 있습니다.

<u>오답 피하기</u> ① '순차적'은 '순서를 따라 차례대로 하는 것'을 뜻합니다.
② '미온적'은 '태도가 미적지근한 것'을 뜻합니다.
③ '퇴보적'은 '정도나 수준이 이제까지의 상태보다 뒤떨어지거나 못하게 된 것'을 뜻합니다.
④ '단계적'은 '일의 차례를 따라 나아가는 것'을 뜻합니다.

생각읽기 **4 지레의 원리와 인체**

| **0** ① | **1** ① | **2** ④ | **3** ⑤ | **4** ② |

Q 지레의 3요소에는 무엇이 있나요?
받침점, 힘점, 작용점

이 글은 지레의 원리를 다양한 예를 들어 설명하고 있습니다. 먼저 지레의 3요소와 지레의 원리를 제시한 뒤, 지레의 종류를 세 가지로 구분하여 각각의 특징을 설명하고, 인체에서도 찾아볼 수 있는 지레의 원리를 종류별로 보여 주고 있습니다.

■ **문단으로 생각읽기**

[도입 - 전개 - 전개 - 정리]의 생각 구조

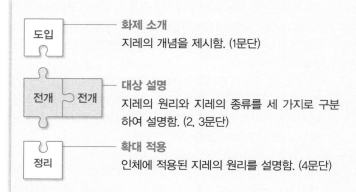

도입 —— **화제 소개**
지레의 개념을 제시함. (1문단)

전개 · 전개 —— **대상 설명**
지레의 원리와 지레의 종류를 세 가지로 구분하여 설명함. (2, 3문단)

정리 —— **확대 적용**
인체에 적용된 지레의 원리를 설명함. (4문단)

0 이 글에서 설명한 지레의 원리는 결국 작은 힘으로 큰 힘을 얻기 위한 것으로, 힘의 효율성을 높이기 위한 것으로 볼 수 있습니다.

출제 의도 글의 핵심 내용을 묻는 문제로 핵심 단어는 핵심 화제의 특징을 가장 잘 보여 줄 수 있어야 합니다.

1 3문단에서 1종 지레는 힘점과 작용점의 힘의 방향이 반대이지만, 2종 지레와 3종 지레는 힘점과 작용점의 힘의 방향이 일치한다고 하였습니다.

오답 피하기 ② 3종 지레는 1종과 2종 지레와 달리 받침점에서 힘점까지의 거리가 받침점에서 작용점까지의 거리보다 짧기 때문에 작은 힘을 가하여 큰 힘을 얻을 수 없지만, 힘점을 짧게 움직여서 작용점을 길게 움직일 수 있기 때문에 이동 거리 측면에서는 효율적이라고 하였습니다.
③ 힘점은 힘을 가하는 곳, 작용점은 힘이 작용하는 곳입니다. 이를 고개를 들어 올리는 경우에 적용하면, 목뼈를 받침점으로 하여 목뼈 뒤쪽의 근육에 힘을 주면 수축되면서 머리가 들어 올려지는 것이므로 목뼈 뒤쪽의 근육이 힘점, 머리는 작용점이라고 할 수 있습니다.
④ 1종과 2종 지레는 작은 힘을 가하여 큰 힘을 얻을 수 있는 데 반해, 3종 지레는 작은 힘을 가하여 큰 힘을 얻을 수 없다고 하였습니다. 이는 1종과 2종 지레는 힘점에 가하는 힘보다 작용점에 미치는 힘이 큰 것이며, 3종 지레는 힘점에 가하는 힘보다 작용점에 미치는 힘이 작은 것을 의미합니다.
⑤ 받침점과 작용점 사이의 거리보다 받침점과 힘점 사이의 거리가 길수록 작용점에 미치는 힘이 커진다고 하였으므로, 받침점과 작용점 사이의 거리가 받침점과 힘점 사이의 거리보다 짧을수록 힘의 효율이 높아진다고 볼 수 있습니다.

2 1문단에서는 지레의 원리가 아주 오래전부터 우리의 일상 생활에서 다양하게 적용되어 왔다고 언급하고 있지만 구체적인 정보는 제시하지 않았습니다. 따라서 지레 사용의 역사와 지레의 발전을 구체적으로 파악하고자 하는 질문은 이 글에 대한 심화 학습을 하기 위한 질문으로 적절합니다.

오답 피하기 ①, ② 3문단에서 받침점, 힘점, 작용점 중 가운데에 어떤 점이 놓이느냐에 따라 1종, 2종, 3종의 지레로 나뉜다고 하였으며, 그 차이점을 제시하고 있으므로 심화 학습을 위한 질문으로 적절하지 않습니다.
③ 3문단에서 받침점과 힘점 사이의 거리, 받침점과 작용점 사이의 거리에 따른 힘의 크기를 제시하며 지렛대, 병따개 등에서 어떤 지점에 힘을 주어야 효율을 높일 수 있는지를 설명하고 있으므로 심화 학습을 위한 질문으로는 적절하지 않습니다.
⑤ 2문단에 대저울, 병따개, 핀셋, 가위 등과 같은 도구뿐만 아니라 도르래나 자동차의 핸들 등과 같은 장치에도 지레의 원리가 적용되었다는 내용이 제시되어 있으므로 심화 학습을 위한 질문으로는 적절하지 않습니다.

3 (가)는 작용점과 힘점 사이에 받침점이 있는 1종 지레에, (나)는 받침점과 작용점 사이에 힘점이 있는 3종 지레에 해당하는 도구입니다. 3문단에서 1종 지레는 작은 힘을 가하여 큰 힘을 얻을 수 있는 데 반해, 3종 지레는 작은 힘을 가하여 큰 힘을 얻을 수는 없지만 짧은 거리를 움직여도 긴 거리를 움직일 수 있어 이동 거리 측면에서 효율적이라고 하였습니다. 따라서 3종 지레는 작은 힘을 들여 큰 힘을 얻고자 하는 목적보다 작은 거리의 움직임으로 긴 거리의 움직임을 얻고자 할 때 사용되는 도구입니다.

오답 피하기 ① (가)는 힘점과 작용점 사이에 받침점이 있으므로 1종 지레에 해당합니다.
② 받침점과 힘점의 거리가 길수록 힘의 효율이 높아지므로 손잡이 끝 쪽을 잡을수록 힘이 덜 들게 됩니다.
③ 젓가락을 받치고 있는 가장 윗부분이 받침점, 젓가락을 움직이는 손가락 부분이 힘점, 물건을 집는 젓가락 끝부분이 작용점에 해당합니다.
④ (나)는 3종 지레로 힘점과 작용점의 힘의 방향이 일치합니다.

4 물건을 손으로 들어 올릴 때는 팔을 사용하므로 3종 지레 원리가 적용됩니다. 3종 지레는 힘점을 짧게 움직여서 작용점을 길게 움직일 수 있는 것이므로, 힘점인 팔 근육이 움직인 거리보다 작용점인 손바닥이 움직인 거리가 더 깁니다.

오답 피하기 ① 팔은 3종 지레의 원리에 해당하므로 팔 근육과 손바닥 힘의 방향은 일치합니다.
③ 3종 지레는 힘점에 가하는 힘에 비해 작용점에 미치는 힘이 더 작습니다. 따라서 힘점인 팔 근육에 가하는 힘이 물건의 무게에 미치는 힘보다 클 것입니다.
④ 작용점인 손바닥이 움직이는 거리는 힘점인 팔 근육에 가해지는 힘과 관련되며, 받침점인 팔꿈치에 가해지는 힘의 크기와는 상관이 없습니다.
⑤ 팔 근육을 중심으로 팔꿈치가 수축되는 것이 아니라, 팔꿈치를 중심으로 팔 근육이 수축되어서 물건을 들어 올리게 되는 것입니다.

생각읽기 **5 셉테드와 안전한 지역 사회**

| **0** ① | **1** ③ | **2** ① | **3** ④ | **4** ⑤ |

Q 셉테드는 인간과 환경의 관계를 어떻게 보는 관점인가요?

셉테드는 환경이 인간의 행동과 태도에 영향을 미친다고 보는 관점입니다.

이 글은 디자인과 환경의 효과적인 활용을 통해 범죄를 예방하는 셉테드에 대해 설명하고 있습니다. 셉테드의 개념과 전략을 소개하고, 이 전략들이 집합 효율성과 연관이 있음을 밝히고 있습니다. 이러한 점에서 최근 논의되는 2세대 셉테드에서 강조되는 요소를 제시하며 여러 요소들이 종합적으로 작용해야 안전한 사회가 될 수 있음을 강조하고 있습니다.

■ **문단으로 생각읽기**

[도입 – 전개 – 전개 – 전개 – 정리]의 생각 구조

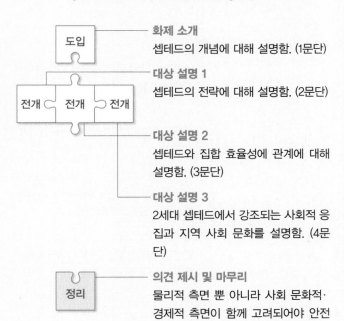

— **화제 소개**
셉테드의 개념에 대해 설명함. (1문단)

— **대상 설명 1**
셉테드의 전략에 대해 설명함. (2문단)

— **대상 설명 2**
셉테드와 집합 효율성에 관계에 대해 설명함. (3문단)

— **대상 설명 3**
2세대 셉테드에서 강조되는 사회적 응집과 지역 사회 문화를 설명함. (4문단)

— **의견 제시 및 마무리**
물리적 측면 뿐 아니라 사회 문화적·경제적 측면이 함께 고려되어야 안전한 사회를 만들 수 있음을 강조함. (5문단)

0 이 글은 셉테드의 개념과 전략을 제시하며 이것이 안전한 사회를 만드는 데 어떤 도움을 줄 수 있을지 설명하고 있습니다.

출제 의도 글쓴이의 논지를 묻는 문제로, 논지는 단순히 글에서 언급한 내용이 아니라 글의 주제 또는 글쓴이의 주장과도 같습니다.

1 이 글은 셉테드와 집합 효율성의 개념을 밝힌 뒤, 이러한 요소들이 안전한 사회를 조성하기 위해 어떤 역할을 하고 어떤 의미가 있는지에 대해 설명하고 있습니다.

2 3문단에서 집합 효율성이 높을수록 그 지역의 불리한 사회 경제적 여건이 범죄에 미치는 영향이 적어지는 효과가 있다고 하였으므로, 집합 효율성과 지역 사회의 범죄율은 비례 관계가 아니라 반비례 관계에 있다고 볼 수 있습니다.

오답 피하기 ② 3문단에 따르면 집합 효율성은 지역 주민들의 연대감과 지역 사회 문제에 대한 적극적 개입을 의미하는데, 집합 효율성이 높을수록 범죄 문제에 효과적으로 대응할 수 있다고 하면서 이와 관련하여 2세대 셉테드에서는 사회적 응집과 지역 사회 문화가 강조된다고 하였습니다. 따라서 2세대 셉테드에서는 집합 효율성을 높이기 위한 전략이 강조된다고 할 수 있습니다.

③ 1문단에서 셉테드는 단순히 물리적 환경이나 도시 설계만을 의미하는 것이 아니라 행동에 대한 인식, 사회 과학, 법 집행, 공동체 조직과 같은 포괄적인 개념들을 포함한다고 하였습니다.

④ 2문단에서 셉테드의 자연적 접근 통제와 자연적 감시는 범죄 예방을 위해 효과적인 영역감을 조성하는 데 기여하는 것으로 인식된다고 하였습니다.

⑤ 4문단에서 2세대 셉테드는 지역 주민들이 단순히 감시하는 역할만 하는 것이 아니라 함께 문제를 해결하고자 방법을 찾을 수 있는 관계를 만들어 가는 것을 강조한다고 하였습니다.

3 CCTV는 영역성을 보여 주기 위한 전략이 아니라 자연적 감시 전략에서 범죄 예방을 위해 함께 이용되는 것입니다.

오답 피하기 ① 후문을 폐쇄하고 사람들의 통행을 정문으로 유도한 것은 시설물을 적절히 배치하여 외부 사람들이 보호 공간으로 출입하는 것을 통제하는 자연적 접근 통제에 해당합니다. 이를 통해 범죄인이 범죄 목표물에 접근하는 것을 차단할 수 있습니다.

② 지역 사회 문화와 같은 공동의 문화가 생기면 지역 사회 공간에 대한 의식의 필요성을 인식하게 된다고 하였는데, 주민 자치 모임을 조직하여 운영하는 것이 그 예에 해당합니다.

③ 사회적 응집은 지역 주민들 간의 관계를 강화시키는 전략으로서 문제를 함께 해결하고자 하는 방법을 찾을 수 있는 관계를 만들어 가는 것이라고 하였는데, 주민들이 참여하는 이벤트가 그 예에 해당합니다.

⑤ 담장을 허문 것은 시설물에 대한 가시권을 확보하여 자연적 감시를 하기 위한 것으로, 이는 내부인과 외부인의 행동을 주변 사람들이 자연스럽게 관찰할 수 있게 하여 범죄가 발생할 수 있는 상황이

자연스럽게 노출되도록 한 것입니다.

4 ㉠의 '낮다'는 생활의 질이 일정 기준보다 못하다는 문맥에 사용되었으므로 '품위, 능력, 품질 따위가 바라는 기준보다 못하거나 보통 정도에 미치지 못하는 상태에 있다.'라는 의미를 지닙니다. 따라서 수업의 질이 낮다는 ⑤의 '낮다'와 문맥적 의미가 가장 가깝다고 할 수 있습니다.

오답 피하기 ① '아래에서 위까지의 높이가 기준이 되는 대상이나 보통 정도에 미치지 못하는 상태에 있다.'의 의미입니다.
② '지위나 계급 따위가 기준이 되는 대상이나 보통 정도에 미치지 못하는 상태에 있다.'의 의미입니다.
③ '높낮이로 잴 수 있는 수치나 정도가 기준이 되는 대상이나 보통 정도에 미치지 못하는 상태에 있다.'의 의미입니다.
④ '소리가 음계에서 아래쪽이거나 진동수가 작은 상태에 있다.'의 의미입니다.

0 ③	**1** ②	**2** ④	**3** ③	**4** ①

Q 열역학 제1법칙이 의미하는 것은 무엇인가요?

열이 역학적인 일과 등가성을 지닌다는 것과 에너지 보존 법칙을 의미합니다.

이 글은 열기관의 열효율에 관심을 갖게 된 배경을 소개하고 카르노의 연구 과정에서 열역학이 정립되었음을 밝힌 뒤 카르노 엔진의 열효율에 대해 설명하고 있습니다. 그리고 열역학 제1법칙과 제2법칙의 개념과 특징을 제시한 후, 열효율에서 상호 전환 방향에 관한 비대칭성이 있음을 주목함으로써 탄생한 엔트로피의 개념과 엔트로피 증가 법칙에 대해 설명하며 글을 마무리하고 있습니다.

■ **문단으로 생각읽기**

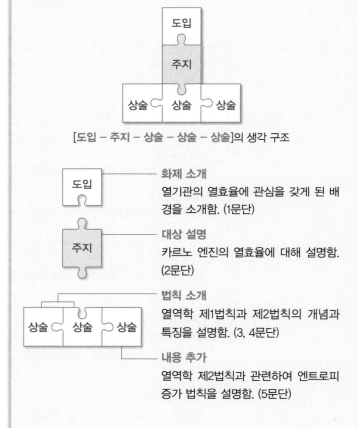

[도입 – 주지 – 상술 – 상술 – 상술]의 생각 구조

도입 ── **화제 소개**
열기관의 열효율에 관심을 갖게 된 배경을 소개함. (1문단)

주지 ── **대상 설명**
카르노 엔진의 열효율에 대해 설명함. (2문단)

상술 ── **법칙 소개**
열역학 제1법칙과 제2법칙의 개념과 특징을 설명함. (3, 4문단)

── **내용 추가**
열역학 제2법칙과 관련하여 엔트로피 증가 법칙을 설명함. (5문단)

0 이 글은 열기관의 열효율에 대한 화제로 시작하여 카르노의 열효율에 대한 이야기로 내용을 전개하다가 두 가지 열역학 법칙과 열역학 제2법칙과 관련된 엔트로피 증가의 법칙을 병렬적으로 제시하고 있습니다.

출제 의도 글의 구조도를 파악하는 문제로, 문단 간의 관계를 파악하는 것이 중요합니다.

1 (마)에서 자연은 무질서한 상태로 나아가려는 경향, 즉 엔트로피가 증가하는 경향을 보이며, 잉크가 물에 퍼진 후에 다시 모여드는 일은 일어나지 않는다고 하였습니다. 이는 자연 현상에서 저절로 엔트로피가 감소되는 일은 일어나지 않는다는 의미로 볼 수 있습니다.

오답 피하기 ① (가)에서 산업 혁명 시기에 증기 기관이 등장하면서 열이 일로 어떻게 바뀌는지 등에 관한 관심을 갖기 시작했다고 하였으므로, 열과 일의 상관관계를 밝히는 과정에서 산업 혁명이 유발되었다는 것은 적절하지 않습니다.
③ (다)에서 줄이 일과 열의 관계를 정량적으로 측정하기 위한 장치를 고안하였고 그 장치를 통해 수온이 올라간다는 사실을 알아냈다고 하였으므로, 에너지가 다른 형태로 변환되는 것을 정량적으로 측정하기 불가능하다는 것은 적절하지 않습니다.
④ (나)에서 열기관은 높은 온도의 열원에서 열을 흡수하고 열기관 외부에 열을 방출하며 일을 하는 기관으로 열을 일로 바꾸는 것이라고 하였으므로, 열기관이 일을 열로 변환하여 생성된 열을 외부로 방출한다는 것은 적절하지 않습니다.
⑤ (나)에서 카르노는 높은 온도의 열원에서 투입된 열량이 어떻게 역학적인 일로 바뀌고 낮은 온도의 열원으로 열량이 빠져나가는지를 연구했다고 하였으므로, 카르노가 열은 저온에서 고온으로도 흐를 수 있음을 입증했다는 것은 적절하지 않습니다.

2 ㉠, ㉢, ㉣은 모두 엔트로피의 증가를 의미하며, ㉡, ㉤은 규칙적인 상태를 의미합니다.

3 에너지 공급 없이 스스로 에너지를 창조한다는 것은 엔트로피 증가 법칙에 위배되는 것이 아니라, 에너지의 총량은 일정하게 보존된다는 에너지 보존 법칙에 위배되는 것입니다.

오답 피하기 ①, ② 에너지 보존 법칙에 따르면 에너지가 어디서 갑자기 생기는 것이 아니라 열과 일이 상호 전환될 때 열과 일의 에너지를 합한 양은 일정하게 보존되므로 공급한 에너지보다 더 많은 일을 할 수는 없습니다. 즉 공급된 에너지보다 더 많은 일을 할 수 없는 것입니다.
④ 열역학 제2법칙에 따르면 일이 열로 전환될 때와는 달리, 열기관에서 열 전부를 일로 전환할 수 없다는 상호 전환 방향에 관한 비대칭성이 있습니다.
⑤ 열역학 제2법칙에 따르면 열은 방향성이 있어 항상 온도가 높은 곳에서 낮은 곳으로 흐릅니다.

4 '주목'은 '관심을 가지고 주의 깊게 살핌.'의 의미입니다.

오답 피하기 ② '탐닉'의 의미입니다.
③ '감흥'의 의미입니다.
④ '몰두'의 의미입니다.
⑤ '강조'의 의미입니다.

생각의 구조화 MIND MAP		
생각읽기1 ㉠	생각읽기2 ㉣	생각읽기3 ㉢
생각읽기4 ㉠	생각읽기5 ㉤	생각읽기6 ㉡
1 효율성	2 파레토	3 DNA
4 인체	5 범죄	6 열역학

05 아이러니

생각읽기 1 아이러니란 무엇인가

0 ②	**1** ⑤	**2** ③	**3** ④	**4** ④

Q '아이러니'란 말의 어원과 유래에 담긴 의미는 무엇인가요?

아이러니는 원래 고대 그리스 연극에 자주 등장하는 '에이런'이라는 인물의 이름에서 유래된 말로, 주로 사람들의 의도·기대·예상 등에 반하는 말이나 상황, 또는 결과를 의미합니다.

이 글은 연극의 기법 중 하나인 아이러니의 개념과 유형을 밝히고, 아이러니 기법이 다양한 영역으로 확대 사용되면서 대중들에게 널리 알려지게 되었음을 설명하고 있습니다. 특히 중심 화제인 아이러니의 어원을 밝히고, 각 아이러니의 유형(언어적 아이러니, 상황적 아이러니, 극적 아이러니)을 사례를 들어 설명함으로써 독자의 이해를 돕고 있습니다.

■ 문단으로 생각읽기

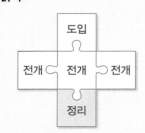

[도입 – 전개 – 전개 – 전개 – 정리]의 생각 구조

도입 ─ **화제 소개**
아이러니라는 말의 어원과 의미를 제시함. (1문단)

전개 ─ 전개 ─ 전개 ─ **대상 설명**
연극에서 사용하는 아이러니를 언어적·상황적·극적 아이러니로 구분하고, 각 아이러니의 개념과 예시 및 사용 효과를 설명함. (2~4문단)

정리 ─ **마무리**
아이러니 기법이 사용되었을 때의 관객의 반응과 다양한 영역으로 확대 사용되는 아이러니 기법의 활용 의도를 제시함. (5문단)

생각읽기가 수능이다

독해실전 1 ③
수능실전 1 ①

---

0 5문단의 '이를 통해 작가는 자신이 전하고자 하는 바를 보다 강렬하고 인상 깊게 전달할 수 있다.'를 통해 희곡의 작가가 아이러니 기법을 활용하는 이유를 확인할 수 있습니다. 여기서 '전하고자 하는 바를 보다 강렬하고 인상 깊게 전달'한다는 것은 독자에게 자신의 생각을 분명하고 효과적으로 전달한다는 것을 의미합니다.

출제 의도 글의 중심 화제와 관련된 문제는 글을 읽고 세부 내용을 정확히 파악할 수 있어야 합니다.

오답 피하기 ① 3문단에서 상황적 아이러니는 작가가 의도적으로 상황을 반전시킴으로써 관객에게 일종의 심리적 충격을 주는 기법이라고 하였습니다. 그러므로 관객에게 심리적 충격을 겪게 하려는 것은 상황적 아이러니에만 해당되며, 희곡에서 아이러니 기법을 활용하는 궁극적인 이유로 볼 수 없습니다.
③ 4문단에서 작가는 극적 아이러니를 사용하여 의도적으로 주인공이 상황을 제대로 파악하지 못하여 잘못된 행동을 하거나, 다가올 미래에 대해 엉뚱한 기대를 하도록 만든다고 하였습니다. 그러므로 작가가 극적 아이러니를 사용하면 주인공이 상황을 제대로 파악하지 못하여 관객들이 상황에 대해 부적절한 기대를 하게 되지만, 이를 희곡에서 아이러니 기법을 활용하는 궁극적인 이유로 볼 수 없습니다.
④ 5문단으로 보아, 작품에서 아이러니 기법을 사용하는 이유는 작가가 자신이 전하고자 하는 바를 보다 강렬하고 인상 깊게 전달하기 위해서이지, 관객들이 사건에 대해 정확하게 이해하도록 돕기 위한 것은 아닙니다.
⑤ 4문단에 따르면, 비극에서 극적 아이러니 기법이 사용되면, 관객은 높은 긴장감을 가지고 연극에 몰입하게 된다고 하였습니다. 이로 볼 때 아이러니 기법을 사용하는 것이 관객들로 하여금 연극에 몰입하게 만들기는 하지만, 비판적 인식을 가지도록 하기 위한 것은 아닙니다.

1 유사한 속성을 지닌 다른 대상에 빗대어 대상의 특성을 설명하는 방식은 비유로, 이 글에서는 비유의 방식을 사용하고 있지 않습니다.

오답 피하기 ① 1문단에서 아이러니의 어원과 그 변화 과정을 밝혀 독자의 배경지식을 확장하고 있습니다.
② 2문단에서 언어적 아이러니의 사례, 3문단에서 상황적 아이러니의 사례, 4문단에서 극적 아이러니의 사례를 제시하여 독자의 이해를 돕고 있습니다.
③ 2~4문단을 보면, 연극에 사용된 아이러니를 언어적 아이러니, 상황적 아이러니, 극적 아이러니로 구분하여 체계적으로 설명하고 있습니다.
④ 5문단에서는 연극에서 활용되던 아이러니 기법이 문학 작품 및 예술 작품의 창작 기법으로 확대되어 사용되고 있으며, 철학 분야와 드라마나 영화에서도 자주 활용되고 있음을 밝히고 있습니다.

2 언어적 아이러니는 화자가 말하고자 한 바와 반대로 표현하는 반어법으로, 발화 내용이 상황과 맥락에 비추어 보았을

때, 화자의 의도와 상반되는 표현 방식입니다. ③에서 시원한 아이스크림을 익혀서 먹을 수 없음에도 불구하고 이를 익혀서 먹는다고 한 것은 모순된 표현으로 역설법에 해당하며, 화자가 청자에게 웃음을 유발하기 위한 의도로 이러한 표현을 사용했다고 볼 수 있습니다.

오답 피하기 ① 화자는 자신에게 빈정대는 친구에게 좋은 감정을 가질 리 없고, 빈정대는 말이 곱게 들리지 않을 것입니다. 그럼에도 불구하고 반대로 표현하고 있으므로 언어적 아이러니에 해당합니다.
② 발화 상황이 사랑하는 사람과 이별하는 상황이므로, 슬픔의 감정을 느끼고 있다고 볼 수 있는데, 이러한 감정과 반대로 표현하고 있으므로 언어적 아이러니에 해당합니다.
④ 법은 일반적인 상식과 정의에 부합한다고 여겨지므로 상식에 어긋나는 판결을 보면 정의롭지 못하다고 생각하게 됩니다. 그런데 이러한 생각과 반대로 표현하고 있으므로 언어적 아이러니에 해당합니다.
⑤ 등교 시간에 지각한 상황인데 빨리 왔다고 반대로 표현하고 있으므로 언어적 아이러니에 해당합니다.

3 3문단으로 보아, ⓒ은 주인공(등장인물)과 관객 모두 앞으로 일어날 사건에 대해 특정한 기대나 예상을 하지만, 이후 기대 또는 예상과 반대 상황이 전개될 것임을 알 수 있습니다. 따라서 ⓒ이 사용되면 반대 상황이 나타나기 전까지 앞으로 전개될 상황에 대한 관객과 주인공(등장인물)의 예상은 일치할 수 있습니다. 그러나 ⓒ의 경우, 관객은 처음부터 주인공(특정 인물)만 모르는 사실을 알고 있기 때문에, 앞으로 전개될 상황에 대한 관객과 주인공의 예상이 서로 다릅니다.

오답 피하기 ① ⓒ과 ⓒ은 모두 상황과 관련되므로 ⓒ은 언어적인 표현인 '언어적 아이러니'에 해당하지 않습니다.
② 4문단의 '작가는 의도적으로 주인공이 상황을 제대로 파악하지 못하여 잘못된 행동을 하거나, 다가올 미래에 대해 엉뚱한 기대를 하도록 만든다.'를 통해 ⓒ에도 작가의 의도가 반영되어 있음을 알 수 있습니다.
③ 3문단의 '상황적 아이러니는 작가가 의도적으로 상황을 반전시킴으로써 관객에게 일종의 심리적인 충격을 주는 기법이다.'를 통해 극중 상황의 반전을 통해 심리적 충격을 유발하는 것은 ⓒ이 아니라 ⓒ임을 알 수 있습니다.
⑤ 운명에 도전하다가 비극적 결말을 맞이한다는 내용은 4문단에서 설명한 ⓒ의 사례에 해당합니다. 비극의 연극 기법으로 ⓒ이 사용될 수는 있지만, 운명에 도전하는 인물을 형상화한 비극의 연극 기법으로 주로 활용되는 것은 아닙니다.

4 〈보기〉의 소설에서 상황적 아이러니는 부부가 서로의 선물을 준비하고 확인하는 과정에서 발생합니다. 가난한 형편임에도 불구하고 남편이 자신의 금시계를 자랑으로 여겼다는

것은 아내가 자신의 머리를 잘라 판 돈으로 시곗줄을 사게 되는 그럴듯한 이유를 제공하기 위한 것일 뿐, 상황적 아이러니를 보여 주는 핵심 요소로 보기 어렵습니다.

오답 피하기 ① 〈보기〉의 소설에는 원래 연극에서 사용되던 아이러니 기법이 쓰였습니다.
② 〈보기〉의 소설에서 두 인물은 서로에게 줄 선물을 준비할 때까지 서로의 상황을 모르다가, 선물을 확인하는 장면에서야 기대와 반대된 상황을 확인하게 되는 '상황적 아이러니'를 겪게 됩니다.
③ 〈보기〉의 소설을 읽는 독자 입장에서는 남편이 아내에게 줄 선물을 준비할 때 이미 아내가 긴 머리를 잘랐다는 것을 알고 있습니다. 그러나 특정 인물인 남편은 이 사실을 모른 채 머리핀을 선물로 준비하였으므로, 이는 '극적 아이러니'의 요소가 활용된 것입니다.
⑤ 5문단에서 작가는 아이러니 기법을 사용하여 자신이 전하고자 하는 바를 강렬하고 인상 깊게 전달할 수 있다고 하였습니다. 〈보기〉에서 소설의 작가는 의도적으로 아이러니한 상황을 설정함으로써 독자들에게 '가난한 부부의 애틋한 사랑'이라는 주제를 강렬하고 인상 깊게 전달하고 있으므로 적절한 감상으로 볼 수 있습니다.

생각읽기 2 프랑스 혁명과 나폴레옹 전쟁

| **0** ⑤ | **1** ② | **2** ① | **3** ⑤ | **4** ③ |

Q 프랑스와 영국, 독일에서 민족주의가 확산된 계기가 무엇인가요?
프랑스에서는 프랑스 혁명전쟁으로 인해, 영국과 독일에서는 나폴레옹의 유럽 정복 전쟁으로 인해 민족주의가 확산되었습니다.

이 글은 오늘날 우리에게 보편적인 의식으로 자리 잡고 있는 '민족주의, 민족, 국가, 민족 국가'의 개념이 어떻게 형성되었고, 유럽에서 어떻게 확산되었는지를 역사적 사건의 전개 과정에 따라 설명하고 있습니다. 먼저 18세기의 '민족'과 '국가'의 개념이 오늘날과 다름을 설명한 후, 프랑스에서 민족주의가 어떻게 형성되고 발전했는지를 프랑스 혁명과 혁명전쟁을 중심으로 설명하고 있습니다. 그리고 나폴레옹의 유럽 정복 전쟁으로 인해 유럽 각국에 민족주의가 확산되었음을 구체적인 사례를 들어 상세히 설명하고 있습니다.

■ 문단으로 생각읽기

[도입 – 전개 – 과정 – 과정 – 정리]의 생각 구조

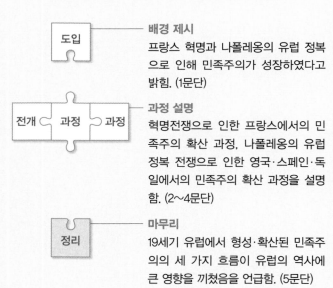

배경 제시
프랑스 혁명과 나폴레옹의 유럽 정복으로 인해 민족주의가 성장하였다고 밝힘. (1문단)

과정 설명
혁명전쟁으로 인한 프랑스에서의 민족주의 확산 과정, 나폴레옹의 유럽 정복 전쟁으로 인한 영국·스페인·독일에서의 민족주의 확산 과정을 설명함. (2~4문단)

마무리
19세기 유럽에서 형성·확산된 민족주의의 세 가지 흐름이 유럽의 역사에 큰 영향을 끼쳤음을 언급함. (5문단)

0 2문단에서 프랑스 혁명(1789년)으로 공화정이 수립되자, 혁명 사상이 자국으로 전파될 것을 두려워한 오스트리아와 프로이센이 프랑스를 공격함으로써 혁명전쟁(1792년)이 일어났다고 하였습니다. 따라서 여전히 왕정 체제를 유지하고 있던 주변국들이 프랑스 혁명 사상이 자국으로 전파될 것을 두려워하여 혁명전쟁이 일어났다고 보는 것이 적절합니다.

출제 의도 프랑스 혁명 이후에 혁명전쟁이 일어난 이유를 묻고 있습니다. 결국 글의 내용을 정확하게 이해하고 있는지를 확인하기 위한 문제입니다.

오답 피하기 ① 이 글에서는 프랑스 혁명 이전의 프랑스와 주변국과의 전쟁에 대해서는 언급하지 않았으며, 이는 혁명전쟁이 일어난 원인과도 관련이 없습니다.
② 2문단으로 보아, 혁명전쟁은 프랑스가 먼저 주변국들을 공격한 것이 아니라 오스트리아와 프로이센이 먼저 프랑스를 공격한 것입니다.
③ 이 글에서 공화정 수립의 도덕적 정당성에 대한 주변국들의 판단은 제시되어 있지 않습니다.
④ 3문단에서 혁명전쟁을 승리로 이끌면서 대중적 인기와 명성을 얻은 나폴레옹은 권력을 잡고 난 뒤 유럽 각국을 정복해 나갔다고 하였습니다. 따라서 나폴레옹의 등장은 혁명전쟁이 일어난 이후의 사건입니다.

1 1문단에서 프랑스 혁명이 일어난 1789년만 하더라도 프랑스 사람들에게는 아직 민족 개념이 자리 잡지 못했다고 하였습니다. 이로 볼 때 프랑스 혁명 당시에 대다수의 프랑스 사람들이 민족주의 의식을 가지고 있었다고 이해하는 것은 적절하지 않습니다.

오답 피하기 ① 1문단을 통해 루소를 비롯한 계몽사상가들은 국가를 형성한다는 것이 곧 민족을 형성하는 것이라고 생각했음을 알 수 있습니다.
③ 4문단으로 보아, 나폴레옹의 정복 전쟁 당시 독일은 수십 개의 나라로 분열되어 있었는데, 이 시기에 피히테, 슈타인 같은 지식인들이 앞장서서 독일인들에게 민족적 각성을 촉구했고, 이때 싹트기 시작한 민족주의는 독일이 통일을 이루고 독일 제국을 탄생시키는 밑거름이 되었습니다.
④ 5문단에 따르면 19세기 유럽에서 형성된 민족주의의 확산으로 헝가리·오스트리아 제국, 러시아, 오스만 튀르크와 같이 다민족 국가에서는 소수 민족들의 분리 독립운동이 일어났다고 하였습니다.
⑤ 5문단에 따르면 19세기 유럽에서 형성된 민족주의의 확산으로 독일이나 이탈리아처럼 분열되어 있던 나라들이 하나로 통일하여 단일한 민족 국가를 형성하게 되었다고 하였습니다. 그러므로 19세기 이전 이탈리아 지역은 통일된 국가가 존재하지 않은 채 분열되어 있었음을 알 수 있습니다.

2 〈보기〉는 프랑스의 국가(國歌)인 '라 마르세예즈'에 담긴 가치와 가사 내용을 제시하고 있는데, 이는 2문단에서 설명한

프랑스의 민족주의 확산 과정과 관련됩니다. '라 마르세예 즈'는 프랑스 혁명전쟁에 참여하기 위해 파리에 입성한 의 용군들이 부른 노래로, 프랑스인들의 민족주의 의식을 보여 주고 있습니다. 따라서 이 노래에 외부 세력인 프로이센에 맞서는 프랑스인들의 공동체적 의식, 즉 민족주의가 반영되 었다고 이해하는 것은 적절합니다.

오답 피하기 ②, ⑤ '라 마르세예즈'는 혁명전쟁에 참여하기 위해 파 리에 입성한 의용군들이 부른 노래로, 민족적 각성을 촉구하는 지식 인들의 노력을 보여 주는 것도, 프랑스 혁명 정부가 창작한 것도 아 닙니다.
③ '라 마르세예즈'의 가사에는 자유, 평등, 박애의 가치가 담겨 있는 데, 이는 프랑스 혁명을 통해 추구하고자 했던 프랑스의 새로운 가 치에 해당합니다.
④ '라 마르세예즈'의 가사는 프로이센군과 같은 외부 세력에 단호히 맞서겠다는 내용을 담고 있을 뿐, 프로이센군을 격파한 기쁨을 담고 있지는 않습니다.

3 글쓴이는 ㉠과 같이 18세기 말부터 19세기까지 유럽에서 민 족주의가 확산된 과정은 '아이러니하다'고 평가하고 있습니 다. 2문단에서 대다수 프랑스 사람들에게 민족주의가 확산 된 것은 외국 군대의 침략 때문이었다고 했습니다. 그리고 3, 4문단에서는 영국, 스페인, 독일을 예로 들어 다른 유럽 국가에 민족주의가 확산된 것은 오히려 나폴레옹, 즉 프랑 스의 유럽 정복 전쟁으로 인한 것이었음을 설명했습니다. 이러한 모순적인 상황을 글쓴이는 아이러니하다고 평가한 것입니다.

오답 피하기 ① 민족과 국가가 서로 다른 것이라는 의식은 후대에 생 긴 것입니다. 18세기의 유럽 사람들에게는 민족 개념이 없었고 국가 를 형성한다는 것은 곧 민족을 형성한다는 것과 같은 의미로 사용하 여 민족과 국가를 구분 짓지 않았습니다. 이로 인해 민족과 국가를 동일시하는 민족 국가의 개념이 형성되었으므로 ㉠의 이유로 볼 수 없습니다.
② 5문단에서 제시한, 19세기 유럽에서 형성·확산된 민족주의의 세 가지 흐름은 ㉠의 이유와 관련이 없습니다.
③ ㉠은 유럽에서 민족주의가 확산된 과정에 대한 글쓴이의 평가이므 로, 민족주의의 형성에 대한 진술은 ㉠의 평가와 관련이 없습니다.
④ 2, 3문단으로 보아, 유럽 사람들은 19세기 이전인 18세기 말부터 외국 군대의 침략으로 인해 민족주의 의식을 가지게 되었습니다. 19 세기를 전후하여 유럽 사람들이 민족주의 의식을 가지게 된 것은 ㉠ 의 평가와 관련이 없습니다.

4 〈보기〉의 고야의 그림은 스페인을 점령하고 이에 반발하는 스페인 시민들을 학살한 프랑스군의 만행을 고발하는 작품 입니다. 따라서 이 그림을 본 스페인 사람들은 외세인 프랑 스군에 대한 저항 의식이 높아지는 동시에, 민족주의 의식

이 고양되었을 것입니다. 이는 3문단에서 프랑스군에 점령 당한 스페인의 민중 봉기가 수도 마드리드에서 일어났는데, 프랑스군이 마드리드 시민들을 잔혹하게 진압하여 프랑스 군에 대한 스페인 민중의 저항이 스페인 전역으로 확산되었 다고 한 데서 확인할 수 있습니다.

오답 피하기 ① 3문단에서 프랑스군이 마드리드 시민들을 잔혹하게 진압하여 프랑스군에 대한 스페인 민중의 저항이 스페인 전역으로 확산되었다고 하였습니다. 그러므로 〈보기〉의 고야의 그림은 프랑스 군에 대한 공포심을 가지게 한 것이 아니라, 저항심을 가지게 하였 을 것입니다.
② 〈보기〉의 고야의 그림은 다른 유럽 국가의 지배층들이 프랑스 혁 명 정신을 수용하게 만든 것과는 관련이 없습니다.
④ 〈보기〉의 고야의 그림은 스페인 사람들의 저항을 무자비하게 진 압하는 프랑스군의 만행을 고발한 것으로, 프랑스인에게는 반성적 사고를 유도했다고 보는 것이 적절하며, 제국주의 의식과는 관련이 없습니다.
⑤ 3문단에서 스페인을 포함하여 나폴레옹의 유럽 정복 전쟁으로 인해 점령당했던 지역은 나폴레옹의 몰락 이후 프랑스의 지배에서 벗어났다고 하였으므로 〈보기〉의 고야의 그림으로 인해 프랑스 사 람들이 성찰하여 자발적으로 스페인에서 물러났다고 보는 것은 적 절하지 않습니다.

3 몸을 방어하는 세포가 몸을 공격해?

0 ①	1 ②	2 ⑤	3 ②	4 ③

Q '자가 면역 질환'이란 무엇인가요?

면역 세포가 우리 몸의 정상적인 세포를 항원으로 오해하고 공격하여 생기는 병을 자가 면역 질환이라고 합니다.

이 글은 의학이 발달했음에도 불구하고 그 원인을 파악하지 못하여 해결하지 못한 난제인 '자가 면역 질환'이 무엇인지를 설명하고 있습니다. 이 글에서는 자가 면역 질환의 개념을 정확하게 전달하기 위해서 먼저, 외부에서 침입한 항원을 제거하는 면역 반응에 대해 상세하게 설명하고 있습니다. 그리고 면역 반응을 시기에 따라 구분하고, 각 과정에 관여하는 면역 세포는 무엇인지, 어떤 작용들을 하는지 설명하고 있습니다. 이를 바탕으로 자가 면역 질환의 개념을 제시하고, 이에 대한 현재의 치료법과 한계를 설명하면서 글을 마무리하고 있습니다.

■ 문단으로 생각읽기

[도입 – 전개 – 전개 – 정리]의 생각 구조

도입 —— **화제 소개**
자국의 군대가 자국민을 공격한다면 어떻게 될지에 대해 질문을 던지며 자가 면역 질환의 개념을 제시함. (1문단)

전개 전개 —— **과정 설명**
면역 반응을 선천 면역과 후천 면역으로 나눈 뒤, 선천 면역 과정과 후천 면역 과정을 설명함. (2, 3문단)

정리 —— **마무리**
자가 면역 질환의 개념과 원인, 대표적인 사례를 제시하고, 의학계에서 몸을 지키기 위한 면역 체계가 정상 세포를 파괴하는 문제에 대한 원인을 찾으려 노력 중임을 밝힘. (4문단)

0 4문단에서 '자가 면역 질환'을 면역 세포가 우리 몸의 정상적인 세포를 항원으로 오해하고 공격하여 생기는 병이라고 정의하였습니다. 2문단에 따르면, 여기서 '항원'은 '병원균이나 바이러스, 이물질' 등을 의미합니다.

출제 의도 글의 중심 화제인 '자가 면역 질환'에 대해 묻는 문제로, 글의 핵심 내용을 파악할 수 있어야 합니다.

오답 피하기 ②, ③ 자가 면역 질환은 면역 세포가 정상 세포를 공격하는 것이지, 정상 세포가 면역 세포를 공격하거나 우리 몸이 면역 세포와 정상 세포를 구분하지 못하여 생기는 것이 아닙니다.
④ 면역 세포가 죽은 세포를 제거하는지에 대한 언급은 이 글에 제시되어 있지 않고, 자가 면역 질환과도 관련이 없습니다.
⑤ 항체를 형성하는 것은 정상 세포가 아니라 면역 세포이고, 항원은 우리 몸이 스스로 만들지 않는 물질입니다.

1 ㉠은 자가 면역 질환에 대한 치료가 증상을 완화하거나 질병이 발생한 인체 기관의 기능을 보존하는 방식으로 이루어질 뿐, 근본적인 치료 방법이 없다는 평가 내용에 해당합니다. 어떤 질병을 치료하기 위해서는 그 질병을 일으키는 근본 원인을 파악하여 그 원인을 제거하는 치료 방법을 찾아야 하는데, 4문단을 통해 알 수 있듯이 자가 면역 질환을 일으키는 원인은 정확하게 밝혀지지 않았습니다. 따라서 ㉠과 같이 평가할 수 있는 이유로 ②가 가장 적절합니다.

오답 피하기 ① 자가 면역 질환은 면역 기능이 활성화되지 않기 때문에 생기는 것이 아니라, 면역 기능이 잘못 작동하여 생기는 것입니다.
③ 4문단으로 보아, 유전적 요인은 현재까지 일부 연구에서 자가 면역 질환을 일으키는 원인으로 추정하는 것일 뿐이므로, ㉠의 이유로 단정 짓는 것은 적절하지 않습니다.
④ 질병이 발생한 인체 기관의 기능을 보존하는 방식은 이미 자가 면역 질환의 치료에 사용되고 있는 방법인데, 근본적인 치료 방법으로 볼 수 없습니다.
⑤ 4문단에서 자가 면역 질환의 대표적인 질병의 예로 든 류마티스 관절염은 염증이 관절뿐만 아니라 몸 전체로 퍼져 큰 문제를 일으킵니다. 그러나 자가 면역 질환이 처음 발생한 부위에서 다른 부위로 더 잘 퍼진다는 것은 이 글을 통해서는 알 수 없고, 설령 그렇다고 하더라도 이는 ㉠의 이유로 적절하지 않습니다.

2 3문단으로 보아, 항원이 침투한 지 3~7일 동안 문제가 해결되지 않으면 T세포와 B세포가 우리 몸을 방어하는데, B세포는 식균 작용을 하여 항원을 없애는 한편, T세포의 지시에 따라 항체를 만든다는 것을 알 수 있습니다. 항원에 달라붙어 다른 면역 세포들의 식균 작용을 돕고, 항원의 독성을 줄이는 것은 B세포가 아니라 항체가 하는 일입니다.

오답 피하기 ① 2문단에서 항원이 체내에 침투하면 대식 세포가 이를 알아차리고 항원을 잡아먹어 없애는 식균 작용을 합니다. 이때 항원의 일부 조각을 자신의 세포 표면에 매달아 두어 면역 세포들이 해당 부위에 도착했을 때 항원을 알아보게 하는 '항원 제시' 기능을 하며, 케모카인이라는 물질을 분비하여 자신을 도와줄 다른 세포들에게도 이 사실을 알린다고 하였습니다.

② ㉯는 NK세포가 활성화되기 이전 단계로, 이때에는 대식 세포와 호중성 백혈구가 항원으로 몰려들어 항원을 잡아먹어 없애는 식균 작용을 합니다.

③ ㉰는 NK세포가 활성화된 단계로, 강력한 면역 세포인 NK세포는 항원은 물론 항원에 감염된 우리 몸의 세포까지 죽여 없앱니다. 3문단으로 보아, T세포도 항원에 감염된 세포를 죽여 항원이 살 수 있는 환경을 제거합니다. 따라서 NK세포 역시 감염된 세포를 제거함으로써 항원이 살 수 있는 환경을 제거한다고 짐작할 수 있습니다.

④ 3문단으로 보아, 항원이 침투한 지 3~7일 동안 문제가 해결되지 않으면 T세포와 B세포가 더욱 체계적으로 우리 몸을 방어하는 후천 면역 과정이 시작되고, T세포는 대식 세포에서 얻은 정보를 분석하여 면역 반응을 지휘한다고 하였습니다.

3 4문단으로 보아, '자가 면역 질환'은 우리 몸의 정상적인 세포를 항원으로 오해하고 공격하여 생기는 비정상적인 면역 반응임을 알 수 있습니다. 그리고 〈보기〉의 '응집 반응'은 적혈구의 A형 표지 또는 B형 표지를 항원으로 여길 경우에 발생하는데, '응집 반응'이 일어나는 경우는 우리 몸이 스스로 만들지 않은 물질, 즉 항원을 인식하여 일어나는 정상적인 면역 반응에 해당합니다.

오답 피하기 ① '응집 반응'과 '자가 면역 질환' 모두 항체가 형성되어 일어나는 반응입니다.

③ 3문단에서 항체는 항원에 달라붙어 면역 세포들의 식균 작용을 돕고, 항원의 세포벽에 구멍을 내어 항원을 직접 죽이기도 한다는 것으로 보아, 〈보기〉에서 설명한 응집 반응이 일어날 때 항체는 다른 표지를 가진 적혈구를 공격하기도 한다고 판단할 수 있습니다. 그러나 4문단에서 적혈구도 자가 면역 질환의 증상이 나타나는 곳이라고 했으므로, '자가 면역 질환'에서는 적혈구도 공격 대상이 될 수 있습니다.

④ 항체는 항원을 붙잡아 두고 공격하는 역할을 하지만, 항원을 인식하는 것은 2문단의 대식 세포가 하는 역할이므로 적절하지 않습니다.

⑤ '자가 면역 질환'은 정상적인 세포를 항원으로 오해하여 발생하지만, '응집 반응'은 외부의 혈액 속 적혈구의 표지를 항원으로 여길 때 발생하는 것이므로 항원이 아닌 물질을 항원으로 오해하는 것이 아닙니다.

4 문맥상 ⓒ에서의 '이 사실'은 '항원이 체내에 침투했다는 사실'을 의미합니다. 따라서 ⑤은 문맥상 ⓒ와 바꾸어 쓸 수 없습니다.

오답 피하기 ① ⓐ의 '이런 일'은 '내 몸을 지켜 주는 면역 세포가 우리 몸의 정상 세포를 공격하는 것'을 말합니다.

② ⓑ의 '이'는 바로 앞에서 이야기한 대상을 가리키는 지시 대명사

로, '항원이 체내에 침투하는 것'을 말합니다.

④ ⓓ의 '이러한 과정'은 앞부분에서 설명한, '후천 면역 과정'이 시작되어 항원에 감염된 세포를 죽이는 T세포와 식균 작용뿐 아니라 항체를 만드는 B세포가 항원을 없애는 과정을 말합니다.

⑤ ⓔ의 '비정상적인 면역 반응'은 앞부분에서 설명한, 면역 세포가 우리 몸의 정상적인 세포를 항원으로 오해하고 공격하여 생기는 병인 '자가 면역 질환'을 말합니다.

생각읽기 4 유럽 경제 통합의 의도와 결과

0 ②	1 ①, ④	2 ④	3 ③	4 ③

Q 환율은 제도에 따라 어떻게 결정되나요?

고정 환율제에서는 정부가 환율을 정하지만, 변동 환율제에서는 외환 시장에서의 수요와 공급에 따라 환율이 결정됩니다.

이 글은 단일 화폐인 유로화의 사용과 단일 환율의 적용을 중심으로 최근 유럽 경제가 불황을 겪는 원인을 설명하고 있습니다. 유럽 각국이 단일 화폐인 유로화를 사용하고, 단일 환율을 적용하게 된 배경을 설명하고 급격한 환율의 변동이 물가와 경제에 어떤 영향을 끼치는지 사례를 들고 있습니다. 유로화의 사용과 단일 환율 적용으로 유럽의 경제가 통합되었고, 이로 인한 문제점을 실질적 환율의 차이를 중심으로 예를 들어 설명하고 있습니다.

■ 문단으로 생각읽기

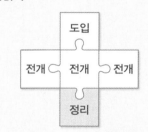

[도입 – 전개 – 전개 – 전개 – 정리]의 생각 구조

도입 — **배경 제시**
미국과 서유럽 국가들의 경제 발전의 요인을 제시함. (1문단)

전개 전개 전개 — **문제점 제시**
미국의 변동 환율제로 서유럽 국가에 미친 환율 변동 문제를 제시함. (2문단)

대안(결과) 제시
문제에 대한 대응으로 환율 안정을 위해 단일 화폐인 유로화의 사용과 단일 환율이 적용되었음을 밝힘. (3문단)

부작용 제시
단일 화폐와 단일 환율 적용으로 인한 부작용을 제시함. (4문단)

정리 — **마무리**
유로화의 사용과 단일 환율의 적용이 오히려 유럽 경제에 더 큰 문제를 가져왔음을 밝힘. (5문단)

---

0 이 글은 유로화의 사용 및 단일 환율 적용이 최근 유럽의 경제 위기(특정 현상)가 발생하게 된 원인 중 하나라고 분석하고 있습니다. 이는 우리와 관련된 유럽(세계)의 경제적 상황에 대한 이해도를 높일 수 있으므로 세계에 대한 이해도를 높이고자 하는 독서 목적에 부합하는 글이라고 할 수 있습니다.

출제 의도 독서 목적에 부합하는 독자를 찾을 수 있는지를 확인하는 문제입니다. 이를 위해서는 글의 중심 의도를 정확하게 파악할 수 있어야 합니다.

오답 피하기 ① 이 글에는 특정 현상에 대한 찬반 입장이 소개되어 있지 않습니다.

③ 이 글을 경제 문제에 대한 정보를 얻기 위한 목적을 가진 독자에게 추천할 수는 있으나, 특정 현상에 대한 평가를 비교하고 있지는 않습니다.

④ 이 글에서 유로존 형성의 역사를 제시하고 있지만, 역사적 사실에 대한 판단 기준을 얻기 위한 목적으로 읽기에는 부적절하며, 더구나 특정 현상으로 인한 결과를 분류하고 있지도 않습니다.

⑤ 이 글은 자신만의 철학적 견해를 형성하기 위한 목적으로 읽기에는 부적절하며, 전문가의 견해를 제시하고 있지 않습니다.

1 1문단에서 1970년대 이전에 서유럽 국가들이 경제 발전을 이룬 이유로, '냉전 체제 속에서 서유럽 국가들과 미국은 경제적으로 긴밀히 협조하면서 경제 발전을 이루었다'는 것 (①)과 '미국과 서유럽 국가들의 경우 모두 고정 환율제를 시행한 탓에 환율과 물가가 안정되었던 것'(④)을 제시하고 있습니다.

오답 피하기 ② 2문단에서 1971년에 미국이 자국의 재정 적자와 무역 적자 문제를 해소하기 위해 변동 환율제를 시행하였고, 이로 인해 미국과 경제 교류가 많았던 서유럽 국가의 환율이 요동치게 되었다고 하였습니다.

③ 1문단에서 무역을 할 때 두 나라의 화폐 가치가 다르므로 그 교환 비율을 정하는데, 이 교환 비율을 '환율'이라고 하였습니다. 따라서 각국의 화폐 가치가 다른 것은 환율이라는 개념이 발생하게 된 원인일 뿐, 1970년대 이전 서유럽 국가들의 경제 발전 이유와는 관련이 없습니다.

⑤ 2문단으로 보아, 서유럽 국가들이 환율을 자주 바꾼 까닭은 미국의 변동 환율제 시행으로 인해 바뀐 상황에 대처하기 위해서입니다.

2 [A]를 참고할 때, 환율이 상승할 경우 외국 화폐에 대한 자국 화폐의 가치가 하락하게 되어 수입 물품 가격이 상승하게 되고, 결국 물가가 상승하는 것을 알 수 있습니다. 〈보기〉의 상황에 이를 적용해 보면, ㉮에 '상승'이 들어간다면 ㉯에는 '하락', ㉰에는 '상승', ㉱에는 '상승'이 들어가야 합니다. 반대로 ㉮에 '하락'이 들어간다면 ㉯에는 '상승', ㉰에는

'하락', ㉰에는 '하락'이 각각 들어가야 합니다. 따라서 이를 만족하는 것은 ④입니다.

3 2, 3문단을 종합해 보면, ㉠은 미국의 갑작스러운 변동 환율제 시행으로 인한 환율 변동 문제에 대처하기 위한 제도인데 비해, ㉡은 서로 다른 유럽 각국의 화폐를 통일하고, 환율을 동일하게 적용하는 계획임을 알 수 있습니다. 여기에서 같은 화폐를 사용한다는 것은 유럽 각국의 경제적인 통합 수준이 높아진 것을 의미합니다. 따라서 ㉠에 비해 ㉡의 서로 다른 국가들의 경제적인 통합 수준이 더 높다고 할수 있습니다.

오답 피하기 ① ㉠은 미국의 갑작스러운 변동 환율제 시행으로 인한 유럽 각국의 환율 변동 문제에 대처하기 위한 제도로 소련의 위협과 관련이 없습니다.
② 3문단에서 ㉡은 변동 환율제를 유지한다고 했습니다.
④ 3문단에서 ㉠을 시행하던 유럽 각국이 환율 변동에 더 효과적으로 대처하기 위해 ㉡을 추진했다고 했습니다.
⑤ 4, 5문단에서 ㉡이 추진한 단일 화폐(유로화)의 사용과 단일 환율 적용이 유럽 경제가 어려워진 원인 중 하나라고 하였으므로 ㉡은 최근 유럽 경제가 어려워지게 된 요인이라고 할 수 있지만, ㉠은 ㉡이 시행되기 이전의 제도이므로 유럽 경제가 어려워지게 된 요인과는 관련이 없습니다.

4 4문단에서 ㉢이 시행되기 전 유로존의 국가들 중 그리스, 스페인, 이탈리아 등의 일부 국가에서는 이미 물가 상승률이 높았고, 이들 국가에서는 ㉢의 시행으로 인해 여러 가지 문제가 발생했다고 했습니다. 따라서 물가 상승률이 더 커지게 된 것은 ㉢으로 인한 결과가 아니라, 일부 국가에서 ㉢으로 인해 문제가 발생하게 된 전제 조건에 해당합니다.

오답 피하기 ①, ②, ④ 4문단에서 그리스, 스페인, 이탈리아 등 물가 상승률이 높았던 유로존의 일부 국가들에서 ㉢으로 인해 수출 경쟁력이 저하(①)되어 무역 적자의 증대(⑤), 이탈리아와 같은 국가들에서의 실질적인 환율 하락(②)과 같은 문제가 발생했다고 했습니다.
⑤ 4문단에서 ㉢은 유로존 국가들 사이에 심각한 경제적 불균형을 가져왔다고 했는데, 이는 곧 유로존 국가들 사이에서 경제적인 격차가 크게 벌어지게 된 것을 의미합니다.

0 ②	**1** ④	**2** ①	**3** ③	**4** ②

Q 군사용 기술이 우리의 삶을 편리하게 만들어 준 예로는 어떤 것들이 있나요?

군사용 기술이 상용화된 예로는 전자레인지, GPS와 내비게이션, 인터넷 등이 있습니다.

이 글은 원래는 군사용으로 개발된 것이지만 상용화되어 현재 우리의 삶에서 편리하게 이용되고 있는 기술들을 소개하면서 그 기술들을 사용하고 있는 현실이 아이러니하다고 언급하고 있습니다. 일상에서 사용되는 군사용 기술의 사례로 전자레인지, GPS와 내비게이션, 인터넷 등을 제시하고 특히 전자레인지에 응용된 기술인 레이더 기술의 과학적 원리를 전파의 종류와 특성을 중심으로 설명하고 있습니다. 또한 GPS 기술의 경우, 위치를 측정하는 과학·기술적 원리를 상세하게 설명하여 독자의 이해를 돕고 있습니다.

■ **문단으로 생각읽기**

[도입 – 예시 – 예시 – 예시 – 정리]의 생각 구조

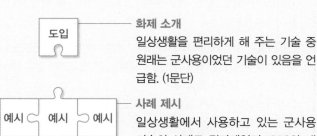

도입 — **화제 소개**
일상생활을 편리하게 해 주는 기술 중 원래는 군사용이었던 기술이 있음을 언급함. (1문단)

예시 – 예시 – 예시 — **사례 제시**
일상생활에서 사용하고 있는 군사용 기술의 사례로 전자레인지, GPS와 내비게이션, 인터넷을 제시함. (2~4문단)

정리 — **마무리**
군사용 기술로 만든 제품을 일상생활에서 사용하는 현실이 아이러니하다고 밝히면서 글을 마무리함. (5문단)

0 5문단에서 글쓴이는 '사람의 죽음을 수반할 수밖에 없는 전쟁에서 이기기 위해 만든 기술들 중 일부는 상용화되어 우리의 삶을 편리하게 해 주고 있다'고 하면서, 원래 군사용으로 개발된 기술을 일상생활에서도 사용하고 있는 현실이 아이러니하다고 했습니다. 글쓴이가 이렇게 평가한 이유는 사람의 삶을 파괴하기 위한 목적을 가지고 개발된 군사용 기술이 오히려 사람들의 삶을 편리하게 향상시켜 주기 때문입니다.

출제 의도 글쓴이가 글의 핵심 화제에 대해 내린 평가의 이유를 묻는 문제로, 글의 중심 내용을 제대로 파악하고 있는지를 확인하고 있습니다.

오답 피하기 ① 이 글에서 과거 전쟁 기술에 대한 부정적 인식이 현재 긍정적 인식으로 바뀌었다는 내용은 제시되어 있지 않습니다.
③ 이 글에서 전쟁 수행에 필요한 기술과 그렇지 않은 기술이 함께 공존한다는 내용은 제시되어 있지 않습니다.
④ 이 글에서는 원래는 군사용으로 개발된 기술 중 일상생활에서 쉽게 접하면서 편리하게 사용하는 기술들을 설명하고 있습니다.
⑤ 이 글에서 군사용 기술들을 일반인들도 사용하게 되면서 더 나은 무기를 만들 수 있게 되었다는 내용은 제시되어 있지 않습니다.

1 4문단에 따르면 인터넷 기술의 기반이 된 아르파 넷은, 미국이 소련과의 전쟁 상황에 대비해서 소련의 공격으로 통신망의 일부가 파괴되더라도 통신이 두절되지 않고 정보를 교류할 수 있는 새로운 데이터 전송 방식이라고 했습니다. 즉, 아르파 넷은 통신망이 파괴되더라도 정보(데이터)를 주고받을 수 있는 통신 기술이지, 정보(데이터)를 보존하는 기술이 아닙니다.

오답 피하기 ① 4문단에서 인터넷의 기반이 된 네트워크(통신망) 기술이 아르파 넷임을 알 수 있고, 아르파 넷은 인터넷과 달리 폐쇄형 구조로 되어 있다고 했습니다.
② 1문단에서 1차 세계 대전 이후 전쟁은 총력전의 양상을 띠게 되었고, 이에 따라 군사용 목적으로 최첨단 과학 기술을 연구하고 개발해 왔다고 했습니다.
③ 전자레인지와 GPS, 내비게이션은 원래 군사용 기술을 상용화하여 만든 전자 제품에 해당합니다.
⑤ 2문단에서 전파가 1초 동안에 진동하는 횟수를 주파수라고 하며, 그 단위는 주파수의 존재를 실험적으로 증명한 물리학자인 헤르츠의 이름을 따서 헤르츠(Hz)를 사용한다고 했습니다.

2 수신기 D가 GPS 인공위성 A, B, C에서 각각 보낸 세 전파를 받는 시각은 '12시 00분 03초'로 동일하며, A의 전파 송신 시각은 A가 보낸 전파에 담겨 있는 '인공위성에서 전파를 보낸 시각'일 뿐입니다. A의 전파 송신 시각이 가장 빠른 것은 '수신기가 전파를 받은 시각'에서 '인공위성에서 전파

를 보낸 시각'을 뺀 값이 가장 크므로, 수신기 D와의 거리가 가장 멀다는 것을 의미합니다.

오답 피하기 ② B의 전파 송신 시각(12시 00분 02초)과 D의 전파 수신 시각(12시 00분 03초)의 차이가 1초로 가장 작으므로, B와 D는 가장 가까운 거리에 있으며, 그 거리는 30만km입니다.
③ C의 전파 송신 시각(12시 00분 01초)에서 D의 전파 수신 시각(12시 00분 03초)을 뺀 값은 2초이므로, 여기에 30만km/s를 곱하면 수신기 D와 인공위성 C 사이의 거리는 60만km로 계산됩니다.
④ 3문단에서 GPS 인공위성 안에는 거리 계산의 오차를 방지하기 위해 세슘으로 만든 아주 정밀하고 정확한 원자시계가 있다고 했습니다. 따라서 만일 GPS 인공위성 A에 있는 원자시계에 오차가 발생하면, D는 A와의 거리를 잘못 계산하게 되고, 그 결과 D는 위치를 잘못 파악하게 됩니다.
⑤ 3문단에서 GPS 기술은 GPS를 통해 계산한 위치를 지도 위에 표시해 주는 내비게이션 기술로 발전했다고 했습니다. 따라서 D가 내비게이션에 내장되어 있으면, 현재 위치를 지도 위에 표시할 수 있습니다.

3 2문단에서 전자레인지의 작동 원리를 설명하고 있는데, 전자레인지 내부에는 특수 진공관이 있어서 물 분자의 고유 진동수와 동일한 극초단파를 발생시킵니다. 이에 따라 음식 내부의 물 분자가 이 극초단파를 쐬게 되면 공진 현상이 일어나며, 이로 인해 마찰열이 발생하여 음식을 데우게 되는 것이라고 했습니다. 따라서 전자레인지에 수분을 전혀 포함하지 않은 물질을 넣으면, 물의 공진 현상이 발생하지 않으므로 정상적으로 작동하지 않는다는 설명은 적절합니다.

오답 피하기 ① 2문단으로 보아, 레이더에서 사용하는 전파인 극초단파(마이크로웨이브)의 주파수 범위는 300MHz~300GHz인데, 전자레인지는 2.45GHz의 극초단파를 발생시키므로 레이더에 사용하는 전파의 주파수 범위를 초과하지 않았습니다.
② 전자레인지에서 발생시키는 전파의 주파수는 2.45GHz로 고정되어 있습니다.
④ 2문단에서 전자레인지 내부에 있는 특수 전공관인 마그네트론은 물 분자의 고유 진동수와 동일한 2.45GHz의 극초단파를 발생시킨다고 했으므로, 음식에 따라 전파의 주파수가 다르게 설정되는 것이 아닙니다.
⑤ 음식 내부의 물 분자가 전자레인지 내부에서 발생되는 극초단파를 쐬게 되면 1초에 24억 5천만 번의 진동을 하게 되므로 공진 현상은 전파의 주파수와 관련이 있는 것이지, 음식과 마그네트론 사이의 거리나 방향과는 관련이 없습니다.

4 〈보기〉의 사례에는 '미국의 핵폭탄 개발 및 사용 → 소련의 핵폭탄 개발 → 미국의 수소 폭탄 개발 → 소련의 수소 폭탄 개발'이라는 핵무기 개발 경쟁이 제시되어 있습니다. 그러나 그 결과로 만들어진 수소 폭탄의 위력이 너무 강해서 미

국과 소련 두 나라는 암묵적으로 수소 폭탄의 개발 경쟁을 멈추게 되었습니다. 따라서 〈보기〉의 사례에는 과도한 무기 개발 경쟁이 오히려 그 경쟁을 멈추게 한 아이러니한 특징이 나타나 있습니다. 이는 군사용으로 개발된 과학 기술이 사람들의 삶의 편리를 가져오게 되었다는, 이 글에 제시된 사례들의 아이러니한 특징과의 차이점에 해당합니다.

오답 피하기 ① 국가가 주도한 무기 개발이 과학 기술을 이끌었다는 것은 아이러니한 특징으로 볼 수 있고, 이는 이 글의 1문단에서도 확인할 수 있습니다. 그러나 〈보기〉의 사례에서는 더 강한 무기를 만들기 위한 두 나라의 경쟁과 그 경쟁을 멈추게 된 현실을 제시했을 뿐, 무기 개발이 과학의 발전을 이끌었다는 것은 알 수 없습니다.
③ 〈보기〉의 사례가 아니라 이 글에 제시된 사례의 아이러니한 특징에 해당합니다.
④ 〈보기〉의 사례는 과학 기술 영역에서의 경쟁이 아니라 무기 경쟁이 심각한 문제를 일으킬 수 있음을 보여 주고 있으며, 이는 이 글과의 공통점이 아닙니다.
⑤ 이 글과 〈보기〉의 공통점이 아니라 이 글에 제시된 사례의 아이러니한 특징에 해당합니다.

0 ③　　　**1** ③　　　**2** ②　　　**3** ④　　　**4** ③

Q 사형 제도를 바라보는 두 가지 입장에는 무엇이 있나요?
사형 제도가 유지되어야 한다는 입장과 사형 제도가 폐지되어야 한다는 입장이 있습니다.

이 글은 사형 제도 유지론자와 사형 제도 폐지론자의 논쟁을 소개하되, 사형 제도 폐지론자들의 반박에 더 초점을 두어 설명하고 있으며, 특히 마지막 문단에서는 사형 제도로 발생하는 아이러니한 상황을 강조하고 있습니다. 1문단에서는 사형 제도에 대한 최초의 역사적 기록을 소개하면서 독자의 관심을 유도하고 있습니다. 2문단에서는 사형 제도 유지론자들의 근거를 다섯 가지로 요약해서 제시하고 있고, 3~5문단에서는 이에 대한 사형 제도 폐지론자들의 반박을 상세하게 다루고 있습니다. 특히 4문단에서는 사형 제도와 범죄 억제율 사이의 상관관계에 대한 사례를, 5문단에서는 사형 제도로 인해 유발되는 아이러니한 상황에 대한 연구 결과를 소개하여 글의 신뢰도를 높이고 있습니다.

■ **문단으로 생각읽기**

[도입 – 주장 – 반론 – 근거 – 근거]의 생각 구조

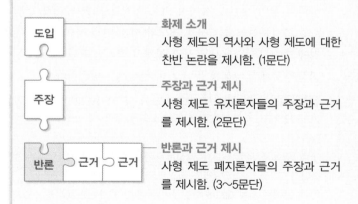

도입 —— 화제 소개
사형 제도의 역사와 사형 제도에 대한 찬반 논란을 제시함. (1문단)

주장 —— 주장과 근거 제시
사형 제도 유지론자들의 주장과 근거를 제시함. (2문단)

반론 근거 근거 —— 반론과 근거 제시
사형 제도 폐지론자들의 주장과 근거를 제시함. (3~5문단)

0 5문단으로 보아, 사형 제도 폐지론자들은 사형을 집행한 이후에 무죄로 밝혀질 경우, 국가가 또 다른 억울한 피해자를 만드는 아이러니한 결과를 낳게 될 수 있다고 주장합니다. 이러한 아이러니한 결과를 충분히 이해하게 되면, 어떤 일에 대한 판단이 완전하지 않으며 틀릴 수도 있다는 점을 고려해 신중한 태도를 가지게 됩니다. 따라서 '자신의 판단이 틀릴 수도 있다는 점을 항상 명심해야 한다'는 반응을 보일 수 있습니다.

출제 의도 글을 통해서 전달하고자 하는 핵심 내용을 제대로 이해하고 있는지를 확인하기 위한 반응의 적절성을 평가하는 문제입니다.

오답 피하기 ① 흥분하지 않고 평정심을 가지는 것은 사형 제도에서의 아이러니한 결과와 관련이 없습니다.
② 편견과 선입견 없이 상대방을 대하는 태도는 사형 판결을 내리는 판사나 배심원들에게 필수적으로 요구되는 태도입니다. 하지만 편견이나 선입견 때문에 사형 판결을 내린 것은 사형 제도에서 발생하는 아이러니한 결과 중 일부의 경우에만 해당합니다. 5문단에서 사형 집행 후 무죄로 밝혀지는 경우가 발생하는 이유로 부당한 정치권력의 악용, 판결의 오류, 수사 기관의 잘못된 수사 등을 제시하고 있습니다.
④ 사형 제도에서의 아이러니한 결과는 의지적 태도와는 관련이 없습니다.
⑤ 사형 제도에서의 아이러니한 결과는 억울한 피해자를 만든 과오에 해당하며, 앞으로의 판단에 있어서 거울로 삼아야 합니다.

1 2문단에서는 사형 제도 유지론자들의 주장과 근거를 제시하고 있습니다. 그리고 3~5문단에서는 사형 제도 폐지론자들의 주장을 제시하면서, 사형 제도 유지론자들이 든 근거들을 하나씩 구체적으로 반박하고 있습니다. 3문단에서는 사회적 정의 실현과 경제적 비용 절감에 대한 근거를 반박하였고, 4문단에서는 사형 제도와 범죄 억제 사이의 상관관계에 대해, 5문단에서는 사법 체계의 합리적 판단에 대한 문제점을 구체적 사례를 들어 가며 반박하고 있습니다.

오답 피하기 ① 이 글에서는 사형 제도가 시간의 흐름에 따라 어떻게 전개되었는지, 사형 제도의 전개 과정을 통시적으로 보여 주고 있지 않습니다.
② 이 글에서 사형 제도를 일정한 기준에 따라 분류하고 있지는 않습니다.
④ 이 글에는 사형 제도에 대한 상반된 주장이 차례로 제시되어 있지만, 이에 대한 새로운 대안을 모색하여 제시하고 있지 않습니다.
⑤ 이 글은 사형 제도에 대한 찬반 논쟁을 소개하고 있지만, 사형 제도 폐지론자들의 반박을 중심으로 내용을 전개하고 있으므로, 사형 제도의 필요성을 강조한 것은 아닙니다.

2 2문단에서 ㉠ '사형 제도 유지론자들'은 사형 제도를 통해 사회를 더 안전하게 만들 수 있다고 보았습니다. 그런데 〈보기〉

의 (나)는 사형 제도와 살인 사건 발생률 사이에 상관관계가 없다는 조사 결과에 해당하므로, ㉠의 주장을 강화하는 근거로는 제시할 수 없는 자료입니다. 즉 ②는 (나)의 조사에 대한 해석은 적절하지만, ㉠의 주장에 부합하지 않는 조사 결과이므로 적절하지 않은 진술입니다.

오답 피하기 ① 2문단으로 보아, ㉠ '사형 제도 유지론자들'은 현대 국가의 사법 체계는 합리적인 판단이 가능한 구조로 작동된다고 주장했습니다. 따라서 ㉠의 입장에서는 〈보기〉의 (가)를 1심의 판단에서 잘못된 점을 2심에서 바로 잡는 과정, 즉 사법 체계가 합리적 판단을 해 나가는 과정으로 판단하는 것은 적절합니다.
③ 5문단으로 보아, ㉡ '사형 제도 폐지론자들'의 입장에서는 판결 내용이 반대로 뒤집히는 〈보기〉의 (가)의 조사 결과를, 판결을 내리는 판사나 배심원들의 판단이 완전무결한 것이 아니라는 근거로 삼으려 할 것입니다.
④ 5문단으로 보아, ㉡ '사형 제도 폐지론자들'의 입장에서는 사형 집행 후 무죄로 밝혀지는 경우의 여러 가지 이유 중 하나로, 판사나 배심원의 판결이 완전무결한 것이 아니라는 점을 들고 있으므로 〈보기〉의 (가)를 근거로 삼으려 할 것입니다.
⑤ 〈보기〉의 (나)는 사형 제도를 유지하는 주보다 폐지한 주의 범죄 발생률이 더 낮다는 조사 결과, 즉 사형 제도를 폐지한 주의 범죄 억제율이 더 높다는 것을 보여 줍니다. 따라서 4문단의 내용을 참고할 때 ㉡ '사형 제도 폐지론자들'은 이를 근거로 사형 제도와 범죄 억제율 사이에 상관관계가 없다고 주장할 것입니다.

3 5문단에 따르면, 사형 제도 폐지론자들, 즉 반대론자들은 반인륜적 범죄를 저지른 범죄자는 단죄되어야 한다는 데 동의하지만, 사형 제도가 아닌 다른 방식으로도 충분히 그 범죄자를 처벌할 수 있다고 보고 있습니다.

오답 피하기 ① 1문단에서 함무라비 법전이 세계에서 가장 오래된 성문 법전으로 알려져 있지만, 사실은 우르남무 법전이 가장 오래된 것이라고 했습니다.
② 1문단에 따르면, 함무라비 법전에는 '눈에는 눈, 이에는 이'라는 탈리오 법칙이 적용되어 살인은 물론이고 도둑질이나 강도 범죄를 저지르면 사형에 처한다는 내용이 있습니다. 우르남무 법전에도 살인죄나 강도죄를 저지른 사람은 사형에 처한다는 내용이 포함되어 있습니다.
③ 2문단에서 사형 제도 유지론자, 즉 찬성론자들은 탈리오 법칙에 따라 살인죄를 저지른 사람을 사형에 처하는 것은 정당하며 이는 사회적 정의를 세우는 것이라 말한다고 했습니다.
⑤ 5문단에 따르면 미국에서는 사형이 확정되었으나 이후 무죄가 입증되어 석방되었거나, 사형 집행 이후 무죄로 밝혀진 사례들도 있었다고 했습니다.

4 〈보기〉에서 사형 집행을 반대하는 비율 45.7%는 사형 집행을 반대하는 비율 37.9%와 사형 제도를 폐지하자는 비율 7.8%를 합친 수치입니다. 여기서 사형 제도 폐지 비율 7.8%

는 사형 집행 반대 비율 37.9%에 비해 크게 낮게 나타납니다. 이것은 사형 집행을 반대하는 사람들 중에는 사형 제도는 유지하되 그 집행을 하지 않아야 한다고 생각하는 사람들이 훨씬 많다는 것을 뜻합니다. 이렇게 보면 사형 제도를 유지해야 한다고 보는 사람들의 비율은 89.8%(=51.7%+37.9%)로 거의 대부분을 차지한다고 해석할 수 있습니다. 이는 2문단의 사형 제도의 유지는 여론의 강력한 지지를 받고 있다는 내용과 부합하며, 이 여론은 사형 제도를 통해 사회적 정의를 세울 수 있다고 믿는 사람들이 많기 때문에 형성된 것으로 이해할 수 있습니다.

오답 피하기 ① 〈보기〉에서는 사형 집행을 반대하는 여론이 증가한 것이지, 사형 제도 폐지 여론이 증가한 것은 아니며, 사형 제도 폐지 여론은 7.8%에 불과합니다.
② 사형 제도로 인해 발생할 수 있는 아이러니한 상황에 대한 인식 정도가 높으면 사형 집행을 반대하게 되므로 적절하지 않습니다.
④ 사형 집행에 대한 찬성 비율이 이전 조사에 비해 낮아진 것은 사형 제도를 통해 교도소 수감 인원을 줄일 수 있다는 주장에 대한 설득력이 강화된 것이 아니라, 약화된 것에 해당하므로 적절하지 않습니다.
⑤ 지역, 연령, 정치적 성향에 따라 사형 집행을 찬성하는 비율이 다르게 나타난 것은 사형 집행을 통해 사회적 정의를 실현할 수 있다고 믿는 정도가 다르기 때문이지, 사람들이 추구하는 사회적 정의 수준이 다르기 때문은 아닙니다.

생각의 구조화 MIND MAP

생각읽기1 ㉢	생각읽기2 ㉣	생각읽기3 ㉤
생각읽기4 ㉡	생각읽기5 ㉰	생각읽기6 ㉠
1 아이러니	2 민족주의	3 자가 면역 질환
4 유로화	5 군사용	6 사형 제도

06 공존

| 0 ③ | 1 ③ | 2 ④ | 3 ① | 4 ③ |

Q 뮐러가 문명의 충돌이 생기는 원인으로 제시한 것은 무엇인가요?
국가 간에 서로 소통하지 않아 다른 문화를 이해하지 못하기 때문에 문명의 충돌이 생겼다고 보았습니다.

이 글은 서로 다른 종교, 문화적 이질감에 의해 문명이 충돌한다는 헌팅턴의 견해를 먼저 제시한 뒤, 문명은 공존할 수 있다고 보는 뮐러의 견해를 소개하고 있습니다. 끝부분에서는 뮐러의 견해를 바탕으로 문명의 공존을 위해 소통의 자세가 필요함을 주장하며 글을 마무리하고 있습니다.

■ 문단으로 생각읽기

[도입 – 견해 – 반론 – 주장]의 생각 구조

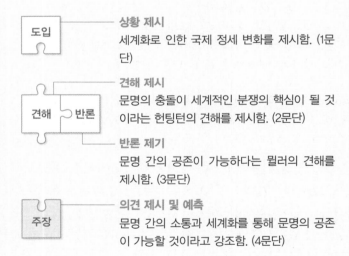

도입
상황 제시
세계화로 인한 국제 정세 변화를 제시함. (1문단)

견해 / 반론
견해 제시
문명의 충돌이 세계적인 분쟁의 핵심이 될 것이라는 헌팅턴의 견해를 제시함. (2문단)
반론 제기
문명 간의 공존이 가능하다는 뮐러의 견해를 제시함. (3문단)

주장
의견 제시 및 예측
문명 간의 소통과 세계화를 통해 문명의 공존이 가능할 것이라고 강조함. (4문단)

---

0 이 글은 문명의 충돌과 공존에 대한 각각의 주장을 소개한 뒤, 세계화가 문명의 공존이 유리할 수 있는 조건을 만들어 주므로 세계화 속에서 문명 간의 소통을 위해 노력하면 충분히 국제 분쟁을 극복하고 문명의 공존을 이룰 수 있다고 주장하고 있습니다.

출제 의도 글의 중심 내용을 파악할 수 있는지를 확인하는 문제입니다. 글에서 궁극적으로 말하고자 하는 것은 글의 핵심 내용, 곧 주제를 의미합니다.

1 이 글은 헌팅턴의 견해를 소개한 뒤, 헌팅턴의 주장에 대해 지적한 뮐러의 견해를 제시하고 있습니다. 그런데 뮐러가 비판한 헌팅턴의 주장을 일반적인 통념으로 보기는 어렵습니다. 뮐러의 주장을 인용한 것은 통념의 오류를 지적하는 것이 아니라 헌팅턴의 주장이 너무 단편적이고 획일적이며 현실과 다르다고 반박하기 위한 것이라고 할 수 있습니다.

오답 피하기 ① 1문단에서 '문명'의 개념을 밝히면서 내용을 전개하고 있습니다.
② 3문단에서 '그런데 과연 문명은 충돌하기만 하는 것일까?'라는 질문을 던져 독자의 관심을 유도하고 있습니다.
④ 2~3문단에서 헌팅턴이 문명권 간의 대립과 갈등을 강조하고 있다면, 뮐러는 문명권 간의 평화와 공존이 가능하다고 본다며 차이점을 중심으로 두 학자의 견해를 비교하고 있습니다.
⑤ 4문단에서 글쓴이는 뮐러의 주장이 이상주의적이며 낙관적인 측면이 있음을 지적하면서도 세계화는 문명의 충돌보다 공존의 조건이 될 수 있다고 하며 새로운 사고가 필요함을 주장하고 있습니다.

2 3문단에 따르면 뮐러는 문명의 충돌이 일어나는 원인을 서로 문화가 다르기 때문이 아니라 서로 소통하지 않아 다른 문화를 이해하지 못하기 때문으로 보고 있습니다.

오답 피하기 ① 헌팅턴은 세계는 종교에 따라 기독교권, 이슬람권, 유교권, 불교권, 힌두권 등으로 나눌 수 있다고 하였습니다.
② 뮐러는 문명권 간의 평화와 공존이 가능하다고 본 반면, 헌팅턴은 문명권 간의 차이로 인해 대립하고 갈등한다고 보았습니다.
③ 3문단에 따르면, 뮐러는 헌팅턴과 달리, 소통을 통한 문명권 간의 평화와 공존을 강조하였음을 알 수 있습니다.
⑤ 헌팅턴은 문명들이 나뉘어 있다는 것을 인정하고, 이에 따른 국제 질서의 안정을 추구해야 한다고 주장하였습니다. 뮐러도 국제 분쟁을 극복하기 위해서는 무엇보다 다양성을 수용하면서 상호 간 소통과 이해의 폭을 넓히는 자세가 필요하다고 주장하였습니다. 따라서 ㉠과 ㉡은 모두 개별 문명들을 존중해야 갈등을 완화할 수 있다고 생각함을 알 수 있습니다.

3 〈보기〉는 문명 간의 갈등을 소통의 단절에서 비롯된 것으로 보고 있으므로 뮐러의 관점에 가깝다고 볼 수 있습니다. 따라서 〈보기〉는 세계화라는 국제 교류의 확대를 통해 소

통의 길을 열어 서로를 이해하는 과정을 거침으로써 문명 간의 갈등을 완화할 수 있다고 보는 관점으로 이해할 수 있습니다.

오답 피하기 ② 국제 분쟁의 원인을 정치 이념의 차이로 보는 것은 냉전 이론에 해당합니다.

③ 핵심국들의 역할을 강조한 것은 헌팅턴의 관점에 가깝습니다.

④ 문명 간 가치들의 교집합은 뮐러가 말한 모든 문화권에서 통용할 수 있는 자유, 평등, 인권 등으로 문명 간 소통을 가능하게 하는 것입니다. 이는 문명 간의 소통을 강조하기 위해 제시한 것으로, 모든 문명을 단일화해야 한다고 주장한 것은 아닙니다.

⑤ 〈보기〉는 문명의 소통을 통해 서로를 이해해야 한다는 관점으로, 다양성을 배제하고 동일성을 추구하자고 주장한 것은 아닙니다.

4 ⓐ의 '일으키다'는 '어떤 사태나 일을 벌이거나 터뜨리다.'라는 의미입니다. 따라서 '어떤 것이 다른 일을 일어나게 하다.'의 의미를 지닌 '유발하다'가 ⓐ와 바꾸어 쓰기에 적절합니다.

오답 피하기 ① '생성하다'는 '사물이 생겨나다. 또는 사물이 생겨 이루어지게 하다.'의 의미입니다.

② '조정하다'는 '분쟁을 중간에서 화해하게 하거나 서로 타협점을 찾아 합의하도록 하다.'의 의미입니다.

④ '고조시키다'는 '사상이나 감정. 세력 따위를 더 무르익게 하거나 높아지게 만들다.'의 의미입니다.

⑤ '발전시키다'는 '더 낫고 좋은 상태나 더 높은 단계로 나아가게 만들다.'의 의미입니다.

0 ②	**1** ③	**2** ③	**3** ④	**4** ③

Q 패러독스의 의미를 한마디로 나타내면 무엇인가요?

상반된 상호 의존

이 글은 현대와 같이 급속하게 상황이 변화하고 복잡해지는 시대에 패러독스 경영이 필요함을 강조하고 있습니다. 패러독스의 의미를 통해 패러독스 경영의 의의를 설명하며, 패러독스 경영에 성공한 기업들의 경영 방식을 구체적으로 제시하고 있습니다.

■ **문단으로 생각읽기**

[도입 – 전개 – 전개 – 주장]의 생각 구조

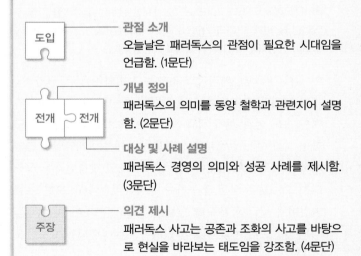

도입 — 관점 소개
오늘날은 패러독스의 관점이 필요한 시대임을 언급함. (1문단)

전개 전개 — 개념 정의
패러독스의 의미를 동양 철학과 관련지어 설명함. (2문단)

— 대상 및 사례 설명
패러독스 경영의 의미와 성공 사례를 제시함. (3문단)

주장 — 의견 제시
패러독스 사고는 공존과 조화의 사고를 바탕으로 현실을 바라보는 태도임을 강조함. (4문단)

0 이 글에 따르면 오늘날이 패러독스 경영이 필요한 시대임을 강조하며, 패러독스 경영이 '상충되는' 요소들의 조화를 통해 경쟁력을 강화시키는 것에 목적이 있음을 설명하고 있습니다.

출제 의도 제목을 찾는 문제는 글의 중심 내용을 파악할 수 있는지를 묻는 문제입니다. 제목에서 표제는 글의 핵심 화제를, 부제는 표제를 좀 더 구체화하는 역할을 합니다.

1 이 글에서는 패러독스 경영에 성공한 기업들의 공통적인 특징에 대해서 설명하고 있으나, 그 차이점에 대해서는 언급하지 않았습니다.

오답 피하기 ① 4문단에서 패러독스 사고는 상충되는 것들을 그대로 인정하고 통합적인 사고로 해결책을 찾아야 할 때 필요하며, 이러한 사고가 경영에서 양면적인 것들을 슬기롭게 추구해 나가게 한다고 하였습니다.
② 1문단에서 급속한 기술 변화와 경쟁 상황은 기업의 경영 환경을 더욱 복잡하게 만든다고 하였습니다.
④ 2문단에서 패러독스는 동양 철학에서의 음과 양처럼 두 가지 구성 요소가 대립되는 것처럼 보이지만 실제는 서로를 포함하는 의미로 이해할 수 있다고 하였습니다.
⑤ 1문단에서 과거의 기업들은 한 가지만 잘하면 경쟁력을 가질 수 있었던 데 비해, 현대의 기업들은 상호 배타적이고 모순적인 것까지 잘해야 경쟁력을 유지할 수 있다고 보았습니다.

2 이 글에 따르면, 패러독스 경영은 차별화와 낮은 원가, 창조적 혁신과 효율성, 글로벌 통합과 현지화, 규모의 경제와 빠른 속도 등과 같이 서로 모순되는 요소들의 조화를 추구하는 것입니다. 일반적으로 대량 생산에서는 개인별 맞춤형 생산이 어려운데, ⓑ는 대량 생산과 개인 맞춤이라는 상충되는 요소들을 모두 추구하여 성공하였습니다. 또한 보통 인건비가 낮으면 우수한 인력을 확보하는 것이 어려운데, ⓒ는 낮은 인건비와 우수한 인력이라는 상충되는 요소들을 추구하였습니다.

오답 피하기 ⓐ 낮은 품질에는 낮은 가격이 일반적이므로 서로 상충되는 요소로 보기 어렵습니다.
ⓓ 차별화가 되면 가격이 올라가는 것이 일반적인 현상이므로 서로 상충되는 요소로 볼 수 없습니다.

3 3문단을 보면, 패러독스 경영은 상충되는 요소들이 조화를 이루며 공존할 수 있도록 관리하는 것입니다. 그리고 이러한 경영으로 기업들이 경쟁력을 높이고 있음을 알 수 있습니다. 또 4문단에서 패러독스 사고는 고정된 사고에 얽매이지 않고 다양한 시각으로 접근하는 것이며, 조직에서는 상충하는 가치와 요소들을 그대로 인정하고 통합적인 사고로 해결책을 찾는 것이 필요하다고 하였습니다. 이를 종합해 보면, 패러독스 경영은 양자택일 식의 고정 관념에서 벗어나 통합적 관점에서 경영하여 기업의 경쟁력을 높일 수 있도록 하는 데 의의가 있다고 볼 수 있습니다.

4 '무거움과 가벼움'은 서로 반의 관계이면서 무겁지도 가볍지도 않은 중간 단계가 존재하는 등급적 반의 관계입니다. '길다-짧다'의 경우도 서로 반의 관계이면서 길지도 짧지도 않은 중간 단계가 존재하는 등급적 반의 관계로 볼 수 있습니다.

오답 피하기 ①, ④ 산 것도 아니고 죽은 것도 아닌 상태이거나, 합격도 아니고 불합격도 아닌 중간 단계가 존재하지 않으므로 상보적 반의 관계로 볼 수 있습니다.
②, ⑤ 출발하고 도착하는 것과 들어가고 나가는 것은 서로 방향상 대립 관계이므로 방향적 반의 관계로 볼 수 있습니다.

생각읽기 3 경쟁 배타의 원리로 보는 생태계

| **0** ③ | **1** ⑤ | **2** ⑤ | **3** ⑤ | **4** ③ |

Q 생태계에서 경쟁 배타 원리가 적용되기 위한 조건은 무엇인가요?

생태적 지위가 서로 유사한 두 개체군이 한 서식지에서 생활할 때 적용됩니다.

이 글은 생태계 지위의 개념을 토대로 경쟁 배타의 원리를 소개한 뒤, 경쟁 배타의 원리를 피하고 함께 공존하기 위해 생물종들이 선택하는 생존 방식인 '분서'와 '형질 치환'에 대해 설명하고 있습니다. 그리고 끝부분에서는 경쟁 배타 원리가 우리 주변에서 언제든지 일어날 수 있음을 밝히며 글을 마무리하고 있습니다.

▣ 문단으로 생각읽기

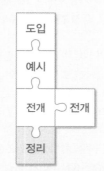

[도입 – 예시 – 전개 – 전개 – 정리]의 생각 구조

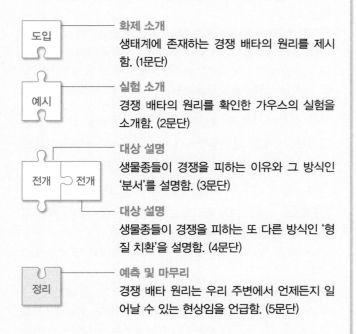

도입 — 화제 소개
생태계에 존재하는 경쟁 배타의 원리를 제시함. (1문단)

예시 — 실험 소개
경쟁 배타의 원리를 확인한 가우스의 실험을 소개함. (2문단)

전개 / 전개 — 대상 설명
생물종들이 경쟁을 피하는 이유와 그 방식인 '분서'를 설명함. (3문단)

— 대상 설명
생물종들이 경쟁을 피하는 또 다른 방식인 '형질 치환'을 설명함. (4문단)

정리 — 예측 및 마무리
경쟁 배타 원리는 우리 주변에서 언제든지 일어날 수 있는 현상임을 언급함. (5문단)

생각읽기가 수능이다

독해실전 1 ①

수능실전 1 ④

---

0 (가)에서 경쟁 배타의 원리를 소개한 뒤 (나)에서는 이 원리를 확인할 수 있는 실험을 통해 부연 설명하고 있으며, 생물종들이 경쟁을 피하기 위해 선택하는 생존 방식인 분서와 형질 치환에 대해 (다)와 (라)에서 대등하게 제시한 후 (마)에서 글의 내용을 마무리하고 있습니다.

[출제 의도] 글의 구조도는 글의 전체 짜임새로서 문단 간의 관계를 나타냅니다.

1 (마)에서는 현재 우리 주변에 존재하는 모든 생물종들은 필연적 경쟁에 적응한 존재들이라고 할 수 있으며, 현재 상태에 새로운 종이 유입되면 다시 경쟁이 일어날 수 있음을 언급하고 있습니다. 경쟁 배타 원리가 예외적으로 적용되는 것에 대한 언급은 하지 않았습니다.

2 '분서'는 생존에 필요한 자원인 장소나 먹이 등을 나누어 갖는 것을 말하며, '형질 치환'은 먹이를 나누어 먹기 위해 체형의 변화가 일어나는 것을 말합니다. 즉, 둘 다 자원을 분할함으로써 함께 생존할 수 있는 방식으로 볼 수 있습니다.

[오답 피하기] ① 분서는 경쟁의 결과가 아니라 경쟁을 피하는 방법입니다.
② 형질 치환은 서식 장소의 변화가 아닌 동일한 서식 장소를 전제로 합니다.
③ 형질 치환은 분서와 마찬가지로 경쟁을 피하는 방법이므로, 형질 치환이 경쟁과 분서가 발생했을 때 이루어지는 것은 아닙니다.
④ 경쟁과 분서가 형질 치환을 피하기 위해 이루어지는 것이 아니라, 경쟁을 피하기 위해 분서와 형질 치환이 이루어지는 것입니다.

3 생태적 지위가 유사한 종이 같은 서식지를 나누어 살고 있다는 것은 경쟁을 피하여 '분서'가 일어났다는 의미입니다. 따라서 ㈐의 A와 B에 경쟁 배타의 원리가 적용한다고 보기는 어렵습니다.

[오답 피하기] ① ㉮의 A와 B는 서로 다른 장소에 살고 있으므로 경쟁이 일어나지 않습니다. 따라서 경쟁 배타의 원리가 작용하지 않습니다.
② ㉯의 A와 B는 생태적 지위가 유사하다고 하였으므로 같은 서식지에 살게 될 경우 생존을 위한 자원을 두고 경쟁하게 될 것입니다.
③ 생태적 지위가 유사한 ㉯의 A와 B가 같은 서식지에 있게 될 경우 경쟁을 피해 체형의 구조가 변하는 형질 치환이 일어날 수 있습니다.
④ 생태적 지위가 유사한 ㉯의 A와 B가 같은 서식지에 있게 될 경우 먹이를 먹는 시간대를 달리하는, 즉 자원을 나누어 갖는 '분서'가 일어나면 경쟁을 피할 수 있습니다.

4 경쟁 배타 원리에 따르면 생태적 지위가 서로 유사한 개체군이 존재하는 경우 경쟁을 통해 한 개체군은 사라지게 되기 때문에 공존할 수 없다고 했습니다. 따라서 함께 공존할 수 있다는 것은 분서나 형질 치환과 같이 생활 양식의 변화나 선택을 통해 경쟁을 피했기 때문으로 이해할 수 있습니다.

생각읽기 4 현실과 가상이 공존하는 증강 현실

0 ②	1 ④	2 ②	3 ④	4 ②

Q 증강 현실과 가상 현실의 차이점은 무엇인가요?

가상 현실은 모든 이미지가 가상 이미지인 반면, 증강 현실은 현실과 가상을 혼합한 형태입니다.

이 글은 증강 현실의 개념과 특징을 소개하고, 증강 현실의 구현 원리와 증강 현실의 실감 나는 체험을 위해 필요한 요소인 디스플레이 장치들에 대해 구체적으로 설명하고 있습니다. 그리고 끝부분에서는 증강 현실이 삶에 미칠 영향을 언급하며 증강 현실 기술의 부작용에 대한 대비가 필요함을 강조하고 있습니다.

■ 문단으로 생각읽기

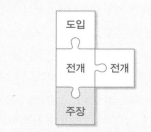

[도입 – 전개 – 전개 – 주장]의 생각 구조

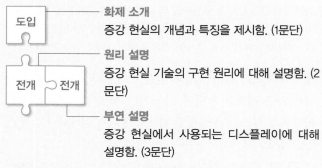

도입 — **화제 소개**
증강 현실의 개념과 특징을 제시함. (1문단)

전개 — **원리 설명**
증강 현실 기술의 구현 원리에 대해 설명함. (2문단)

전개 — **부연 설명**
증강 현실에서 사용되는 디스플레이에 대해 설명함. (3문단)

주장 — **의견 제시 및 마무리**
증강 현실 기술의 장점과 부작용에 대한 대책 필요성을 함께 강조함. (4문단)

0 이 글에서 증강 현실과 가상 현실의 가장 큰 차이점을 설명할 때, 가상 현실은 사용된 모든 이미지가 가상 이미지인 반면 증강 현실은 현실과 가상을 '혼합'한 형태라는 점을 강조하고 있습니다.

출제 의도 요약하기 방식을 통해 글의 핵심 내용을 파악하는 문제입니다. 요약한 문장에 들어갈 핵심 단어는 핵심 화제의 특징을 가장 잘 보여 줄 수 있는 것이어야 합니다.

1 마지막 문단에 따르면 스마트폰 시장의 성장으로 증강 현실의 서비스가 확대되고 있지만 증강 현실 기술의 부작용도 있음을 함께 언급하고 있습니다. 그러나 증강 현실 부작용의 원인은 증강 현실이 지닌 특징에서 오는 것이지, 스마트폰 시장의 성장 때문으로 보기는 어렵습니다.

오답 피하기 ① 1문단에서 가상 현실은 보이는 모든 것에 가상의 이미지를 사용하는 것이고, 증강 현실은 현실과 가상을 혼합한 형태라고 하였습니다.
② 3문단에서 HMD는 머리에 차고 있어야 된다는 부담이 있지만 가장 많이 사용하는 디스플레이로서 몰입감이 뛰어나다는 장점이 있다고 하였습니다.
③ 3문단에서 HMD는 머리에 차고 있어야 된다는 부담을 주는 문제점이 있었는데, 이를 해결하기 위해 탄생한 것이 Non-HMD이며, 근래에는 주로 스마트폰처럼 휴대성을 강조한 핸드 헬드형 디스플레이가 사용된다고 하였습니다. 따라서 증강 현실의 몰입도를 높여 주는 디스플레이는 휴대의 편리성을 추구하며 발전하였다고 볼 수 있습니다.
⑤ 1문단에 따르면 CG와 증강 현실의 다른 점은 장면이 실시간으로 제공되는지 여부에 있음을 알 수 있습니다. 따라서 영화에서 사용되는 CG는 가상의 이미지가 포함된 장면을 실시간으로 보여 주는 것이 아니라는 점에서 증강 현실과 차이가 있음을 알 수 있습니다.

2 증강 현실이 다양한 분야에 적용될 수 있음을 설명하고는 있지만, 실제로 일상생활에서 증강 현실이 사용된 사례를 제시하고 있지는 않습니다. 이 글에 언급되지 않은 내용이므로 ②는 추가할 수 있는 내용으로 적절합니다.

오답 피하기 ① 1문단에서 증강 현실의 특징을 'CG'와 '가상 현실' 기술과 비교하여 설명하고 있습니다.
③ 마지막 문단에서 증강 현실이 지닌 부작용에 대해 언급하고 있습니다.
④ 3문단에서 각 디스플레이들의 특징을 설명하고 있습니다.
⑤ 마지막 문단을 보면 증강 현실이 다양한 분야에서 활용되어 현실감 있는 정보를 제공함으로써 정보 전달 효과를 극대화하는 역할을 할 것이라고 설명하고 있습니다.

3 '부가 정보 전송' 단계에서는 위치 정보 시스템에서 획득한 위치 관련 정보에 대한 다양한 부가 정보를 스마트폰으로

다시 전송하는 과정입니다. 스마트폰에서 획득한 위치 관련 정보와 위치 정보 시스템에서 획득한 부가 정보의 일치 여부를 판단하는 과정은 증강 현실의 구현 원리에는 포함되지 않습니다.

오답 피하기 ① 사용자 위치와 관련된 정보를 획득하기 위해서는 증강 현실 앱을 통해 스마트폰 카메라로 주변 사물을 인식하여 스마트폰의 현재 위치, 스마트폰이 향하고 있는 방향과 기울어진 정도에 대한 정보를 확보해야 합니다.
② 위치 정보는 사용자의 위치, 전자 나침판은 스마트폰이 향하고 있는 방향에 대한 정보, 중력 센서는 스마트폰의 기울어진 정도에 대한 정보를 말합니다. 따라서 위치 정보 시스템으로 전송되는 정보에는 스마트폰 카메라를 통해 확보된 정보, 즉 위치 정보, 전자 나침판, 중력 센서에 대한 정보가 포함되어 있다고 할 수 있습니다.
③, ⑤ 서버, 즉 위치 정보 시스템은 스마트폰으로부터 받은 정보와 관련된 다양한 부가 정보를 파악하여 이를 다시 스마트폰의 증강 현실 앱으로 전송하고, 스마트폰 디스플레이에서는 전송받은 부가 정보를 스마트폰 화면의 기존에 있던 카메라 정보와 겹쳐서 보여 주게 됩니다.

4 '인식'은 '사물을 분별하고 판단하여 앎.'이라는 의미를 지닙니다. '확실히 그렇다고 여김.'은 '인정(認定)'의 의미에 해당합니다.

0 ⑤	1 ⑤	2 ③	3 ①	4 ④

Q 과학자들이 생각한 백신이 지닌 한계는 무엇인가요?
백신은 예방 수단일뿐 이미 전염병에 걸린 경우에는 소용이 없다는 한계가 있습니다.

이 글은 전염병이 인류 역사에 미친 영향이 매우 크다는 사실을 제시하며, 이러한 전염병에 맞서기 위해 만들어진 백신과 항생제의 개발 과정과 각각의 특징을 설명하고 있습니다. 그리고 전염병을 완전히 극복하는 것은 불가능하다는 인식을 토대로 전염병과의 공존 시대를 살아갈 준비가 필요함을 강조하고 있습니다.

■ **문단으로 생각읽기**

[도입 – 예시 – 전개 – 전개 – 정리]의 생각 구조

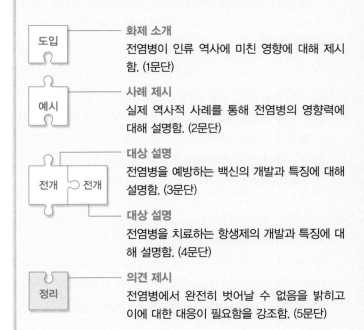

도입 — 화제 소개
전염병이 인류 역사에 미친 영향에 대해 제시함. (1문단)

예시 — 사례 제시
실제 역사적 사례를 통해 전염병의 영향력에 대해 설명함. (2문단)

전개 전개 — 대상 설명
전염병을 예방하는 백신의 개발과 특징에 대해 설명함. (3문단)

대상 설명
전염병을 치료하는 항생제의 개발과 특징에 대해 설명함. (4문단)

정리 — 의견 제시
전염병에서 완전히 벗어날 수 없음을 밝히고 이에 대한 대응이 필요함을 강조함. (5문단)

0 이 글에서 전염병의 위력, 전염병의 사례 등을 언급한 이유
는 결국 전염병과의 공존 시대에 어떤 대응과 준비를 해야
할지 고민하는 자세가 필요함을 주장하기 위해서입니다.

출제 의도 논지는 단순히 글에서 언급된 내용이 아니라 글의 주제,
또는 글쓴이의 주장과도 같습니다.

1 3문단에서 19세기에 파스퇴르에 의해 백신이 처음 만들어
졌음을 언급한 뒤, 4문단에서 20세기에 플레밍에 의해 항
생제가 만들어졌음을 언급하고 있습니다. 즉, 백신과 항생
제가 개발된 과정을 시간 순서대로 설명하고 있습니다.

2 이 글에 따르면 항생제는 미생물이나 종양 세포가 늘어나는
것을 억제하거나 죽이는 물질을 말하는데, 질병을 일으키는
미생물이 항생 물질을 자주 접하게 될 경우 진화나 변이를
통해 내성이 생긴다고 하였습니다. 따라서 다양하게 변이하
는 것은 항생제가 아니라 질병을 일으키는 미생물입니다.

오답 피하기 ① 3, 4문단으로 볼 때 백신은 예방 수단이며 항생제는
치료 수단이므로 서로 사용 목적에 차이가 있습니다.
② 3문단에서 백신은 독성이 없는 세균으로, 이를 우리 몸에 주입하
면 백혈구와 림프구가 이 세균과 싸워 이길 뿐만 아니라 그 세균의
정보를 몸속에 저장한다고 하였습니다.
④ 마지막 문단을 보면 질병을 일으키는 미생물은 끊임없이 진화와
변이를 하므로 전염병에 영원히 승리하는 것은 어렵다고 하였습니다.
⑤ 3문단에서 백신이 우리 몸속에서 세균을 물리치는 과정을 설명하
며 백신은 우리 몸으로 하여금 스스로 항체를 만들도록 해 주는 것이
라고 하였습니다.

3 이 글과 〈보기〉에서는 모두 항생제가 세균을 죽이는 역할
을 하지만 남용할 경우 내성이 생길 수 있음을 지적하며 적
절히 사용할 것을 강조하고 있습니다. 따라서 양날의 칼처
럼 장점과 단점을 모두 지니고 있는 항생제를 적정하게 사
용하여 내성이 생기지 않도록 하자는 내용의 제목이 오는
것이 적절합니다.

4 ㉠의 '알다'는 전염병이 어떤 것인지 그에 대한 정보가 없었
다는 문맥에 사용되었으므로 '교육이나 경험, 사고 행위를
통하여 사물이나 상황에 대한 정보나 지식을 갖추다.'의 의
미를 지닙니다. 따라서 ④가 ㉠의 의미와 가장 가깝습니다.

오답 피하기 ① '다른 사람과 사귐이 있거나 안면이 있다.'의 의미입
니다.
② '사람이 어떤 일을 어떻게 할지 스스로 정하거나 판단하다.'의 의
미입니다.
③ '어떤 사실이나 존재, 상태에 대해 의식이나 감각으로 깨닫거나
느끼다.'의 의미입니다.
⑤ '어떤 사람이나 사물에 대하여 소중히 생각하다.'의 의미입니다.

생각읽기

6 다양한 상들의 공존, '상평형'

0 ④	**1** ⑤	**2** ⑤	**3** ③	**4** ④

Q '상평형'이란 물질의 어떤 상태를 의미하나요?

상의 평형, 즉 고체와 액체, 액체와 기체, 고체와 기체가 공존할 수 있는
상태를 말합니다.

이 글은 물질의 상(相)에 대한 개념과 기체, 액체, 고체 세 가지
상의 각각의 특징을 제시한 후, 드라이아이스와 물의 예를 통
해 물질마다 고유한 특성이 있음을 설명하고 있습니다. 그리고
두 가지 이상의 물질의 상이 공존하는 상태인 상평형의 개념을
소개하며 일상에서 찾아볼 수 있는 물질의 상평형의 예를 제시
하고 있습니다.

■ **문단으로 생각읽기**

[도입 – 전개 – 예시 – 전개 – 예시]의 생각 구조

도입 ── **화제 소개**
물질의 상과 상변화의 개념을 제시함. (1문단)

전개 ─ 예시 ── **대상 설명**
기체, 액체, 고체의 상의 특징과 특정 조건에서
독특한 특성을 지니는 물질의 상에 대해 설명
함. (2문단)

── **사례 제시**
온도와 압력에 따라 독특한 성질을 지닌 물질
의 상에 대한 예로 드라이아이스와 물을 제시
함. (3문단)

전개 ─ 예시 ── **대상 설명**
상평형 그래프를 통해 고체, 액체, 기체가 공존
할 수 있음을 설명함. (4문단)

── **예시 제시**
일상생활에서 볼 수 있는 상평형의 예를 제시
함. (5문단)

0 이 글에서는 물질의 상과 상변화의 개념을 바탕으로 상평형에 대해 설명하고 있습니다. 따라서 핵심 화제는 물질의 상과 상평형의 의미로 보는 것이 적절합니다.

출제 의도 글에서 중점적으로 다루고 있는 내용이 무엇인지 파악하는 문제입니다. 핵심 화제는 글쓴이가 말하고자 하는 핵심 내용으로 글 전체의 내용을 아우를 수 있어야 합니다.

1 이 글은 물질의 상변화와 상평형에 대한 글로, 1문단에서 물질의 상변화는 분자의 속성이 변화하는 화학적 변화가 아니라 분자의 위치나 움직임이 변화하는 물리적 변화라고 설명하고 있습니다. 따라서 이 글에서는 물질의 분자 속성이 변화하는 화학적 변화의 요인에 대해서는 다루고 있지 않습니다.

오답 피하기 ① 1문단에서 물질의 상과 상변화가 무엇인지 그 개념을 설명하고 있습니다.
② 2문단에서 물질의 상태를 기체, 액체, 고체로 나눠 설명하고 있습니다.
③ 2문단에서 온도가 높을수록 분자의 움직임이 활발해진다고 설명하고 있습니다.
④ 3문단에서 드라이아이스는 이산화 탄소를 얼린 것인데, 이산화 탄소는 고체와 기체 상태로밖에 존재할 수 없다고 하며 드라이아이스가 녹지 않는 이유를 설명하고 있습니다.

2 2문단을 보면 높은 온도에서는 물질이 기체로 존재하며, 온도가 높을수록 에너지를 많이 가지고 있기 때문에 그만큼 분자들이 활발해진다고 하였습니다. 이는 액체에서 기체가 되려면 더 많은 에너지가 필요하다는 것이므로 에너지를 방출하는 것이 아니라 오히려 에너지를 흡수하게 됩니다.

오답 피하기 ① 2문단에서 대부분의 물질은 온도가 높을수록 분자들이 활발해지며, 고체는 분자들이 움직임 없이 고정되어 있지만 액체는 고체보다는 결합력이 약해서 분자들이 움직일 수 있다고 했습니다. 이로 보아 액체에서 고체가 될 때 부피가 감소한다는 것을 알 수 있습니다.
② 2문단에서 대부분의 물질은 낮은 온도에서는 고체로 존재하며, 온도를 높이면 분자들의 움직임이 활발해진다고 하였는데, 이렇게 분자가 움직일 수 있는 상태가 액체나 기체입니다.
③ 2문단에서 압력이 높을수록 기체는 액체가 된다고 하였습니다.
④ 2문단에서 기체는 분자가 자유롭게 움직이는 데 반해, 고체는 분자 간의 결합력이 가장 강해서 분자의 움직임이 없다고 하였습니다. 여기서 결합력이 강하다는 것은 분자 간에 서로 잡아당기는 힘인 인력이 크다는 것을 의미합니다. 이는 고체 상태인 드라이아이스에서는 인력에 의해 강하게 서로 고정되어 있던 이산화 탄소 분자들이 온도가 올라가면서, 즉 기체가 되면서 서로 거리가 멀어진다는 내용에서도 확인할 수 있습니다.

3 물이 끓으면 물의 상태는 액체에서 기체가 됩니다. 이는 분자의 속성이 변하는 것이 아니라 분자의 위치나 움직임에 따라 달라지는 것이므로 물리적 변화로 볼 수 있습니다(ㄱ). 또한 냄비를 계속 가열해도 물이 끓는 동안은 냄비의 온도가 $100℃$로 유지됩니다. 이는 액체와 기체가 평형을 이루는 상태로 액체가 기체가 되는 과정에서 에너지를 얻기 위해 주변의 열을 흡수하고 있기 때문입니다. 따라서 온도 변화는 없지만 에너지는 계속 이동하고 있다고 볼 수 있습니다(ㄷ).

오답 피하기 ㄴ. 추운 겨울에 언 빨래가 마르는 것은 고체가 바로 기체가 되는 현상이므로, 물인 액체가 수증기인 기체가 되는 현상과 동일하다고 볼 수 없습니다.

4 〈자료 2〉의 동결 건조는 얼음 상태가 바로 기체가 되는 원리를 이용한 것이므로 고체와 기체 상태가 공존하는 AT 곡선과 관련이 있습니다.

오답 피하기 ① T점은 삼중점으로 고체, 액체, 기체가 모두 공존하는 상태를 즉, 평형 상태를 말합니다.
② 선 BT는 고체와 액체가 공존하는 상태이므로 얼음에 압력을 가하면 물이 되는 현상과 관련이 있습니다.
③ 동결 건조는 얼음인 고체가 바로 기체가 되는 현상을 이용한 것이므로 드라이아이스가 녹지 않고 바로 기체가 되는 현상과 같다고 볼 수 있습니다.
⑤ 고체가 기체가 되는 것은 곡선 AT 구간에서 가능하므로 T점보다 낮은 온도에서는 압력을 낮추어야 합니다.

생각의 구조화 MIND MAP

생각읽기1 ㉠	생각읽기2 ㉡	생각읽기3 ㉢
생각읽기4 ㉣	생각읽기5 ㉢	생각읽기6 ㉡
1 공존	2 패러독스	3 경쟁 배타
4 증강 현실	5 항생제	6 상평형

생각읽기 **1 무한대, 수의 한계를 뛰어넘다**

| **0** ③ | **1** ⑤ | **2** Ⓐ 가무한 Ⓑ 실무한 |
| **3** ㄱ, ㄴ | **4** ③ | |

Q '제논의 역설'은 무엇을 가정했을 때 생기는 역설인가요?

제논의 역설은 시간이나 공간이 무한히 분할할 수 있는 연속성을 가지고 있다고 가정하였을 때 생기는 역설입니다.

이 글은 '무한대'의 어원과 무한대를 나타내는 기호(∞)의 유래를 설명하고, 무한을 암시하는 이론인 '제논의 역설'을 소개하고 있습니다. 또한 무한을 '실무한'과 '가무한'으로 나누어서 설명한 아리스토텔레스가 가무한의 입장을 지지하였다는 점과 19세기 칸토어가 무한을 명확하게 규정하고 계산 방법을 형식화한 이후로는 실무한의 입장이 지지를 받았음을 언급하고 있습니다.

■ **문단으로 생각읽기**

[도입 – 부연 – 전개 – 정리]의 생각 구조

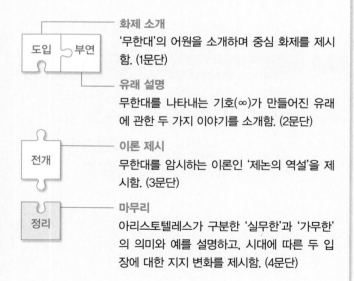

화제 소개
'무한대'의 어원을 소개하며 중심 화제를 제시함. (1문단)

유래 설명
무한대를 나타내는 기호(∞)가 만들어진 유래에 관한 두 가지 이야기를 소개함. (2문단)

이론 제시
무한대를 암시하는 이론인 '제논의 역설'을 제시함. (3문단)

마무리
아리스토텔레스가 구분한 '실무한'과 '가무한'의 의미와 예를 설명하고, 시대에 따른 두 입장에 대한 지지 변화를 제시함. (4문단)

0 3문단에서 제논의 역설에 대한 내용을 제시하고 그 역설은 제논이 제시한 지 2,000년이 지나서야 허점이 발견되어 해결되었다고 언급하였습니다. 하지만 반론의 내용은 언급하지 않았습니다.

출제 의도 글에서 언급한 내용을 확인하는 문제로 글의 세부 내용을 정확히 파악하고 있는지를 묻고 있습니다.

오답 피하기 ① 2문단에서 무한대를 나타내는 '∞' 기호가 무엇을 모티브로 만들어졌는지에 관한 두 가지 이야기가 있다고 하였습니다. ② 1문단에서 '무한대(infinity)'는 '끝'을 나타내는 라틴어 'finio'를 어원으로 하고 있다고 하였습니다. ④ 4문단에서 '실무한이란 무한의 실체가 존재한다는 의미로서의 무한을 의미하고, 가무한이란 끝없이 계속 나아가는 무한을 의미한다.'라고 하였습니다. ⑤ 4문단에서 '가장 큰 자연수를 생각할 수 없기 때문에 자연수는 하나의 완결된 형태로 존재하지 않는 가무한으로 보았다.'라고 하였습니다.

1 이 글은 무한대의 어원과 무한대 기호(∞)의 유래를 설명하고, 무한대를 암시하는 '제논의 역설'을 소개한 뒤 무한을 '실무한'과 '가무한'으로 나누어 설명하고 있습니다.

2 4문단에서 실무한은 무한의 실체가 존재하고, 가무한은 끝없이 계속 나아가는 무한이라고 했습니다. 또한 아리스토텔레스는 '시간 위에서 끝없이 전개되는 무한'을 가무한으로, '동시적으로 존재하는 무한'을 실무한으로 설명하였습니다. 따라서 원에 내접하는 다각형을 계속 그릴 수 있다고 생각할 때의 무한은 끝없이 전개되는 '가무한'으로 볼 수 있고, 내접하는 다각형들의 극한(무수히 많은 변을 가진 다각형)을 원이라고 생각한다면 무한의 실체가 존재하므로 '실무한'으로 볼 수 있습니다.

3 3문단에서 무한을 암시하는 역설은 시간이나 공간이 무한히 분할할 수 있는 연속성을 가지고 있다고 가정하였을 때 생기는 역설이라고 하였으므로 ㄱ, ㄴ이 ⊙에 해당합니다.

오답 피하기 ㄷ, ㄹ. 각각 역설에 해당하지만, 시간이나 공간을 무한히 분할할 수 있는 연속성과는 관련이 없습니다.

4 3문단에서 제논의 역설은 시간이나 공간이 무한히 분할할 수 있는 연속성을 가지고 있다고 가정하였을 때 생기는 역설이라고 하였습니다. 〈보기〉로 보아, 100초+1초+0.01초 + 0.0001초+⋯=10,000/99초인데, 10,000/99초의 시간을 무한히 분할하고, 그 안에서 이루어진 일을 가지고 아킬레스는 영원히 거북이를 앞지를 수 없다고 비약한 것입니다. 아킬레스와 거북이의 실제 시합에서는 10,000/99초가 지난 순간 아킬레스가 당연히 거북이를 따라잡을 것입니다.

생각읽기 **2** 귀납에 내재된 논리적 한계

0 ⑤	**1** ②	**2** ④	**3** ⑤	**4** ⑤

Q 귀납의 논리적 한계로는 어떤 것들이 있나요?
귀납의 논리적 한계로는 정당화 문제와 미결정성의 문제가 있습니다.

이 글은 귀납의 개념과 특성을 설명하고, 귀납의 논리적 한계인 정당성의 문제와 미결정성의 문제를 제시한 후 그에 대한 해결책을 검토하고 있습니다. 우선 귀납의 정당화 문제에 대해서는 라이헨바흐의 현실적 구제책을 제시하고, 귀납의 미결정 문제에 대해서는 확률을 도입하여 개연성이라는 귀납의 특징을 강조하는 해소 방법을 제시하고 있습니다.

■ 문단으로 생각읽기

[도입 – 문제 – 해결 – 문제 – 해결]의 생각 구조

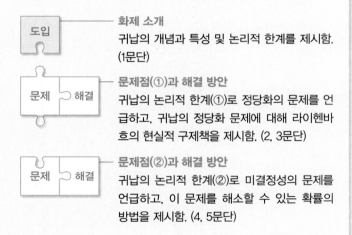

도입 — 화제 소개
귀납의 개념과 특성 및 논리적 한계를 제시함. (1문단)

문제 ─ 해결 — 문제점(①)과 해결 방안
귀납의 논리적 한계(①)로 정당화의 문제를 언급하고, 귀납의 정당화 문제에 대해 라이헨바흐의 현실적 구제책을 제시함. (2, 3문단)

문제 ─ 해결 — 문제점(②)과 해결 방안
귀납의 논리적 한계(②)로 미결정성의 문제를 언급하고, 이 문제를 해소할 수 있는 확률의 방법을 제시함. (4, 5문단)

생각읽기가 수능이다

독해실전	1 ①
수능실전	1 ③

---

0 (마)의 중심 내용은 '귀납의 미결정성 문제를 해결하기 위한 확률의 도입과 여전히 과학의 방법으로서 그 지위를 인정받고 있는 귀납'으로 볼 수 있습니다.

출제 의도 각 문단의 중심 내용을 파악하면 글의 전체 흐름과 주제를 파악할 수 있습니다.

1 이 글은 귀납에 내재된 논리적 한계(귀납의 정당화 문제, 미결정성의 문제)를 제시하고, 이 문제를 해결할 수 있는 라이헨바흐와 현대 철학자들의 방안을 검토하고 있습니다.

2 (가)에서 귀납은 기존의 정보나 관찰 증거 등을 근거로 새로운 사실을 추가하는 지식 확장적 특성을 지닌다고 하였습니다. 이로 보아 귀납의 지식 확장적 특성은 이미 알고 있는 사실을 근거로 아직 알지 못하는 사실을 추론하는 것임을 알 수 있습니다.

오답 피하기 ① (가)에서 귀납은 기존의 정보나 관찰 증거 등을 근거로 새로운 사실을 추가하는 지식 확장적 특성을 지니고 있다고 하였습니다. 하지만 (나)에 따르면, 귀납은 다른 지식을 전제로 하는데 그 지식은 다시 귀납에 의해 정당화되어야 하는 경험적 지식이므로 귀납의 정당화는 순환 논리에 빠져 버린다고 했습니다. 그렇기 때문에 많은 관찰 증거를 확보하더라도 귀납의 정당화에서 나타나는 순환 논리 문제는 해소되기 어렵다고 볼 수 있습니다.
② (마)에 따르면, 일상적인 직관에도 잘 들어맞는 확률 논리라 하더라도 귀납의 논리적 문제를 근본적으로 해결하는 것은 아니라고 하였습니다.
③ (나)에서 흄은 "귀납이 정당한 추론이다."라는 주장은 "자연은 일양적이다."라는 다른 지식을 전제로 하는데, 그 지식은 다시 귀납에 의해 정당화되어야 하는 경험적 지식이므로 귀납의 정당화는 순환 논리에 빠져 버린다고 하였습니다. 즉 흄은 귀납에 의한 정당화를 필요로 하는 지식에 근거해야 귀납의 정당화가 가능하다고 보았습니다.
⑤ (마)에 따르면, 대부분의 현대 철학자들이 확률을 도입하여 개연성이라는 귀납의 특징을 강조하려는 것은 귀납의 문제를 해결하려는 시도에 해당합니다. 이로 보아 관찰 증거가 가설을 지지하는 정도는 확률로 표현될 수 있다는 입장은 귀납을 옹호하는 것임을 알 수 있습니다.

3 (다)로 보아, 경험적 판단과 논리적 판단을 모두 활용하여 귀납을 다른 방법과 비교함으로써 귀납을 지지한 것은 ㉠에게만 해당됩니다.

오답 피하기 ① ㉠은 귀납의 정당화 문제로부터 과학의 방법인 귀납을 옹호하기 위해 현실적 구제책을 제시하였고, ㉡은 귀납의 미결정성의 문제로부터 귀납을 옹호하기 위해 확률과 개연성의 특징을 제시하였습니다. 이는 귀납을 과학의 방법으로 사용할 수 있음을 지지하려는 목적에서 시도된 것으로 볼 수 있습니다.
② ㉠은 어떤 방법도 체계적으로 미래 예측에 계속해서 성공할 수

없다는 논리적 판단을 통해 귀납이 최소한 다른 방법보다 나쁘지 않은 추론이라고 확언하고 있습니다. 그러나 이는 귀납이 지닌 논리적 허점을 현실적 차원에서 해소해 보려는 것일뿐 그것을 완전히 극복한 것은 아니라는 점에서 비판의 여지가 있습니다. ⓒ 또한 확률 논리로 설명되는 개연성이라는 귀납의 특징을 강조하여 귀납의 가치를 보여 주고 있습니다. 그러나 이 또한 귀납이 지닌 미결정성의 문제를 근본적으로 해결한 것은 아니라는 한계를 지닌다는 점에서 비판의 여지가 있습니다.

③ ㉠은 자연이 일양적인지 그렇지 않은지 알 수 없는 상황에서는 귀납을 사용하는 것이 옳은 선택이라고 하였습니다. 따라서 ㉠의 논증은 귀납과 견주어 어떤 방법도 체계적으로 미래 예측에 계속해서 성공할 수 없다는 논리적 판단을 근거로 귀납의 가치를 보여 주고 있다고 할 수 있습니다.

④ ⓒ은 귀납의 문제를 직접 해결하려 하기보다 확률을 도입하여 개연성이라는 귀납의 특징을 강조하여 귀납을 과학의 방법으로 인정하고 있습니다.

4 ⓔ '직관(直觀)'의 사전적 의미는 '감각, 경험, 판단, 추리 따위의 사유 작용을 거치지 않고 대상을 직접적으로 파악하는 작용'입니다. '대상을 파악하는 데에 있어 직감이 아니라 개념, 판단, 추리 따위를 들어 밝혀 가는 것'은 '직관'의 반대인 '논증적(論證的)'의 사전적 의미에 해당합니다.

| **0** ④ | **1** ③ | **2** ③ | **3** 손실 / 같다 / 줄어든다 / 감소한다 |
| | | **4** ④ | |

Q 자원이 낭비 없이 효율적으로 배분되려면 가격이 어떻게 결정되어야 하나요?

한계 비용 곡선과 수요 곡선이 만나는 점에서 가격이 정해져야 합니다.

이 글은 재화의 가격 결정과 관련한 여러 요소를 설명하고 있습니다. 일반 재화는 한계 비용 곡선과 수요 곡선이 만나는 점에서 가격이 결정되는 것이 자원의 낭비가 없는 효율적인 배분이라고 말할 수 있습니다. 하지만 이와 달리 공익 서비스의 경우에는 한계 비용으로 공공요금을 결정하면 공익 서비스를 제공하는 기업은 손실을 볼 수 있습니다. 따라서 이 문제를 해결하기 위해서는 공익 서비스를 제공하는 기업에 정부가 보조금을 지급하거나 공공요금을 평균 비용 수준으로 정하는 것이 필요하지만, 두 방법 모두 자원의 효율적 배분에는 한계가 있음을 언급하고 있습니다.

■ **문단으로 생각읽기**

[도입 – 문제 – 예시 – 해결]의 생각 구조

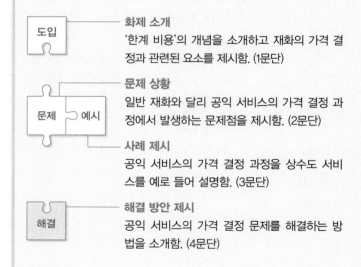

도입 — **화제 소개**
'한계 비용'의 개념을 소개하고 재화의 가격 결정과 관련된 요소를 제시함. (1문단)

문제 / 예시 — **문제 상황**
일반 재화와 달리 공익 서비스의 가격 결정 과정에서 발생하는 문제점을 제시함. (2문단)

— **사례 제시**
공익 서비스의 가격 결정 과정을 상수도 서비스를 예로 들어 설명함. (3문단)

해결 — **해결 방안 제시**
공익 서비스의 가격 결정 문제를 해결하는 방법을 소개함. (4문단)

0 이 글은 한계 비용으로 일반 재화와 공익 서비스에서 가격을 결정하는 과정을 살펴보고, 가격 결정과 자원 배분의 효율성과의 관계에 대해 살펴보고 있습니다.

출제 의도 글의 표제와 부제를 파악하는 문제로, 글의 전체 내용을 파악하고 중심 내용, 즉 주제를 잘 이해하고 있는지를 확인합니다.

1 '한계 비용' 등 가격 결정과 관련된 개념을 설명하면서 일반 재화와는 다른 공익 서비스의 가격 결정 방식을 상수도 서비스의 사례를 통해 설명하고 있습니다.

2 2문단에 의하면, 일반 재화와 마찬가지로 공익 서비스도 자원 배분의 효율성을 생각하면 한계 비용 수준으로 가격을 결정하는 것이 바람직하다고 하였습니다. 그러므로 공익 서비스와 일반 재화의 생산 과정에서 자원을 효율적으로 배분하기 위한 조건은 동일하다고 할 수 있습니다.

오답 피하기 ① 1문단에서 자원이 낭비 없이 효율적으로 분배될 때 사회 전체의 만족도가 가장 커진다고 하였습니다.

② 4문단에서 공익 서비스를 제공하는 기업의 손실을 해소하기 위한 두 가지 방법이 소개되어 있는데, 그중 하나가 공익 서비스를 제공하는 기업에 손실분만큼 정부가 보조금을 주는 정책입니다.

④ 1문단에서 가격이 한계 비용보다 높아지면 상대적으로 높은 가격으로 인해 수요량이 줄면서 거래량이 따라 줄고 결과적으로 생산량도 감소한다고 하였습니다.

⑤ 4문단으로 보아, 평균 비용이 한계 비용보다 큰 경우는 공익 서비스와 같은 경우로, 이 경우에 공공요금을 평균 비용 수준으로 정하면 해당 사업자의 손실이 줄어들 수 있습니다.

3
• 학생 1: [A]에서 한계 비용으로 수도 요금을 결정하면 수도와 같은 공익 서비스의 경우, 총비용보다 총수입이 적으므로 수도 사업자는 손실을 보게 된다고 하였습니다.

• 학생 2: 4문단으로 보아, 평균 비용 곡선과 수요 곡선이 교차하는 점에서 요금을 정하면 총수입과 총비용이 같아질 것입니다.

• 학생 3: [A]로 보아, 수돗물 생산량이 증가함에 따라 평균 비용은 지속적으로 줄어들고 있으므로 평균 비용과 한계 비용의 격차도 줄어든다는 것을 알 수 있습니다.

• 학생 4: 1문단으로 보아, 수도 요금의 결정 지점이 ⓐ에서 ⓑ로 이동하면 가격이 한계 비용보다 높아지므로 상대적으로 높은 가격으로 인해 수요량과 거래량이 줄고 생산량도 감소하므로 자원이 효율적으로 배분되지 못하여 사회 전체의 만족도는 떨어집니다.

4 자원의 효율적 분배에 문제가 생긴다는 것은 1문단에 나와 있듯이, 가격이 한계 비용보다 높아지면 상대적으로 높은 가격으로 인해 수요량이 줄면서 거래량이 따라 줄고, 결과적으로 생산량도 감소한다는 것입니다.

---

0 ③ **1** ① **2** ⑤ **3** ㉮ 유한한지 무한한지 현대의 과학으로는 판단할 수 없다 ㉯ 유한하다 **4** ③

Q '우주의 시공간적 유·무한성'에 대해 현대 우주론이 답을 할 수 없는 이유는 무엇인가요?

현대의 과학적 방법으로는 관찰과 실험으로 검증할 수 없기 때문입니다.

이 글은 우주의 시공간적 유·무한성에 대한 현대 우주론의 대답을 다루고, 그 대답이 시사하는 바가 무엇인지 철학적 관점에서 설명하고 있습니다. 현대 우주론은 우주의 시공간적 유·무한성에 대해 답할 수 없다고 하였는데, 글쓴이는 이러한 과학의 방법론적 한계가 과학의 결점으로 여겨져서는 안 된다고 주장하고 있습니다.

■ **문단으로 생각읽기**

[의문 – 대답 – 주장 – 정리]의 생각 구조

의문 ── **질문과 대답**
우주의 시공간적 유·무한성에 대해 현대 우주론은 어떤 답을 내놓을지 질문하고, 이 질문에 명확하게 답할 수 없다는 현대 우주론의 대답을 소개함. (1문단)

대답 ── **이유 설명**
현대 우주론이 우주의 시공간적 유·무한성에 대해 답을 할 수 없는 이유를 설명함. (2문단)

주장 정리 ── **평가 제시**
시공간적 유·무한성에 대해 답할 수 없다는 현대 우주론의 대답(한계)을 철학적인 관점에서 평가함. (3문단)

── **의의 제시**
현대 우주론에서 발견한 과학의 방법론적 한계가 지닌 의의를 언급함. (4문단)

생각읽기가 수능이다

독해실전 **1** ①

수능실전 **1** ㄱ, ㄹ

0 이 글에서는 우주의 시공간적 유·무한성에 대해 현대 우주론으로는 관찰과 실험을 통해 검증할 수 없는 과학적 방법의 한계 때문에 답할 수 없지만, 아는 것과 모르는 것을 분명히 인식하는 자세는 과학에 대한 다양한 질문을 발생시키고 과학적 방법을 발전시키는 토대가 된다고 하였습니다.

출제 의도 글쓴이가 말하고자 하는 바, 즉 글의 주제를 정확하게 파악하고 있는지를 확인하는 문제입니다.

오답 피하기 ① 2문단으로 보아, 현대 우주론은 시공간의 유·무한성에 대해 어떤 가설을 세워도 관찰과 실험을 통해 가설을 검증할 방법이 없기 때문에 명확하게 '답할 수 없다.'라고 대답하는 것입니다.
② 이 글은 현대 우주론이 방법론적 한계를 가지고 있는 영역 중 우주의 시공간적 유·무한성에 대해서만 다루고 있습니다.
④ 미래의 과학적 발전을 위해 현재의 과학적 자산을 다음 세대에게 전수하려는 자세를 지녀야 한다는 것은 이 글에 언급되어 있지 않습니다.
⑤ 우주의 시공간적 유·무한성에 대해 '답할 수 없다.'라는 현대 우주론의 대답은 과학의 방법론적 한계와 우주에 대한 인간 지식의 근본적 한계를 드러내는 것이지만(4문단), 글쓴이는 이러한 한계를 현대 과학의 결점으로 여겨서는 안 된다고 하였습니다(3문단).

1 이 글은 중심 화제인 '우주의 시공간적 유·무한성'이라는 질문에 대해 현대 우주론이 어떻게 대답하고 있는지 살펴보고, 그 대답이 시사하는 바를 철학적 관점에서 밝히고 있습니다.

2 4문단에서 아리스토텔레스는 우주의 한계를 인식하고 있는 것이 아니라 '우리의 지식이 불완전하다는 사실'을 인식하고 있습니다. 즉 우주의 한계가 아닌, 우주에 대해 가지고 있는 인간 지식의 한계를 인식하고 있는 것입니다.

오답 피하기 ① 2문단의 '공간적 유·무한성은 우주가 아주 작지 않다면 우주가 팽창하는 동안 빛이 간 거리 너머에 속한 내용일 가능성이 높다.'를 보면 우주는 공간적으로 빛이 간 거리보다 더 팽창하였을 가능성이 있음을 짐작할 수 있습니다.
② 3문단에 인용된 소크라테스, 공자, 노자의 말은 '무지에 대한 앎(인지)'이 중요함을 말하고 있는 것입니다.
③ 2문단에 따르면, 우주의 시공간적 유·무한성에 대해 현대 과학자들은 과학으로 추구할 수 있는 관찰과 실험이 미치는 영역 너머에 있기 때문에 답할 수 없다고 보았습니다.
④ 2문단에 따르면, 현대 과학자들이 우주의 시공간적 유·무한성에 대해 관찰과 실험으로 검증할 방법이 없음을 인식하고 있음을 밝히고 있는데, 이는 4문단에서 언급한 과학의 방법론적 한계로 볼 수 있습니다.

3 이 글의 ㉠ '현대 과학자'는 우주의 시공간적 유·무한성에 대해 과학으로 추구할 수 있는 관찰과 실험이 미치는 영역 너머에 있기 때문에 답할 수 없다고 하였으므로, 우주가 공간적으로 유한한지 무한한지 현대 과학으로 판단할 수 없다고 인식하고 있음을 알 수 있습니다. 하지만 〈보기〉의 ㉡ '아리스토텔레스'는 '지구는 우주의 중심에 정지하여 있고 안의 천구가 다음 천구를 움직이게 하며 궁극적으로 맨 바깥의 천구인 종천구를 움직이게 한다고 주장'하고 있으므로, 우주가 공간적으로 유한하다고 인식함을 알 수 있습니다.

4 ©의 '밝히다'는 '진리, 가치, 옳고 그름 따위를 판단하여 드러내 알리다.'의 의미로 쓰였습니다. 하지만 ③의 '밝히다'는 '불빛 따위로 어두운 곳을 환하게 하다.'의 의미로 쓰였으므로 ©의 문맥적 의미를 활용하여 만든 문장으로는 적절하지 않습니다.

오답 피하기 ① ⓐ의 '내놓다'는 '생각이나 의견을 제시하다.'라는 의미로 쓰였으므로 '정부는 연초에 국민들에게 경제 개혁안을 <u>내놓았다</u>.'는 적절한 문장으로 볼 수 있습니다.
② ⓑ의 '미치다'는 '영향이나 작용 따위가 대상에 가하여지다.'라는 의미로 쓰였으므로 '이번 광고는 판매량을 높이는 데에 큰 영향을 <u>미쳤다</u>.'는 적절한 문장으로 볼 수 있습니다.
④ ⓓ의 '여겨지다'는 '마음속으로 그러하다고 인정되거나 생각되다.'라는 의미로 쓰였으므로 '그녀가 어제 여기에 다녀간 일이 신기하게 <u>여겨졌다</u>.'는 적절한 문장으로 볼 수 있습니다.
⑤ ⓔ의 '유지되다'는 '어떤 상태나 상황이 그대로 보존되거나 변함없이 계속되어 지탱되다.'라는 의미로 쓰였으므로 '이 상태로 가다가는 형편이 <u>유지되기도</u> 어려울 것 같다.'는 적절한 문장으로 볼 수 있습니다.

생각읽기 **5** DNA 증거의 탄생

0 ②　　**1** ②　　**2** ②　　**3** ⑤

Q DNA 검사를 통해 용의자를 찾을 수 있는 원리는 무엇인가요?

모든 인간은 DNA의 99.9퍼센트가 동일하지만 정확하게 똑같은 DNA는 없으므로 0.1퍼센트의 차이점을 활용하여 DNA 샘플과 단 한 명의 용의자를 연결할 수 있습니다.

이 글은 인간의 유전적 정보를 담고 있는 DNA를 활용하여 범죄 수사에서 범죄자들을 특정해 내는 방법과 그 의의를 서술하고 있습니다. 모든 인간은 DNA의 99.9퍼센트가 동일하지만 정확하게 똑같은 DNA는 없기 때문에, 사건 현장에서 발견된 DNA가 데이터베이스에 기록된 DNA와 일치할 경우 사건의 용의자를 특정해 낼 수 있습니다. 이러한 방법은 우리 사회의 정의를 구현하는 데 도움이 되고 있습니다.

■ 문단으로 생각읽기

[도입 – 전개 – 전개 – 예시 – 정리]의 생각 구조

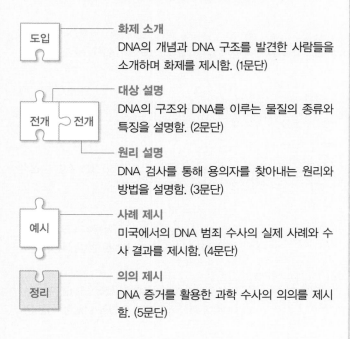

도입 ─ 화제 소개
DNA의 개념과 DNA 구조를 발견한 사람들을 소개하며 화제를 제시함. (1문단)

전개 전개 ─ 대상 설명
DNA의 구조와 DNA를 이루는 물질의 종류와 특징을 설명함. (2문단)

─ 원리 설명
DNA 검사를 통해 용의자를 찾아내는 원리와 방법을 설명함. (3문단)

예시 ─ 사례 제시
미국에서의 DNA 범죄 수사의 실제 사례와 수사 결과를 제시함. (4문단)

정리 ─ 의의 제시
DNA 증거를 활용한 과학 수사의 의의를 제시함. (5문단)

0 3문단에서 DNA를 활용한 범죄 수사에서 용의자를 찾아내는 원리와 방법을 설명하고 있고, 5문단에서 이러한 방법이 우리 사회의 정의를 구현하는 데 도움이 되고 있다고 하면서 DNA를 활용한 범죄 수사의 의의를 밝히고 있습니다.

출제 의도 글의 제목을 파악하는 문제를 묻는 이유는 글의 전체적인 내용을 포괄해서 이해할 수 있는지를 확인하기 위해서입니다.

오답 피하기 ① 2문단의 중심 내용이지만, 전체적인 내용을 포괄한 제목으로 보기에는 적절하지 않습니다.
③ 이 글에는 DNA 연구의 발전 과정은 제시되어 있지 않습니다.
④ 4문단의 중심 내용일 뿐, 글 전체의 내용을 포괄하지는 못하였습니다.
⑤ 이 글에 DNA를 활용한 범죄 수사와 기존 범죄 수사의 차이점에 대한 내용은 제시되어 있지 않습니다.

1 1문단의 'DNA는 살아 있는 모든 유기체 및 많은 바이러스의 유전적 정보를 담고 있는 실 같은 모양의 핵산 사슬이다.'와 2문단의 'DNA는 길게 꼬인 사다리와 같은 형태, 다시 말해 이중 나선 구조를 지니고 있다.'로 보아, DNA의 모양과 구조를 비유를 통해 설명하고 있음을 알 수 있습니다.

2 ㄱ. 2문단에 의하면, 인간의 몸은 약 100조 개의 세포로 구성되어 있으며 각 세포에는 인간의 전체 게놈, 즉 모든 DNA가 포함되어 있다고 하였습니다. 그리고 DNA는 길게 꼬인 사다리와 같은 형태, 다시 말해 이중 나선 구조를 지니고 있다고 하였습니다.
ㄷ. 4문단에 의하면, DNA 수사는 사건의 피해자뿐만 아니라 무죄임에도 유죄를 판결받은 사람들, 즉 사건의 또 다른 피해자의 결백을 증명하는 데도 도움을 주기도 한다고 하였습니다.

오답 피하기 ㄴ. 2문단에 의하면, DNA는 길게 꼬인 사다리와 같은 형태인 이중 나선 구조를 지니고 있고, 사다리 가로대에는 알파벳 두 개의 이름이 붙는데, A와 T 또는 C와 G가 언제나 짝을 이루어 붙는다고 하였습니다. 그러므로 DNA의 사다리 가로대에는 아데닌과 티민 혹은 시토신과 구아닌이 언제나 짝을 이루어 존재합니다.
ㄹ. 4문단으로 보아, 코디스(CODIS)에는 모든 사람의 DNA 정보가 담겨 있는 것이 아니라 유죄를 판결받은 사람 혹은 중대 범죄 혐의로 체포되었던 사람들의 DNA 프로파일이 기록되어 있습니다.

3 3문단에서 모든 인간은 DNA의 99.9퍼센트가 동일하기 때문에 서로 비슷한 모습을 지니지만, 정확하게 똑같은 DNA는 없기 때문에 두 사람이 정확하게 똑같지는 않다고 하였습니다. 그러므로 인간의 DNA는 공통된 부분이 없이 서로 완전히 다른 것이 아니라 99.9퍼센트가 동일한 것입니다.

오답 피하기 ① 〈보기〉에서 현재의 DNA 감식 기술은 눈동자와 머리카락, 피부 색깔 등을 추정할 수 있는 단계에까지 발달해 있다고 하였습니다.

② 5문단에서 DNA 증거를 통한 과학 수사는 범죄로 인해 충격을 받은 공동체를 위해 사회의 정의를 구현하는 데 도움이 된다고 하였습니다.

③ 〈보기〉에서 사건 현장 DNA 분석을 통해 용의자의 외모를 최대한 추측할 수 있다고 하였습니다.

④ 〈보기〉에 따르면 현 단계에서 DNA를 통해 3가지 눈동자 색깔, 4가지 머리카락 색깔, 5가지 피부 색깔을 구분해 낼 수 있다고 하였습니다. 그러나 아직 머리카락이 직모인지 곱슬인지에 대한 분석 방법은 연구가 진행되고 있지 않으므로 이에 대한 연구의 필요성을 언급할 수 있습니다.

Q 신인상주의 화가들이 색의 한계를 극복하기 위해 사용한 방법에는 무엇이 있나요?

물감을 팔레트 위에서 섞지 않고 화폭에 일정한 크기의 작은 점을 병치하는 기법을 사용하였고, 보색을 나란히 배치함으로써 대비 효과로 인해 대상이 선명해 보이는 원리를 활용하였습니다.

색광의 3원색인 빨강, 초록, 파랑을 가법 혼합할 때 색광의 3원색이 모두 섞이면 흰색이 되고, 혼합된 색은 명도가 높아지지만 채도는 낮아집니다. 한편 색료의 3원색인 자홍, 청록, 노랑을 감법 혼합할 때 3원색이 모두 섞이면 검정이 되고 혼합된 색은 원래의 색보다 명도가 낮아집니다. 인상주의 화가들과 신인상주의 화가들은 태양 빛이 만들어 내는 다양한 색을 화폭에 담아내려는 다양한 시도를 하였고, 비록 한계가 있기는 하지만 후대의 화가들에게 다양한 회화의 표현 방식을 찾는 데 영감을 주었습니다.

■ **문단으로 생각읽기**

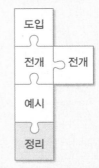

[도입 – 전개 – 전개 – 예시 – 정리]의 생각 구조

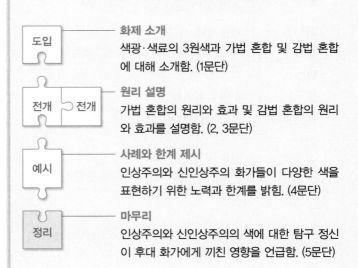

도입 ── **화제 소개**
색광·색료의 3원색과 가법 혼합 및 감법 혼합에 대해 소개함. (1문단)

전개 전개 ── **원리 설명**
가법 혼합의 원리와 효과 및 감법 혼합의 원리와 효과를 설명함. (2, 3문단)

예시 ── **사례와 한계 제시**
인상주의와 신인상주의 화가들이 다양한 색을 표현하기 위한 노력과 한계를 밝힘. (4문단)

정리 ── **마무리**
인상주의와 신인상주의의 색에 대한 탐구 정신이 후대 화가에게 끼친 영향을 언급함. (5문단)

0 이 글은 색광의 혼합 방법인 가법 혼합과 색료의 혼합 방법인 감법 혼합의 원리를 구체적인 실험을 통해 설명하고 있습니다. 그리고 두 혼합 방식의 원리를 바탕으로 대상을 밝고 선명하게 표현하고자 하였던 인상주의와 신인상주의 화가들의 노력이 한계에 부딪힌 까닭과 색에 대한 탐구 정신이 갖는 의의를 제시하고 있습니다.

> 출제 의도 글을 읽고 글 전체의 핵심 주제를 파악할 수 있는지를 확인하기 위한 문제입니다.

1 3문단으로 보아, 파랑 물감의 입자에 백색광이 비치면 빨강과 초록 파장 영역대의 빛은 흡수되고 파랑 파장 영역대의 빛만 반사되는데, 이때 반사된 파랑 영역대의 빛을 옆에 있는 빨강 물감의 입자가 흡수합니다.

> 오답 피하기 ① 1문단으로 보아, 색광의 3원색(빨강, 초록, 파랑) 중 둘이 섞이면 중간색인 자홍, 청록, 노랑(색료의 3원색)이 만들어지는데, 이때 두 색을 섞어 흰색이 만들어지는 경우를 보색이라고 하였습니다. 그러므로 색광의 3원색(빨강, 초록, 파랑)의 보색은 색료의 3원색(자홍, 청록, 노랑)과 같음을 알 수 있습니다.
> ② 3문단에서 '빨강 물감의 입자에 백색광이 비치면 파랑과 초록 파장 영역대의 빛은 흡수되고 빨강 파장 영역대의 빛만 반사'하는 것처럼 나뭇잎이 초록으로 보이는 것은 나뭇잎이 초록 파장 영역대의 빛을 반사해 우리 눈에 비치기 때문임을 짐작할 수 있습니다.
> ③ 1문단과 3문단으로 보아, 물감(색료)을 섞는 것은 감법 혼합이고, 감법 혼합으로 만든 색은 원래의 색보다 명도가 낮다고 했습니다. 따라서 빨강 물감과 청록 물감을 섞어 만든 색은 검정으로 원색인 청록 물감의 색보다 명도가 낮습니다.
> ④ 1문단에 따르면, 색광에서는 두 색을 섞어 흰색이 만들어지는 경우를 보색이라고 하고, 색료에서는 두 색을 섞어 검정이 만들어지는 경우를 보색이라고 합니다.

2 2문단을 보면 색을 만들기 위해 여러 색광을 섞는 가법 혼합의 원리를 프로젝터에서 나온 백색광이 각각 다른 색의 필터를 통과하는 것을 예로 들었고, 3문단에서는 여러 색료를 섞는 감법 혼합의 원리를 화가가 물감을 섞는 것으로 예를 들어 설명하고 있습니다(ㄱ). 그리고 1문단에서 '보색', '가법 혼합', '감법 혼합' 등 색과 관련된 전문적인 용어들의 개념을 설명하고 있습니다(ㄴ).

> 오답 피하기 ㄷ. 색과 관련된 원리가 시대에 따라 변천한 과정은 드러나 있지 않습니다.
> ㄹ. 색과 관련된 현상의 원인을 다양한 측면에서 심층적으로 분석한 부분은 찾을 수 없습니다.

3 4문단에서 인상주의와 신인상주의 화가들의 노력은 다양한 시도에도 불구하고 한계에 부딪혔지만 색에 대한 이들의 탐구 정신은 후대의 화가들이 다양한 회화의 표현 방식을 찾는 데 영감을 주었다고 하였습니다. 그러므로 이 글을 읽고 난 후 인상주의와 신인상주의 화가들에게 영감을 받은 후대 화가들의 회화 표현 방식에 대해 더 알아보는 것은 적절한 반응으로 볼 수 있습니다.

> 오답 피하기 ① 인상주의와 신인상주의 화가들의 노력이 한계에 부딪힌 까닭은 이미 4문단에 제시되어 있습니다.
> ③ 색광의 3원색을 이용하여 빨강, 초록, 파랑 이외의 다양한 색을 만드는 방법은 2문단의 '3원색의 광량을 달리하면 다양한 색을 만들 수 있다.'를 통해 알 수 있습니다.
> ④ 4문단에 모네의 「인상, 해돋이」에서 혼합된 물감의 색의 명도가 낮아진 이유는 감법 혼합 때문임이 제시되어 있습니다.
> ⑤ 시냐크가 「우물가의 여인들」에서 물감을 섞지 않고 화폭에 원색 점들을 찍어 병치한 이유는 가법 혼합의 원리에 의해 중간색(제3의 색)을 표현하기 위함이 4문단에 제시되어 있습니다.

4 4문단에서 보색을 나란히 배치하면 대비 효과로 대상이 선명해 보인다고 하였습니다. 그러므로 〈보기〉의 고흐는 ㉮의 작품에서 파랑과 노랑, 초록과 자홍의 보색 대비를 통해 대상의 모습을 선명하게 드러내려 의도한 것으로 볼 수 있습니다.

> 오답 피하기 ② 4문단에 따르면 보색을 나란히 배치하면 대비 효과로 인해 대상이 선명해 보이는 원리도 활용하였지만, 의도와 달리 멀리 떨어져서 그림을 보면 가법 혼합의 원리에 의해 보색이 혼합되어 오히려 흐릿하게 보였다고 하였습니다. 그러므로 보색 대비를 활용한 ㉮의 그림 또한 멀리서 보면 선명하게 보이는 것이 아니라 흐릿하게 보일 것입니다.
> ③, ④, ⑤ 〈보기〉에서 고흐는 대상의 순간적 모습을 선명하게 표현하기 위해 물감을 섞어 사용하기보다는 원색과 중간색만 사용하거나 보색 대비를 활용했다고 하였습니다.

생각의 구조화 MIND MAP

생각읽기1 ㉣	생각읽기2 ㉢	생각읽기3 ㉡
생각읽기4 ㉤	생각읽기5 ㉠	생각읽기6 ㉠

1 무한대   2 한계   3 한계 비용
4 관찰   5 범죄 수사   6 가법, 감법

기초에서 심화까지

단단한 수학 자신감의 완성!
디딤돌 중학 수학

중학 수학은 '무엇을 풀까?' 보다 '어떻게 풀까?'가 중요합니다.
디딤돌 중학 수학으로 개념을 이해하면 새로운 문제도 '이렇게 풀면 되겠네.'
응용, 심화, 유형에 흔들리지 않는 수학 자신감이 생깁니다.